Smets, Wilhelm

Kurze Geschichte der Paepste

Smets, Wilhelm

Kurze Geschichte der Paepste

Inktank publishing, 2018

www.inktank-publishing.com

ISBN/EAN: 9783747789445

Kurze
Geschichte der Päpste.

Nebst einem Anhange:

über

Den Primat Petri

und

das Mährchen

von der Päpstinn Johanna.

Von

D. Wilhelm Smets.

Dritte, vermehrte und verbesserte Auflage.

Köln, 1835.

Druck und Verlag von M. DüMont-Schauberg.

Vorwort zur zweiten Auflage.

———

Unter den verschiedenen Erscheinungen, in welchen der heutige Zeitgeist sich kund gibt, ist auch die eine leider unverkennbar, daß Oberflächlichkeit des Wissens, gepaart mit Leidenschaftlichkeit und dem Stachel mancher unbezähmten Leidenschaft selbst, ein leidiges Geschrei erhebt von persönlicher Freiheit, Alleinherrschaft der Vernunft ohne Dazwischenkunft der göttlichen Gnade, und von Mündigkeit des menschlichen Geistes, absehend von der wahren Beschaffenheit der menschlichen Natur, die so sehr der Beschränkung bedarf, da sie nur noch einen Rest wahrer Freiheit in sich trägt, welche zur vollkommneren Freiheit muß gebildet werden; absehend von der Unzulänglichkeit unsrer Vernunft-Erkenntnisse über die höchste Bestimmung des Menschen und die Mittel, sie zu erreichen: daher die Offenbarung verwerfend; absehend endlich von der Nothwendigkeit feststehender Formen, in denen erst wahre Freiheit sich entwickeln kann. Diese Erscheinung des Zeitgeistes ist es nun auch, welche, wie natürlich, bewirket, daß ein entschiedener Widerstreit gegen all dasjenige sich an Tag leget, was diesen Grundsätzen nicht huldigt. Die Geschäftigkeit aber, in welcher dieser Widerstreit sich offenbart, gränzet fast an das Unglaubliche; es entwickelt sich hier gleichsam ein ganz eigenes Talent, alles Heilige und Ehrwürdige in ein gehässiges Licht zu stellen; Wagnisse, Lügen und Verleumdungen aller Art werden mit der frechsten Stirn feil geboten, und damit das Gift ja alles Geäder des Volkes durchbringe, sind solche Schandblätter um einen Spottpreis von jeder Klasse des Volkes zu kaufen, und so ist es auch besonders darauf angelegt, schon das frühere Jugendalter zu kirren, seinen Sparpfennig daran zu legen. Der geistliche Stand aber, das Priesterthum der katholischen Kirche in seinen verschiedenen Abstufungen und Institutionen, ist es vor Allem, was diesem Hasse und dieser gränzenlosen Frivolität ausgesetzt ist, und nichts vermag mehr jene Geister zu reizen, als das Leben und die Thaten der sichtbaren Oberhäupter der katholischen Kirche — der Päpste. Wir glaubten daher, daß es kein unverdienstliches Werk sei, den Markt eben so wohlfeil zu eröffnen und Jedem zur Gegen-Ansicht einen Blick in das Leben der Päpste zugänglich zu machen. Wir haben das Schlechte, ja, das Grauenvolle darin nicht verschwiegen, doch ohne mit Ausschmückung uns dabei aufzuhalten; wir haben aber auch da mit freudiger Erhebung des Gemüthes geschildert, wo das Herrliche nicht zu verkennen ist, und wir haben endlich da den Apologeten nicht verläugnet, wo jene Frechheit entgegengesetzter Behauptung befangene Gemüther irre leiten könnte. Und darum glauben wir denn auch, diese Arbeit dann nicht fruchtlos unternommen zu haben, wenn aus derselben hervorgeht, wie Vieles die meisten Päpste zur Versittlichung Europa's, insbesondere Deutschlands, beitrugen, wie gewaltig sie dem überschwellenden Strome zügelloser Leidenschaften sich entgegensetzten, mit welchem Falkenauge sie über der Reinheit des apostolischen Glaubens wachten, und wie sie endlich, wenn auch vergebens, Alles aufboten, asiatische Barbarei von Europa fern zu halten. Mag dann immerhin, was einige wenige unter ihnen Schlechtes, ja, selbst Empörendes wirkten, noch so geschäftig, eindringlich und aufreizend von Andern geschildert werden: es kann unbeschadet gegen unverkennbare Geistesgröße geschehen.

Hersel, im September 1828.

Der Verfasser.

Vorwort zur dritten Auflage.

Bei dem Erscheinen einer neuen Auflage der kurzen Geschichte der Päpste, welche nach Verlauf von sechs Jahren wieder nöthig geworden ist, sieht der Verfasser sich veranlaßt, hierüber Folgendes zu sagen: Jeder billig Urtheilende hat es bald erkannt, zu welchem Endzwecke dieses Werkchen dem Drucke übergeben worden ist, und mit dieser Einsicht ist auch die Gränze der Anforderungen gezogen, die man an dasselbe stellen darf. Darum macht denn auch diese kurze Geschichte der Päpste eben so wenig Anspruch auf monographische Ausführlichkeit, als auf gediegene wissenschaftliche Pragmatik; sie weiset weder auf die alten Quellen hin, noch auch entdeckt sie neue; denn für den Gelehrten als Geschichtforscher ist sie nicht geschrieben, wenn auch bei den Perioden des großen Schisma und der Reformation unverkennbar mehr Fleiß auf umständliche, gründliche und aufklärende Darlegung der Thatsachen verwendet worden ist. Es sollen daher diese kurzen Lebensbeschreibungen der Päpste, mit Hinweisung auf das Vorwort zur zweiten Auflage, nur für das größere katholische Lese-Publicum verfaßt sein, und gleichsam kurze biographisch-erläuternde Notizen abgeben, wie man sie wohl einer Reihenfolge von Bildnissen beigefügt findet. Es versteht sich daher von selbst, daß hier keine Historia augusta mit geflissentlicher Jagd auf Anekdoten-Krämerei,

wie sie sich in den in mancher andern Hinsicht gewiß sehr
schätzbaren Werken von Llorente u. A. vorfindet, zu erwarten sei, und eben so wenig dasjenige, was, an sich in
Einer Beziehung historisch wichtig, es doch nicht für das
größere Lese-Publicum ist. Und doch ist in diesem doppel-
ten Mangel gerade der Hauptvorwurf ausgesprochen,
welcher dieser Geschichte der Päpste von nichtkatholischen
Recensenten gemacht wurde. Wie viel seltener hat man
sich aber so bemüht, die geheimsten Penetrale des Privat-
lebens weltlicher Dynastieen zu durchstöbern und alles
Tadelnswerthe und Verwerfliche daraus an Tag zu
bringen, als dieses mit den Lebensbeschreibungen der Päpste
geschehen ist! und wie hat sich in politischer Beziehung
nicht immer das Bestreben gezeigt, die Handlungen weltlicher Fürsten eher zu rechtfertigen, als die hierarchischen
Schritte der Päpste stets als verwerflich darzustellen,
in welcher Hinsicht Fr. Rühs das schöne, beherzigens-
werthe Wort gesprochen hat: „Die Entstehung und Ausbildung der christlichen Gesellschafts-Verhältnisse, die viel
einfacher aus der Natur der Dinge und dem Sinne der
Religion selbst abgeleitet werden, wird wohl nicht schlechter erklärt, als wenn man dabei immer eine schlaue Absicht-
lichkeit voraussetzt." — Aber es ist ja leichter, zu schmähen,
wo man nicht zu befürchten hat, wegen beleidigter Ahnen
zur Rechenschaft gefordert zu werden, und es ist nicht
schwer, dem Kurzsichtigen die amtliche Würde an sich durch
das unwürdige Privatleben dessen, der sie bekleidet, zu verdächtigen; als wenn nicht in dieser Hinsicht die dreimalige Verläugnung Christi durch Petrus gleichsam für
eine vorbildliche Verwahrung gegen alle folgenden Fälle gel-

ten könnte! Indessen verliert das Zeloten-Geschrei in und außer der Kirche sich immer mehr vor den gründlichen wissenschaftlichen Bestrebungen, womit besonders in neuester Zeit selbstprotestantische Geschichtforscher als Vertheidiger mehrer angefeindeten Päpste aufgetreten sind, wo nur die Namen Roscoe, Raumer, Voigt, Ranke, Leo, Rühs, K. A. Menzel und Hurter genannt zu werden brauchen. — Zu der Abhandlung über das Mährchen von der Päpstinn Johanna, welche der zweiten Ausgabe als Supplementbändchen beigegeben war, kommt nun noch eine Abhandlung über den Primat Petri hinzu, als abgekürzte Bearbeitung eines größeren Aufsatzes des Verfassers in der bonner Zeitschrift für Philosophie und katholische Theologie (Heft VI. Seite 61—95), unter dem Titel: „Der Primat Petri in seiner stellvertretenden Beziehung; eine exegetische Andeutung", wo im zweiten Theile desselben auch noch eine besondere Prüfung der Erklärungsweise der auf den Primat Petri sich beziehenden Schriftstellen durch die vorzüglichsten neuern protestantischen Exegeten angestellt wird. Jedenfalls möchte der Aufsatz auch so, wie er hier nur erscheint, geeignet sein, gegen den Recensenten in der halle'schen Lit.-Ztg. 1829, Nr. 192, darzuthun, daß die bei der Biographie des heil. Petrus vorgebrachten Bibelbeweise für die Einsetzung des Primates durch Christus nicht eben die einseitigsten und auf das oberflächlichste vorgebracht sind.

Münstereifel, im September 1835.

Der Verfasser.

Inhalt.

Alphabetisches Namen-Verzeichniß der Päpste
von Simon, gen. Petrus, bis Gregorius XVI.

Geschichte der Päpste.

Von

D. Wilhelm Smets.

Erste Abtheilung.

Von Einsetzung eines Oberhauptes der Kirche Jesu Christi bis auf Martinus I.

33—649 nach Christi Geburt.

Simon, genannt Petrus,

ein Fischer, aus der Stadt Bethsaïda in Galiläa. Der h.
Evangelist Johannes berichtet uns in seinem Evangelium (I.
36.—42.) die Aufnahme des h. Petrus zum Apostelamte und
die Andeutung seiner einstigen Erhebung zum Oberhaupte der
Kirche des Sohnes Gottes auf folgende Weise: „Und als er
(Johannes der Täufer) sah Jesum wandeln, sprach er: Siehe,
das Lamm Gottes. Und die beiden Jünger hörten ihn das
sagen und folgten Jesu nach. Jesus aber wandte sich um,
und sah sie nachfolgen, und sprach zu ihnen: Was suchet ihr?
Sie sprachen zu Ihm: Rabbi (d. h. verdolmetschet: Meister),
wo wohnest du? Er sprach zu ihnen: Kommt und sehet! Sie
kamen und sahen, wo Er wohnte, und sie blieben diesen Tag
bei Ihm. Es war um die zehnte Stunde. Andreas aber, der
Bruder des Simon Petrus, war einer aus den zweien, welche
Ihm, da sie das von Johannes hörten, nachgefolgt waren.
Derselbe findet zuerst seinen Bruder Simon und spricht zu ihm:
Wir haben den Messias gefunden (d. h. verdolmetschet: Christus),
und er führte ihn zu Jesu. Jesus sah ihn an und sprach: „Du
bist Simon, Jona's Sohn; du sollst Cephas heißen (das ist
verdolmetschet: Petrus — ein Fels —).‟ Durch diese feierliche Weise, in welcher Jesus den Bruder des Andreas anredete: Simon, Sohn des Jona, und durch die Umänderung

seines Namens Simon in die Benennung Petrus — Fels — erhielt derselbe schon gleich im Beginne seiner Aufnahme in die Jüngerschaft Jesu vor allen andern Jüngern eine eigenthümliche Bedeutung, und der Benennung „Fels" mußte doch auch nothwendig irgend eine Beziehung zum Grunde liegen, wenn sie auch bei dieser Gelegenheit von Christus noch nicht ausgesprochen wurde. Der h. Evangelist Matthäus berichtet uns nun ferner (XVI. 13.—18.) die Begebenheit, bei welcher der Sinn dieser Worte des Heilandes klar wurde, wo es heißt: „Da kam Jesus in die Gegend von Cäsarea des Philippus; und er fragte Seine Jünger und sprach: Wer, sagen die Leute, daß des Menschen Sohn sei? Sie aber sprachen: Einige sagen, Du seist Johannes der Täufer; Andere aber, Du seist Elias; Einige, Du seist Jeremias oder der Propheten einer. Jesus sprach zu ihnen: Wer, sagt aber ihr, daß Ich sei? Simon Petrus antwortete und sprach: Du bist Christus, der Sohn des lebendigen Gottes! Jesus antwortete und sprach zu ihm: Selig bist du, Simon, Jona's Sohn! denn Fleisch und Blut haben dir das nicht geoffenbaret, sondern Mein Vater, Der in den Himmeln ist. Und auch Ich sage dir: Du bist Petrus — ein Fels —, und auf diesen Felsen will ich bauen Meine Kirche, und die Pforten der Hölle sollen sie nicht überwältigen." Der Heiland gibt also hier zu erkennen, warum Er dem Simon bei Seinem ersten Zusammentreffen mit demselben den Namen Petrus gab: weil Er ihn nämlich einstens zum Mittel- und Schwerpunkte, zur Grundfeste Seiner Kirche machen wolle, und dieses that Er gerade nun, wo Gott der Vater dem Petrus die Gottheit und Messiaschaft Jesu geoffenbart hatte. Nicht also ein Glaubensbekenntniß, wie Petrus es leistete, nennt Christus den Felsen, worauf Er Seine Kirche bauen wolle: denn Er hatte Seinen Jünger schon gleich Anfangs so genannt, ehe er noch ein solches Bekenntniß abgelegt hatte; sondern den Jünger selbst, welcher durch dieses Bekenntniß die frühere Auswahl, ein Fels zu sein, rechtfertigte, nennt Er die Grundfeste Seiner Kirche, so daß dieselbe, so eingerichtet, ein

Oberhaupt nämlich an ihrer Spitze, für Seine Kirche gelten und auch durch die größten Anstrengungen der Herrschaft der Sünde und der Irrlehren nicht überwältigt werden soll, und daß mithin diejenigen, welche Mitglieder der wahren Kirche sein wollen, an diesem Punkte der Einheit halten müssen. Jesus Christus, Den schon die Propheten unter dem Bilde eines Hirten bezeichnen, Der Sich selbst den guten Hirten nennt, welcher sein Leben aufopfert für seine Schafe, übergibt nach Seiner Auferstehung dem Petrus endlich auch die Ausübung des Amtes, wozu Er ihn berufen hatte, Grundfeste — Oberhaupt — Seiner Kirche zu sein, wie es im Evangelium des h. Johannes (XXI. 15.—17.) heißet: „Da sie nun das Mahl gehalten hatten, spricht Jesus zu Simon Petrus: Simon, Johannes' Sohn, liebst Du Mich mehr, als Mich diese lieben? Er spricht zu ihm: Ja, Herr, Du weißt, daß ich Dich liebe! Er spricht zu ihm: Weide Meine Lämmer! Wiederum spricht Er zu ihm: Simon, Johannes' Sohn, liebst Du Mich? Er spricht zu Ihm: Ja, Herr! Du weißt, daß ich Dich liebe! Er spricht zu ihm: Weide Meine Lämmer! Zum dritten Male spricht er zu ihm: Simon, Johannes' Sohn, liebst du Mich? Petrus ward traurig, daß Er zum dritten Mal zu ihm sagte: Liebst du Mich? und sprach zu Ihm: Herr, Du weißt Alles, Du weißt, daß ich Dich liebe! Und Er sprach zu ihm: Weide Meine Schafe!" Hier überträgt also Christus kurz vor Seiner Himmelfahrt, da Er selbst der sichtbaren Leitung Seiner Kirche Sich begab, das Oberhirten-Amt über die ganze Herde: „Weide Meine Lämmer, weide Meine Schafe!" dem Petrus und macht ihn hier im vollen Sinne des Wortes zu Seinem Statthalter. Daß nun aber auch in der Folge Petrus sich von dem durch Christus ihm ertheilten Vorzuge, Seine Kirche zu regieren, überzeugt hielt, und daß die übrigen Apostel derselben Meinung waren, geht aus den Evangelien und der Apostelgeschichte ganz unbezweifelbar hervor; denn wo wir im neuen Testamente die Namen der Apostel aufgeführet finden, da steht Petrus überall oben an; zuweilen heißt es sogar nur: Petrus

und die Uebrigen, wozu noch kommt, daß Petrus bei gemein=
schaftlichen Verhandlungen die Sache einleitet und das Wort
nimmt, so bei der Wahl eines neuen Apostels, bei dem Aus=
spruche über die Streitigkeiten in Antiochien und am ersten
Pfingsttage; selbst die Juden scheinen um den Vorzug des h.
Petrus vor den übrigen Aposteln gewußt zu haben, da sie ihn
mit der Frage angehen: ob sein Meister die Tempelsteuer nicht
zahle. Was die sonstigen Hauptbegebenheiten aus dem Leben
des h. Petrus anbelangt, so wissen wir hierüber aus den
Schriften des neuen Testaments noch Folgendes: Er wohnte
der Verklärung des Heilandes bei, so wie auch dem letzten
Abendmahle, wo er der Erste war, dem Christus die Füße
wusch. Als Christus im Garten zu Gethsemane gefangen ge=
nommen wurde, hieb Petrus mit dem Schwerte aus mißver=
standenem Eifer dem Malchus, einem Diener des Hohenprie=
sters Caiphas, ein Ohr ab und folgte bis in die Wohnung
dieses Hohenpriesters dem gefangenen Heilande, Den er hier
dreimal verläugnete, diese Verläugnung aber auch mit der bit=
tersten Reue büßte. Nach des h. Apostels Paulus Zeugniß (I.
Kor. XV. 5.) erschien Jesus nach Seiner Auferstehung zuerst
dem Petrus allein, und nachher den übrigen Aposteln. Nach=
dem Petrus Zeuge der glorreichen Himmelfahrt des Sohnes
Gottes gewesen war, kehrte er mit den übrigen Aposteln nach
Jerusalem zurück, fastend und betend auf den Empfang des h.
Geistes sich vorzubereiten. Am Pfingsttage, da der h. Geist über
die Apostel kam, trat Petrus als Vertheidiger seiner Mitapo=
stel vor der versammelten Menge des Volkes auf, predigte
Jesum, den Auferstandenen, mit der größten Zuversicht und Un=
erschrockenheit, worauf Dreitausend sich taufen ließen. Einige
Tage nachher heilte er im Namen Jesu Christi, des Nazaräers,
an der schönen Tempelpforte den Lahmen von Mutterleibe an,
und sein Schatten gab den Kranken, die von allen Seiten her=
beigebracht wurden, ihre Gesundheit wieder. Auf sein bloßes
Wort fielen Ananias und Saphira todt darnieder, weil sie
dem h. Geiste gelogen hatten. Die Hohenpriester und der hohe

Rath zu Jerusalem sahen mit Schrecken, wie die Menge der neuen Gläubigen sich vermehrte, und ließen Petrus und die übrigen Apostel ins Gefängniß bringen; ein Engel des Herrn aber befreite sie daraus, und sie predigten wieder freudig im Tempel Jesum, den Gekreuzigten und Auferstandenen. Zum zweiten Male vor den hohen Rath gefordert, empfingen sie Ruthenstreiche und wurden mit dem Gebote: durchaus nicht im Namen Jesu zu reden, entlassen; doch ließen sie nicht ab, täglich im Tempel und in den Häusern das Evangelium von Jesu Christo zu predigen. Während der großen Verfolgung, welche wider die Gemeinde zu Jerusalem entstand, zerstreuten sich die Gläubigen in die Gegenden von Judäa und Samaria, die Apostel ausgenommen. Der Diakon Philippus predigte und taufte in Samaria und unter Andern auch den Gaukler Simon. Auf die Nachricht, daß Samaria das Wort Gottes angenommen habe, begaben sich Petrus und Johannes dorthin, um den Getauften die Hände aufzulegen zum Empfange des h. Geistes. Simon bot den Aposteln Geld für die Macht, daß, wem er die Hände auflege, dieser den h. Geist empfange. Petrus rief deßwegen Verderben über ihn und ermahnte ihn zur Buße. Auf dem Heimwege nach Jerusalem verkündigten die beiden Apostel vielen Orten Samariens das Evangelium. Nach der Bekehrung des Saulus — Paulus — hatte die Gemeinde in ganz Judäa, in Galiläa und in Samaria Frieden, und Petrus, als er zu Allen umherzog, kam auch zu den Heiligen, die in Lydda wohnen; hier heilte er im Namen Jesu Christi einen gichtbrüchigen Menschen, mit Namen Aeneas. In Joppe erweckte er die Jüngerinn Tabitha vom Tode. Hier war es auch, wo Petrus durch das Gesicht der reinen und unreinen Thiere und das Geheiß, ohne Unterschied davon zu schlachten und zu essen, so wie auch durch die Berufung nach Cäsarea zu dem heidnischen Hauptmanne Cornelius, den er nebst noch vielen andern Heiden daselbst taufte, die Offenbarung erhielt, daß nun die Gränze zwischen Juden und Heiden aufgehoben „und in jedem Volke, wer Gott fürchtet und Gerechtigkeit übet, Gott angenehm sei *)". Nachdem der König Herodes den Apostel Jacobus, Bruder des Johannes, hatte enthaupten lassen, nahm er auch, den Juden zu Gefallen, den h. Petrus gefangen, und dachte ihn nach dem Osterfeste dem Volke zur Hinrichtung vorzuführen; ein Engel aber befreite ihn aus dem Kerker.

Außer diesen Angaben über die vorzüglichsten Lebensschicksale des ersten sichtbaren Oberhauptes der Kirche Jesu Christi, des h. Petrus, welche wir aus den h. Schriften des neuen Testamentes schöpfen, kommt auch noch das ganze christliche Alterthum darin überein, daß der h. Petrus die Kirche zu Antiochien gegründet und derselben als Bischof mehre Jahre vorgestanden, hierauf aber, nach einer Reise durch Kleinasien, im Jahre 42 n. Chr. G. zu Rom seinen bischöflichen Sitz errichtet habe. Zwei Jahre später begab er sich nach Jerusalem, das Osterfest zu feiern. (Hier erfolgte seine Gefangennehmung durch Herodes und seine Befreiung durch einen Engel.) Dann kehrte er nach Rom zurück, mußte aber bei einer Judenverfolgung unter der Regierung des Kaisers Claudius die Stadt verlassen, weil die Christen in damaliger Zeit noch für eine jüdische Secte gehalten wurden. Nachdem er nun so während

---

*) Selten mag ein Ausspruch der h. Schrift von solchen, die derselben sonst keine besondere Autorität beimessen, zur Beschönigung des Deismus und religiösen Indifferentismus so gemißbraucht worden sein, als eben der vorliegende. Daß in jedem Volke, wer Gott fürchtet und Gerechtigkeit übet, Gott angenehm sei, heißt dem Zusammenhange nach hier doch augenscheinlich vorzugsweise: angenehm, zu höherer Erkenntniß und Gnade berufen zu werden, wie es denn auch hier dem heidnischen Hauptmanne Cornelius widerfuhr, und wobei sich am allerwenigsten Gleichgültigkeit von Seiten Gottes gegen diese oder jene Glaubensweise an sich zeiget; denn Cornelius würde vor Gott gewiß nicht mehr angenehm gewesen sein, wenn er dieser Berufung zum Christenthume nicht gefolgt wäre. Was ist daher von jenen zu halten, die, auf die obige Schriftstelle pochend, das Evangelium vom Sohne Gottes und darin unser aller Berufung zu demselben erkennen können und doch nicht erkennen wollen? Wird wohl diese Mißdeutung, mit welcher sie sich selbst täuschen, sie zu rechtfertigen vermögend sein?!

einiger Jahre seinen Aufenthalt in Rom unterbrochen hatte, kehrte er doch wieder dahin zurück und erlitt daselbst im Jahre 66 n. Chr. G. — im zwölften Regierungsjahre des Nero — den Kreuzestod. Wir besitzen vom h. Petrus zwei Sendschreiben, in deren erstem die Christen im Allgemeinen zu einem gottgefälligen Lebenswandel angeleitet und aufgefordert, den Kirchenvorstehern aber auch besondere Vorschriften ertheilt werden, wie sie die Aufsicht über die Herde Gottes führen sollen; im zweiten Sendschreiben ermahnt der h. Apostelfürst zum treuen Festhalten an der reinen Lehre des Evangeliums und warnt vor Irrlehrern. Der Kirchengeschichtschreiber Eusebius berichtet uns (Hist. eccl. II. 15.), daß der h. Petrus vom Evangelium des h. Marcus Einsicht genommen und es gebilligt habe, und daß eben daher das große Ansehen desselben herzuleiten sei. Die Legende erzählt noch manches Unverbürgte aus dem Leben des h. Petrus, wovon bekanntlich besonders die selbst von dem Apostel verlangte Kreuzigung kopfunter zu einem, wenn auch an sich höchst unästhetischen, doch weltberühmten Meisterwerke der Malerkunst Anlaß gegeben hat. Rührender ist die Sage, daß Christus ihm unter dem Thore von Rom erschienen sei, durch welches er, der Verfolgung zu entgehen, entfliehen wollte, daß er aber wieder in die Stadt zurückgekehrt sei, als der Herr ihm auf seine Frage: Meister, wohin willst du? geantwortet habe: Nach Rom, um mich wieder kreuzigen zu lassen. Da der h. Petrus auf dem apostolischen Stuhle zu Rom, die Jahre der Unterbrechung mit eingerechnet, der allgemeinen Meinung nach 25 Jahre lang die Kirche Gottes regiert und daselbst den Martertod erlitten hat, so haben fortwährend die Mitglieder der wahren Kirche Jesu Christi in den Bischöfen von Rom die Nachfolger des h. Petrus, nicht allein in der Eigenschaft als eines Bischofs der Gläubigen zu Rom, sondern auch als des Oberhauptes der Kirche Jesu Christi, anerkannt, so wie denn auch dieselben, als rechtmäßig dazu Erwählte, alle Jahrhunderte hindurch die Pflichten des Oberhauptes ausgeübt haben, wenn auch in den frühesten Zeiten des Christenthums, besonders während der Verfolgungen unter den heidnischen Kaisern, noch nicht die freie und vollständige Ausbildung des Abhängigkeits-Verhältnisses der übrigen Bischöfe zu dem römischen Bischofe als Oberhaupt der Kirche Statt finden, noch auch die Wirksamkeit dieses Einheitspunktes so, wie späterhin, hervorleuchten konnte. Nach dem Zeugnisse des h. Cyrillus († 386) hatte Kaiser Julian der Abtrünnige († 363) ausgesagt, daß schon vor dem Tode des h. Apostels Johannes das Grab des h. Petrus nebst dem des h. Paulus zu Rom heimlich sei verehrt worden.

Linus,

von Geburt ein Italer; man hält ihn für denselben, dessen der heil. Paulus in seinem zweiten, von Rom aus geschriebenen Briefe an den Timotheus (IV. 21.) mit diesen Worten: „Es grüßen dich Eubulus und Pudens und Linus u. s. w.", Erwähnung thut. Nach den vereinten Zeugnissen des Irenäus, Eusebius, Optatus, Epiphanius, Hieronymus, Augustinus, Nicephorus, und noch vieler Andern, folgte Linus, der bereits dem heil. Petrus in Rom als Presbyter hülfeleistend zur Seite stand, demselben auch unmittelbar auf dem apostolischen Stuhle; der einzige Tertullianus gibt (De praescript. c. 32.) an, daß das Oberhaupt der Apostel den h. Clemens, der sonst als der Dritte in der Nachfolge angenommen wird, zu seinem unmittelbaren Nachfolger selbst ernannt habe. Linus regierte 11 Jahre lang die Kirche Gottes mit demselben Eifer seines großen Vorgängers. Man sagt von ihm, er habe die Vorschrift Pauli: daß die Frauen nur mit verschleiertem Haupte dem Gottesdienste beiwohnen sollen, auf Befehl des h. Petrus ausdrücklich zum kirchlichen Disciplinar-Gesetze erhoben. Er starb im Jahre 76. Unter seiner Regierung wurde im Jahre 70 Jerusalem, der hohepriesterliche Sitz des alten Bundes, zerstört; ein Ereigniß, nicht allein als das wichtigste seines Pontificates, sondern auch, so früh nach der Entstehung des Christenthums herbeigeführt, als ein Werk der ganz besondern Fürfehung Gottes zu betrachten, wie in dieser Hinsicht ein neuerer Schriftsteller sehr scharfsinnig bemerkt: „Wäre das Judenthum länger am Leben geblieben, und die heilige Stadt nicht kurz nach dem Entstehen des Christenthums vernichtet worden, so hätte dieses sicherlich seinen vaterländischen Grundzug mehr beibehalten, und sich nicht so leicht zu jener Allgemeinheit ausgebildet, die doch eine seiner schönsten Ergebnisse ist." — Im Canon der h. Messe nach römischem Ritus ist der h. Linus den Martyrern beigezählt; auch noch viele andere, sehr alte Pontificale sagen von ihm aus, daß er sein Leben für den Glauben hingegeben habe. Doch will bekanntlich auch das früheste christliche Alterthum mit der Benennung Martyr diejenigen bezeichnen, die um des Namens Jesu willen Bande, Schmach oder Marter ausgestanden, wenn sie auch nicht getödtet wurden, und wo Irenäus (Adv. haer. III. 3.) die ersten sieben Nachfolger des h. Petrus namentlich aufführt, merkt er nur von Telesphorus an, daß derselbe herrlichen Martertodes gestorben sei. Einer ebenfalls sehr alten Ueberlieferung nach wurde der h. Linus auf dem Berge des Vaticans, neben dem Grabe des h. Petrus, beerdigt.

Cletus,

angeblich ein Römer von Geburt. Nach dem Chronikon des Eusebius besaß dieser zweite Nachfolger Petri, durch welchen er auch zum Diakon und Priester geweiht wurde, bis zum zwölften Regierungsjahre des Domitian, wo er im Jahre 93 den Martertod erlitt, den apostolischen Stuhl zu Rom. Während seiner Regierung starben die römischen Kaiser Vespasian und Titus. Im Canon der Messe wird sein Name gleich nach Linus genannt. Einige gewichtige Männer des frühesten christlichen Alterthums erkennen in diesem Cletus und dem Anacletus, der auf Clemens I. folgt, nur Eine und dieselbe Person und lassen auf Clemens gleich den Evaristus folgen. Baronius sagt hierüber (Mart. rom. april. 26.): „Wegen Aehnlichkeit des Namens herrscht sowohl bei den Lateinern als bei den Griechen über den Cletus und Anacletus eine große Unbestimmtheit."

Clemens I., mit dem Beinamen Romanus.

Nach dem Zeugnisse Tertullian's empfing dieser h. Papst vom h. Petrus die Priesterweihe; auch hält man ihn für denselben, dessen der h. Paulus im Briefe an die Philippenser (IV. 3.) erwähnt: „Auch bitte ich dich, treuer Genosse (Timotheus), nimm dich ihrer an, die sammt mir gearbeitet haben für das Evangelium, nebst Clemens und meinen übrigen Mitarbeitern, deren Namen im Buche des Lebens stehen." Unter der Regierung des h. Clemens brach die zweite Christenverfolgung durch den Kaiser Domitian aus, und unter der Regierung Trajän's wurde er, der Sage zufolge, nach dem taurischen Chersones in die Verbannung geschickt, und erlitt im Jahre 100 den Martertod, indem er in die See gestürzt wurde; nach Andern verzichtete er wegen der vielen, schon damals in den christlichen Gemeinden sich erhebenden Streitigkeiten auf das Oberhirten-Amt und starb in der Einsamkeit. Eusebius bezeichnet die Todesart des h. Clemens nur mit den Worten: „Er schied aus dem Leben." Mehre Gelehrte behaupten, daß man dem h. Clemens die ersten christlichen Missionen nach Gallien zu verdanken habe; Andere aber schreiben dieses Verdienst dem h. Papste Fabianus zu; auch soll von ihm zuerst eine bestimmtere Form der h. Abendmahls-Feier herrühren. So wenig uns nun auch von dem Wirken des h. Clemens bekannt sein mag, so zeigt uns doch der von ihm an die Gemeinde von Korinth geschriebene Brief, wie eifrig er sich zunächst bei dieser Gelegenheit der Pflichten seines Oberhirten-Amtes, und zwar noch bei Lebzeiten des h. Apostels Johannes, entledigt habe. In der Gemeinde zu Korinth war nämlich eine Spaltung entstanden, indem ehrgeizige Mitglieder der Kirche die von den Aposteln und apostolischen Männern eingesetzten Vorsteher derselben verdrängten und deren Stelle eingenommen hatten. Wie aus der im Eingange des clementinischen Briefes ausgesprochenen Entschuldigung wegen Verspätung der Antwort hervorgeht, so war die Kirche zu Rom von der zu Korinth selbst zur Schlichtung dieses Streites aufgefordert worden. Ganz würdig seines oberhirtlichen Amtes, kam der h. Clemens dem Ersuchen der korinthischen Gemeinde nach, und hat uns in dem Sendschreiben an dieselbe ein unschätzbares Document des apostolischen Zeitalters zurückgelassen. Daß die verirrten Gemüther in der Gemeinde zu Korinth der eindringenden Zurede des Kirchen-Oberhauptes zweifelsohne sich gefügt haben werden, geht wohl daraus zur Genüge hervor, daß das clementinische Schreiben noch siebenzig bis achtzig Jahre nachher, wie wir aus dem Bruchstücke eines Briefes des h. Dionysius, Bischofs zu Korinth, an den h. Papst Soter ersehen, in derselben Kirche neben den h. Schriften öffentlich bei den gottesdienstlichen Versammlungen vorgelesen wurde. Wir besitzen auch noch ein ansehnliches Bruchstück eines andern Briefes, der unter dem Namen des zweiten Briefes an die Korinthier dem h. Clemens zugeschrieben wird; doch bezweifelten schon Eusebius und Hieronymus dessen Echtheit. Eben so wurden in der Mitte des vorigen Jahrhunderts die zwei Briefe von der jungfräulichen Enthaltsamkeit, derer, als vom h. Clemens geschriebener, Hieronymus Erwähnung thut, aufgefunden. Ferner werden diesem h. Papste noch fünf Decretal-Briefe zugeschrieben, das Werk der Wiedererkennungen und der zweite Theil derselben, welcher in Gesprächen abgefaßt ist, eben so die Satzungen der h. Apostel, nebst den ihnen beigefügten apostolischen Canones. Alle diese Schriften gehören, was eine gesunde Kritik hierüber urtheilen muß, nicht dem h. Clemens an und haben einen ungleichen Werth; einige darunter, wie die Wiedererkennungen, sind aber durchaus werthlos und des großen apostolischen Mannes unwürdig. Nur die, den apostolischen Satzungen beigefügten, Canones tragen das unverkennbare Gepräge des heiligen Alterthums an der Stirn, und das erste allgemeine Concilium zu Nicäa (325) nennt sie alte kirchliche Gesetze, Canones der Väter. Auch soll der h. Clemens ein Verzeichniß der

Martyrer haben anfertigen laſſen. Schon zu den Zeiten des h. Hieronymus trug zu Rom eine Kirche den Namen des h. Clemens. Die Ueberbringung der Gebeine dieſes h. Papſtes aus dem Cherſones nach Rom wird auf verſchiedene Weiſe erzählt; doch iſt ſie zu wenig geſchichtlich begründet, als daß ſich darüber ein beſtimmtes Ergebniß erörtern ließe.

Anacletus.

Diejenigen, welche den Cletus und Anacletus zwei verſchiedene ſein und dieſen nach dem h. Clemens folgen laſſen, geben als deſſen Geburtsort Athen an; auch erlitt er, dieſen gemäß, im zehnten Regierungsjahre Domitian's den Martertod. Der Sage nach ſoll er die erſte Peterskirche in Rom zu bauen angefangen haben. — Euſebius läßt nach Linus den Anacletus ſtatt des Cletus folgen, und unmittelbar nach Clemens den

Evaristus.

Mehre Kirchen-Scribenten melden von dieſem h. Papſte, der von Geburt ein Jude geweſen ſein ſoll und auch den Martyrern beigezählt wird, daß er zuerſt die Kirche zu Rom in mehre geſonderte Pfarrbezirke eingetheilt habe. Unter ſeiner Regierung erhob ſich abermals eine ſehr heftige Chriſtenverfolgung, veranlaßt durch den Kaiſer Trajan, den die Geſchichtſchreiber einen Freund des Menſchengeſchlechtes nennen. Man legt ihm fälſchlich einige Schriften bei.

Alexander I.

beſaß den apoſtoliſchen Stuhl zu Rom bis zum Jahre 119 und erlitt, mehren alten Zeugniſſen gemäß, unter dem Kaiſer Hadrian den Martertod. Unter ſeiner Regierung verſtummten gänzlich die Orakel der Römer und Griechen; auch ſollen, durch ihn veranlaßt, mehre Senatoren Roms den chriſtlichen Glauben angenommen haben. Die neun Canones und einige Briefe, welche ihm zugeſchrieben werden, ſind unecht; wahrſcheinlicher

ist, daß die Ceremonieen, welche während der Charwoche vorgenommen werden, von ihm herrühren.

Sixtus (Xystus) I.,

ein Römer von Geburt. Sein Name, so wie der seines Vorgängers, ist im Canon der heil. Messe unter den Martyrern
genannt. Er regierte bis zum Jahre 127, und soll ausdrücklich verordnet haben, daß außer den Dienern des Altars Niemand die geheiligten Gefäße der Abendmahls-Feier berühren
solle. Man schreibt ihm, doch mit Unrecht, zwei Decretale zu.

Telesphorus,

ein Grieche von Geburt, regierte bis zum Jahre 139 die Kirche
Christi, wo er, nach dem Zeugnisse des h. Irenäus, herrlichen
Martertodes starb. Er ordnete das vierzigtägige Fasten vor
dem Osterfeste für die Geistlichkeit an, so wie auch das Gloria
in der h. Messe-Feier.

Hyginus

regierte nach dem h. Telesphorus und starb im Jahre 142.
Während seines Pontificates kamen Valentin und Cerdon nach
Rom, wo sie noch eine Zeit lang in der Kirchengemeinschaft
blieben, bis sie, nachdem ihre Irrlehre entdeckt worden war,
verjagt wurden. Eben so wenig das Marterthum des h. Hy-
ginus als die ihm beigelegten Decretale können als echt bewiesen werden. Er soll die Pathen bei der Taufe angeordnet
haben.

Pius I.,

ein Italer von Geburt, stand der Kirche Christi bis zum Jahre
157 vor. Er verwarf die Irrthümer des Valentin und hatte
viele Verfolgungen zu leiden, worauf er, was wohl nicht leicht
bezweifelt werden kann, unter Antoninus dem Frommen enthauptet wurde. Er soll in Bezug auf die Haltung des Oster-
festes die Verordnung erlassen haben, daß dasselbe immer auf
einen Sonntag fallen müsse. Die unter seinem Namen vorhandenen Briefe sind unecht.

Anicetus,

ein Syrer, starb im Jahre 168, und wenn er auch nicht sein
Blut für das Bekenntniß des Glaubens vergoß, so hatte er
doch sehr viele Drangsale zu leiden, die ihm den Namen eines
Martyrers erwarben, mit welchem er in vielen alten Martyrologien bezeichnet ist. Da um jene Zeit viele Irrlehren sich allenthalben zu verbreiten anfingen und besonders der Gebrauch der
asiatischen Christen, das Osterfest mit den Juden gleich beim
Eintritte des Vollmondes zu feiern, wo hingegen die Abendländer dieses Fest erst an dem darauf folgenden Sonntage beginnen, vieles Aufsehen in der Christenheit machte: so begab
sich der h. Polykarpus, ein Schüler des h. Apostels Johannes
und Bischof zu Smyrna, nach Rom, um sich mit dem h. Papste
Anicetus darüber zu besprechen. Beide heilige Männer gingen
in Verhandlung dieser Angelegenheit mit der größten Ruhe
und Mäßigung zu Werke, und obgleich sie sich in ihren Meinungen über die Haltung der Osterfeier nicht einigen konnten, so
schieden sie doch, indem jeder seiner Ueberzeugung zugethan
blieb, in Frieden aus einander; der h. Anicetus überließ sogar
dem großen Schüler des Apostels Johannes die Ehre, anstatt
seiner das h. Meßopfer feierlich darzubringen. Ein besonders
wachsames Auge hielt auch dieser h. Papst darauf, daß er
die Kirche Gottes von dem verderblichen Gifte der Irrlehren
des Valentin und Marcion bewahre; auch kam unter seiner
Regierung Hegesippus, der erste Kirchengeschichtschreiber, welcher die vorzüglichsten apostolischen Kirchen des Morgen= und
Abendlandes besuchte, um die Einheit des apostolischen Glaubens gegen die Irrlehrer nachzuweisen, nach Rom, wo er im
Jahre 181 starb. Der sonst so menschenfreundliche und erleuch-
tete Kaiser Marcus Aurelius erregte unter Anicet's Regierung
eine heftige Christenverfolgung.

Soter,

aus Fondi in Campanien. Derselbe soll unter dem Kaiser Marcus Antoninus als Martyrer im Jahre 177 gestorben sein,

nachdem er die Kirche Gottes fast zehn Jahre lang regiert hatte. Das Alterthum rühmt an diesem h. Papste besonders die Wohlthätigkeit gegen die zum Erzgraben verurtheilten oder verbannten Christen; er war ein Vater der Armen, ein Muster der Geistlichkeit und äußerst wachsam gegen die Irrthümer des Montanus.

Eleutherius,

ein Grieche, stand der Kirche Jesu Christi bis zum Jahre 193 vor. Während seiner Regierung zeigten sich die Valentinianer und Montanisten mit erneueter Kraft, gegen welche er zum Heile der wahren Gläubigen mit unermüdlichem Eifer kämpfte. Lucius, König der Briten, schickte an diesen h. Papst Abgeordnete mit der Bitte, daß er in Britannien das Evangelium Jesu möge verkündigen lassen, worauf Eleutherius den Fugatius und Damianus dahin absandte.

Victor I.,

ein Africaner. Die Streitigkeiten über die Haltung der Osterfeier waren unterdessen immer heftiger geworden. Die asiatischen Bischöfe, sich auf den vom h. Apostel Johannes überkommenen Gebrauch berufend, bestanden darauf, das Fest der Ostern mit den Juden zu halten; Victor aber beauftragte den Theophilus, Bischof von Cäsarea in Palästina, ein Concilium zu versammeln und seine Bestimmung, daß die Osterfeier allenthalben am Sonntage nach dem Vollmonde gehalten werden solle, als Kirchengesetz zu verkündigen, und sogar diejenigen mit Ausschließung aus der Kirchengemeinschaft zu bedrohen, welche sich dieser Verordnung widersetzen würden. Obgleich nun, besonders auf die Gegenvorstellung des h. Irenäus, Bischofs von Lyon, an den Papst, daß ein solcher Umstand doch nicht wichtig genug sei, um dessentwillen Jemanden aus der Kirchengemeinschaft auszuschließen, die Excommunication nicht vollzogen und die ganze Angelegenheit erst auf dem nicäischen Concilium ins Reine gebracht wurde, so geht doch aus dieser ganzen Verhandlung hervor, welche Obergewalt im Allgemeinen schon damals dem Bischofe von Rom zugestanden wurde, wenn man sich auch gegen den Mißbrauch derselben verwahrte. Einige halten den h. Victor, Andere den h. Eleutherius für denjenigen römischen Bischof, von welchem Tertullianus berichtet, daß derselbe, durch die anscheinliche Sittenstrenge der Montanisten getäuscht, ihnen Friedensbriefe (literas communionis ecclesiasticae) zugesandt, dieselben aber in der Folge wieder zurück genommen habe, als er von dem wahren Bestande der Dinge benachrichtiget worden sei. Er besiegelte den Kreuzesglauben mit seinem Blute im Jahre 202. Wir besitzen einige Briefe unter seinem Namen, die für echt gehalten werden; wenigstens führt ihn der h. Hieronymus als den ersten lateinischen Kirchenschriftsteller auf, oder vielmehr, daß er sich bei Ausfertigung von geistlichen oder kirchlichen Schriften zuerst der lateinischen Sprache bedient habe.

Cephyrinus,

ein Römer. Unter seiner Regierung brach die fünfte Christenverfolgung aus, welche so heftig war, daß die Gläubigen die zweite Ankunft Christi für nahe hielten; auch trat um diese Zeit der große Kirchenlehrer Tertullianus, dessen Geist sich zu allem mit Feuereifer hinwandte, was nach einer besondern Sittenstrenge aussah, zur Secte der Montanisten über, und gab vor, der h. Papst Zephyrinus sei auch den Lehren derselben günstig gewesen; ein Kunstgriff, der nur zu oft, doch immer eben fruchtlos, von Irrlehrern ist angewandt worden, daß sie durch erdichtete Billigung ihrer irrigen Grundsätze von Seiten des Kirchen-Oberhauptes gutes Spiel für sich zu gewinnen hofften. Zephyrinus starb im Jahre 218. Die beiden ihm beigelegten Briefe sind unecht. Unter seiner Regierung kam der berühmte Origenes nach Rom, die Ueberlieferung dieser Kirche näher kennen zu lernen.

Calixtus (Callistus) I.,

ein Römer. Unter der Regierung dieses Papstes finden selbst geschätzte protestantische Theologen bereits Spuren von dem

Verbote der Priester-Ehe vor; auch rühren von ihm die frühesten Bestimmungen über Verwandten-Ehen unter Christen her. Calirtus gründete für die Christen die berühmte Begräbnißstätte an der Via appia zu Rom, in welcher mehr denn 74,000 Martyrer begraben liegen. Einige alte Martyrologien nennen ihn nur Bekenner, nicht Martyrer; doch ist es eine eben so alte Sage, daß er, obwohl unter der Regierung des Christenfreundes Alerander Severus lebend, auf gesetzwidrige Weise, ohne Vorwissen des Kaisers, bei einem Volksaufstande in einen Brunnen geworfen worden sei, im Jahre 222. Die Einsetzung der Quatember-Fasten wird diesem h. Papste zugeschrieben, und schon unter seiner Regierung sollen sich Spuren finden, daß die Christen im Angesichte der Heiden öffentliche Gebäude für den Gottesdienst errichtet haben.

Urbanus I.,

ein Römer, schloß den Origenes, weil er sich aus falschem sittlichem Eifer selbst verstümmelt hatte, aus der Kirchengemeinschaft aus; auch benutzte er die Ruhe, deren die Christen unter der Regierung des Kaisers Alerander Severus genossen, den christlichen Glauben unter den Vornehmen des Hofes zu verbreiten; doch widerstand ihm der kaiserliche Präfect und ließ ihn im Jahre 230 hinrichten.

Pontianus,

ein Römer, starb unter der Regierung des grausamen Marimin im Jahre 235 auf der Insel Sardinien, wohin er ins Elend geschickt worden war. Angeblich brachte der zweitfolgende h. Papst Fabianus die Reliquien des h. Pontianus nach Rom und setzte sie auf dem calirtinischen Kirchhofe bei. Die beiden Briefe unter seinem Namen gehören einer spätern Zeit an.

Antherius,

ein Grieche von Geburt. Er regierte die Kirche Christi nur vierzig Tage lang und starb angeblich als Martyrer.

Smerts, Päpste. [3. Aufl.   2

Fabianus,

ein Römer oder Italer. Er beförderte die gottesdienstlichen Versammlungen an den Gräbern der Martyrer und soll, wenn nicht dem h. Clemens I. dieses Verdienst zukommt, die ersten Bischöfe nach Gallien zur Verkündigung des christlichen Glaubens gesandt haben, obgleich schon der h. Pothinus († 177) aus Auftrag des h. Polykarpus als erster Bischof nach Lyon abgegangen war. Der h. Cyprianus nennt diesen Papst, welcher unter der Verfolgung des Decius im Jahre 250 den Martertod erlitt, einen unvergleichlichen Mann. Die Decretale, welche seinen Namen führen, sind augenscheinlich falsch.

Cornelius,

ein Römer. Der Regierungs-Antritt dieses h. Papstes, welcher erst zehn Monate nach dem Tode seines Vorgängers erfolgte, zeigt uns das erste Beispiel eines Gegenpapstes. Novatianus nämlich, ein heidnischer Philosoph, welcher die Taufe und bald darauf auch, obwohl den canonischen Satzungen und dem Willen seines Bischofes entgegen, die Priesterweihe erhalten hatte, zeichnete sich durch seine Beredsamkeit aus und gewann sich dadurch einen großen Anhang. Hochmüthig, wie er war, verbarg er seine Absichten auf den römischen Stuhl nicht, und fand sich nicht wenig betrogen und gedemüthigt, als ihm der h. Cornelius nach Fabian's Tode vorgezogen wurde. Sein Ehrgeiz wollte es aber bei dieser getäuschten Hoffnung nicht lassen; zu dem Ende verband er sich mit Novatus, einem Priester von Karthago, und nachdem er noch drei unwissende Bischöfe für sich gewonnen hatte, ließ er sich von denselben, die in Wein berauscht worden waren, zum Bischofe von Rom weihen. Auf diese Weise entstand eine Spaltung, die geraume Zeit den Frieden der Kirche störte. Doch wie sich dies fast noch immer am Geiste der Spaltung erwiesen hat, daß er früher oder später auch ein Geist des Irrthums und Widerspruchs gegen den allgemeinen Kirchenglauben wird, so war's auch hier. Novatianus lehrte, daß die Kirche diejenigen aus den Christen, welche aus

Furcht vor den Heiden den Götzen geopfert hätten, nicht wieder in ihre Gemeinschaft aufnehmen dürfe. Da dieser Lehrsatz der allgemeinen Kirchenlehre widersprach, so war die Spaltung hiedurch von selbst aufgehoben, indem die Gläubigen nun wieder einzig dem rechtmäßig erwählten Oberhaupte, dem h. Cornelius, anhingen. Da unter der Regierung dieses Papstes eine Pest das römische Reich heimsuchte und man alle Unglücksfälle, welche dem Reiche zustießen, dem Zorne der Götter über die Christen zuschrieb: so entstand bei dieser Gelegenheit eine neue Christenverfolgung, während welcher der h. Cornelius nach Centumcellä, jetzt Civita Vecchia, verwiesen wurde, wo er im Jahre 252 starb. Der h. Hieronymus berichtet dagegen, daß er nach Rom zurückgeführt worden und dort des Martertodes gestorben sei.

Lucius I.,

ein Römer. Kaum war dieser h. Papst zum Oberhaupte der Kirche erwählt, als er in die Verbannung geschickt, doch auch bald wieder aus derselben zurückgerufen wurde. Unter den verschiedenen Vorschriften, die er soll erlassen haben, fordert eine, daß der Bischof immer von zwei Priestern und drei Diakonen, als Zeugen seines Wandels, umgeben sein soll. Lucius erlitt, nachdem er der Kirche Gottes nur 5 Monate und einige Tage vorgestanden hatte, den Martertod.

Stephanus I.,

ein Römer. Unter der Regierung des h. Stephanus kam die Frage auf, ob die von Irrgläubigen ertheilte Taufe wiederholt werden müsse, und die africanische Kirche stimmte für die Wiederholung. Da aber die Ueberlieferung der meisten christlichen Kirchen für das Gegentheil entschied, so verwarf der h. Stephanus, als Oberhaupt der Kirche, das Vorgeben des h. Cyprianus, Bischofs von Karthago, von nothwendiger Wiederholung der Taufe. Obgleich nun der h. Cyprianus bei seiner Meinung, die noch durch kein allgemeines Concilium verworfen worden war (welches erst zu Nicäa geschah), beharrte, so be-

wies er doch in vielen andern, nicht minder wichtigen, Fällen,
daß es ihm sehr darum zu thun sei, die Gemeinschaft mit dem
römischen Bischofe aufrecht zu halten, und selbst in dem vorlie=
genden Falle setzte er dem Papste die Gründe seiner entgegen=
stehenden Meinung weitläufig aus einander, welches zur Ge=
nüge beweiset, daß er die Pflichten anerkannte, die er dem
h. Stephanus als dem Oberhaupte der Kirche schuldete. Die=
ser aber erlitt den Martertod unter dem Kaiser Valerius im
Jahre 257.

Sixtus II.,

aus Athen. Dieser h. Papst errang die Marterkrone drei Tage
vor seinem treuen Schüler, dem Diakon Laurentius, im Jahre
258. Der Kirchengeschichtschreiber Rufinus macht ihn zum Ver=
fasser der Sentenzen des griechischen Philosophen Sextus, auch
Xystus oder Sixtus genannt, der im zweiten oder dritten Jahr=
hundert lebte; obgleich Hieronymus und Augustinus diese Mei=
nung zur Genüge widerlegt haben, so ist sie doch noch von
Gelehrten der neuern Zeit angenommen worden.

Dionysius,

ein Römer, verwaltete die Kirche Gottes zehn Jahre und einige
Monate lang und starb im Jahre 269. Auf einem unter seinem
Vorsitze gehaltenen Concilium, im Jahre 261, wurde die Irr=
lehre des Sabellius über die allerheiligste Dreieinigkeit verwor=
fen; eben so verwarf dieser h. Papst die Irrlehre des berüch=
tigten antiochenischen Bischofs Paulus von Samosata über das=
selbe hochheilige Geheimniß und die Göttlichkeit Jesu Christi.
Man zeigt einige Briefe des h. Dionysius gegen den Sabellius
vor, welche echt sein mögen; jedenfalls galt dieser h. Papst für
einen der gelehrtesten Theologen seiner Zeit.

Felix I.,

ein Römer. Wir besitzen noch das Bruchstück eines Briefes,
welchen dieser h. Papst an den alexandrinischen Bischof Mari=
mus, die Irrlehren des Sabellius und des Paulus von Samo=

sata betreffend, geschrieben hat, und der auf den Concilien von Chalcedon und Ephesus ist verlesen worden. Felix starb als Martyrer im Jahre 274.

Eutychianus,

aus Tuscien. Dieser h. Vorsteher der Kirche Christi bewies mitthätig eine große Sorgfalt für das Begräbniß der Martyrer, und verordnete, daß ein solcher, der sein Blut und Leben für das Bekenntniß Christi aufgeopfert habe, in einem purpurrothen Gewande begraben werden solle. Er starb selbst als Martyrer im Jahre 283.

Cajus,

aus Dalmatien, ein entfernter Verwandter des Kaisers Diocletian. Unter dieses h. Kirchen=Oberhauptes Regierung brach eine schreckliche Christenverfolgung aus, welche zwei Jahre lang dauerte. Cajus, der während derselben die Gläubigen mit unerschütterlichem Muthe gestärkt hatte, starb im Jahre 296, und obwohl er sein Blut nicht für die Lehre Christi vergoß, so erwarben ihm doch die unzähligen Leiden, die er angeblich wegen der durch ihn ins Werk gestellten Bekehrung der Susanna, welche Kaiser Diocletian seinem Mitregenten Galerius zur Gemahlinn bestimmt hatte, dulden mußte, den Beinamen eines Martyrers. Dieser h. Papst verordnete auch, daß die Geistlichen erst die sieben geringern Kirchendienste ausgeübt haben müßten, ehe sie zu Bischöfen geweiht werden dürften. Das ihm beigelegte und an den Bischof Felir gerichtete Sendschreiben über die Menschwerdung Christi bekundet einen ausgezeichneten dogmatischen Scharfsinn.

Marcellinus,

ein Römer, ward von dem Donatisten Petilianus und dessen Genossen angeklagt, er habe in der Verfolgung des Diocletian aus Furcht vor dem Martertode den Götzen geopfert, sei aber nachher auf dem Concilium zu Siniessa wieder reumüthig zum Bekenntnisse des Kreuzes zurückgekehrt. Abgesehen davon, daß der h. Augustinus diesen Papst gegen eine solche schändliche

Verleumdung siegreich vertheidigt, so schweigt Eusebius ganz und gar von diesem Ereignisse, und Theodoretus gibt dem h. Marcellinus ausdrücklich das Zeugniß großer Standhaftigkeit während jener Verfolgung. Uebrigens ist das genannte Concilium zu Siniessa dem ganzen christlichen Alterthume unbekannt, und nur die Donatisten berufen sich darauf. — Der h. Marcellinus starb im Jahre 304; nach seinem Tode blieb bei der immer andauernden Verfolgung der päpstliche Stuhl fast vier Jahre lang erledigt.

Marcellus I.,

ein Römer, folgte im Jahre 308 dem h. Marcellinus in der Regierung der Kirche Gottes. Seine gerechte Strenge gegen einen Abtrünnigen brachte den Tyrannen Marentius gegen ihn auf, der ihn in die Verbannung schickte, wo er zu niedrigen und ekelhaften Arbeiten angehalten wurde und im Jahre 310 in Elend und Kummer die Marterkrone gewann. Dieser h. Papst ist der letzte, welcher unter der Regierung heidnischer Kaiser als Martyrer starb. Die Kirche litt unter seinem Pontificate von den heftigsten innern Stürmen unseliger Spaltungen und Streitigkeiten, welche er bei aller mit dem besten Willen angewandten Energie nicht zu beschwichtigen vermochte.

Eusebius,

ein Grieche. Obgleich dieser h. Papst nur wenige Monate regierte, worauf er von Marentius angeblich nach Sicilien verbannt wurde, so hatte er doch während dieser kurzen Dauer durch seine große Strenge in Wiederaufnahme der Abtrünnigen sehr heilsam gewirkt.

Melchiades oder Miltiades,

ein Africaner, folgte im Jahre 311 dem h. Eusebius auf den päpstlichen Stuhl und starb im Anfange des Jahres 314. Unter seiner Regierung erklärte sich der Kaiser Constantin der Große zum Beschützer der christlichen Religion, wodurch dieselbe vor den Verfolgungen der Heiden gesichert wurde. Um desto schmerzhafter mußte es für diesen h. Papst sein, daß die traurige Kirchenspaltung durch die donatistischen Bischöfe ausbrach, deren strafwürdiges Beginnen auf einem zu Rom gehaltenen Concilium mit dem Anathem belegt wurde. Nichts desto weniger ließ der h. Melchiades kein Mittel zur Versöhnung unversucht, doch ohne den erwünschten Erfolg.

Sylvester I.,

ein Römer. Der Friede und die Freiheit, welche der Kirche Jesu Christi schon unter Melchiades durch Constantin den Großen, dieses wichtige Rüstzeug der göttlichen Fürsehung, geschenkt worden waren, erblüheten unter dem h. Papste Sylvester zu immer erfreulicherer Kraft und Segnung, und so traurig auch die Spaltungen und Irrlehren waren, die den innern Frieden der Kirche störten, so konnte denselben doch mit mehr Festigkeit und Nachdruck begegnet werden, da das Staats-Oberhaupt den äußern Frieden sicherte und selbst persönlich diejenigen Veranstaltungen schützte, welche zur Aufrechthaltung der Einheit des Glaubens nothwendig wurden. So kam im Jahre 325 die allgemeine Kirchenversammlung zu Nicäa gegen den alexandrinischen Priester Arius zu Stande, der die Gottheit Jesu Christi läugnete. Kaiser Constantin wohnte selbst dieser Kirchenversammlung bei, welche — den Osius, Bischof von Cordova, dem die beiden römischen Priester Vitus und Vincentius beigegeben waren, als Stellvertreter des Papstes Sylvester an ihrer Spitze — die Irrlehren des Arius verdammte. Auch schickte Sylvester schon früher seine Gesandten auf das Concilium zu Arles, welches gegen die Donatisten gehalten wurde. Was die apokryphischen Acten dieses heiligen Papstes von dessen Verbannung auf den Berg Soracte berichten, und daß er, nach Rom zurückberufen, Constantin den Großen getauft und vom Aussatze geheilt habe, kann durchaus nicht geschichtlich bewiesen werden. — Sylvester verwaltete die Kirche Christi fast 22 Jahre lang und starb im Jahre 335.

Marcus,

ein Römer, stand der Kirche Gottes nur 8 bis 9 Monate
lang vor. Das christliche Alterthum sagt von diesem h. Papste
aus, daß er wegen seiner vielen ausgezeichneten Tugenden einhellig zum Nachfolger des h. Sylvester ernannt worden sei.
Das ihm beigelegte Sendschreiben an den h. Athanasius und
die Bischöfe Aegyptens wird von gewichtigen Kritikern für unecht gehalten. Unter seiner Regierung fand das zweite allgemeine Concil Statt, welches das erste zu Constantinopel ist;
Arius, gegen welchen es gehalten wurde, ward dabei plötzlich
auf eine erniedrigende Weise vom Tode hingerafft.

Julius I.,

ein Römer. Wenn auch auf dem allgemeinen Concilium zu
Nicäa der allgemeine Kirchenglaube gegen die Irrlehre der Arianer war verkündet worden, so dauerten doch des Arius und
seiner Anhänger schändliche Umtriebe und die Verbreitung der
Irrlehre noch immer fort. Diese Secte, welche so jammervoll
den Frieden der Kirche störte, ging in ihrer Vermessenheit so
weit, den h. Papst Julius aus der Kirchengemeinschaft auszuschließen. Der h. Athanasius, den die Arianer mit unversöhnlicher Wuth verfolgten, rief diesen h. Papst für sich und für
die rechtgläubigen Bischöfe gegen die Arianer um Hülfe an,
und zwar unter andern mit folgenden Worten: „Von den eben
genannten Brüdern wurde einhellig beschlossen, man möge sich
an den h. römischen Stuhl wenden, den Du nun besitzest und
dem von Gott die Macht, zu binden und zu lösen, durch außerordentlichen Auftrag über die andern ertheilt worden ist. Dieser Sitz wurde von Gott befestigt und ist gleich einem geheiligten Haupte, wonach sich alle wenden, wodurch sie erhalten
und erhoben werden." Julius rief sogleich zu Rom ein Concilium zusammen, auf welchem der h. Athanasius von allen jenen schändlichen Anklagen, die man gegen ihn vorgebracht
hatte, freigesprochen wurde; diese Beschlüsse bestätigte das im
Jahre 347 zu Sardica gehaltene Concilium, auf welches der

h. Julius seinen Stellvertreter sandte. Die beiden Briefe dieses Papstes, welche man in den Werken des h. Athanasius findet, werden für echt gehalten. Er starb im Jahre 352, nachdem sechszehn Kirchenversammlungen während seiner Regierung
gehalten worden waren.

Liberius,

ein Römer, wurde wegen seiner allgemein anerkannten Gottesfurcht und standhaften Verfechtung des wahren Glaubens nach
dem Tode des h. Julius auf den päpstlichen Stuhl erhoben.
Eben so standhaft wies er, als er zu dieser höchsten geistlichen
Würde gelangt war, die Geschenke zurück, welche ihm der aria-
nisch gesinnte Kaiser Constantius, um ihn für dieselbe Irrlehre
zu gewinnen, zustellen ließ. Dieses Benehmen erbitterte den Kaiser dergestalt, daß er den Liberius, als derselbe sich ebenfalls
weigerte, die Verbannung des h. Athanasius gut zu heißen,
nach Beröa in Thrazien verwies. Hier wurde ihm die Strafe
der Verbannung aufs drückendste fühlbar gemacht, und seine
Standhaftigkeit scheiterte an den Mühseligkeiten seiner schmach-
vollen Lage. Er billigte endlich die Verurtheilung des h. Athanasius und unterschrieb die Glaubensformel des ersten syrmi-
schen Conciliums vom Jahre 351, welche von den Arianern
mit überaus großer Gewandtheit aufgestellt worden war, und
welche, wenn sie auch nicht offenbar den arianischen Irrthum enthielt, und zur Noth wohl noch hätte vertheidigt werden können, wie dieses selbst der h. Hilarius versucht hat, doch diesen
Irrthum nicht geradezu ausschloß. Eben so schwankend bewies
er sich auf dem im Jahre 358 zu Ancyra gehaltenen Concilium, worauf der Kaiser ihm erlaubte, nach Rom zurückzukehren, wo er aber von den Gläubigen sehr kalt aufgenommen
wurde. Dieses brachte ihn wieder zur Besinnung: er ging in
sich, bat den h. Athanasius um Verzeihung, verwarf das
Glaubensbekenntniß des im Jahre 359 gehaltenen arianischen
Conciliums von Rimini und starb in bitterer Reue über seinen
tiefen Fall, im Jahre 366. Während der Abwesenheit des Li-

berius war durch den Kaiser Constantius dem Archidiakon
Felir die Leitung der Kirche übertragen worden; als aber Li=
berius aus der Verbannung zurückkehrte, stand der Archidia=
kon von dem Kirchenregimente ab. Da nun dieser Felir von
Einigen als zwischenzeitlicher Amtsverweser des Liberius, von
Andern als wirklicher Papst, von noch Andern aber als Ge=
genpapst angesehen wird, so ist es auch zweifelhaft, ob er als

Felix II.

in die Reihe der Oberhäupter der Kirche Gottes aufzunehmen
sei. Man erzählt, der Kaiser sei mit dem Vorhaben umgegan=
gen, zwei Oberhäupter zu gleicher Zeit bestehen zu lassen, den
Liberius für die katholischen Gläubigen und den Felix für die
Arianer; das römische Volk habe aber, hiervon unterrichtet,
einstimmig gerufen: „Es gibt nur Einen Gott, Einen Christus
und Einen Oberbischof!" Hiernach zu urtheilen, wäre Felix dem
Arianismus zugethan gewesen. Andere Berichte hingegen mel=
den, er habe während seiner Amtsführung muthig den Irr=
glauben bekämpft und sei nach der Zurückkunft des Liberius,
vom Stuhle des h. Petrus vertrieben, ein Opfer arianischer
Verfolgung geworden. Das römische Martyrologium so wie
noch viele andere alte Martyrer=Verzeichnisse nennen ihn einen
Blutzeugen. Er starb im Jahre 365. Unter der Regierung des
Papstes Gregorius XIII. entdeckte man im Jahre 1582 das
Grabmal des Felir, worauf sich eine Inschrift befindet, die
der Nachwelt ein ehrenwerthes Zeugniß für ihn ablegt.

Damasus I.

ein Spanier, und Diakon der Kirche zu Rom, bestieg den päpst=
lichen Thron im Jahre 366. Obgleich der oben genannte Felix,
nachdem er dem Liberius die Regierung der Kirche wieder über=
lassen und sich zurückgezogen hatte, hierauf gar keinen Versuch
mehr machte, auf den Stuhl des h. Petrus zu gelangen, so
behielt er doch noch mehre Anhänger in Rom, unter welchen
sich ein gewisser Ursinus oder Ursicinus befand. Als ein ehr=
geiziger und listiger Mensch ließ dieser sich von seinen An=

hängern zum Papste erwählen und widersetzte sich dem h. Damasus. Dieser aber wurde als rechtmäßiger Papst von den Bischöfen Italiens und dem Concilium zu Aquileja bestätigt und der Gegenpapst in die Verbannung geschickt. Nicht lange nachher erlaubte ihm der Kaiser Valentinian, nach Rom zurückzukommen; doch kaum befand er sich wieder in Freiheit, als er neue Unruhen zu stiften begann, weßhalb er denn gleich darauf nebst sieben seiner Anhänger nach Gallien verbannt wurde. Dennoch war der Geist der Spaltung in Rom noch nicht ganz erloschen; die Schismatiker besaßen daselbst noch immer eine Kirche (man hält die der heiligen Agnes dafür), und setzten ihre eigene, unabhängige Kirchengemeinschaft fort. Der Kaiser befahl nun, daß die genannte Kirche dem h. Damasus übergeben werden sollte. Dieses verursachte einen neuen Aufstand, welchen zu dämpfen, da er in strafwürdigen Thätigkeiten sich äußerte, der Stadtpräfect Maximian, von Natur aus zur Grausamkeit geneigt, an mehren Schismatikern eine schreckliche Tortur anbringen ließ, und hierin möchte wohl das erste Beispiel davon zu finden sein, daß von Seiten der weltlichen Macht die Strafgewalt gegen solche gebraucht wurde, die, indem sie den innern Frieden der Kirche störten, auch mehr oder weniger sich gegen die öffentliche Sicherheit vergingen; ein Verfahren, welches die Feinde der Kirche, als es sich in spätern Zeiten öfter wiederholte, immer der friedliebenden Braut Christi zur Last legten, und alle Kerker, Torturen und Scheiterhaufen, Bluthochzeiten und Religionskriege als durch die Kirche veranlaßt und gebilligt schilderten. Der h. Damasus konnte nun in Frieden die Kirche Gottes regieren und hielt im Jahre 368 zu Rom ein Concilium gegen zwei Häuptlinge der Arianer, den Ursacius und Valens, und auf dem zwei Jahre später gehaltenen Concilium gegen dieselbe Irrlehre setzte er den Aurentius ab, der zu Mailand die bischöfliche Würde eigenmächtig an sich gerissen hatte. Endlich, im Jahre 381, kam zu Constantinopel die zweite allgemeine Kirchenversammlung gegen die Irrlehrer Apollinaris und Macedonius zu Stande. Sowohl diesen ver-

derblichen Geistern, als auch dem Meletius, Vitalis, Timo=
theus und den Luciferianern widersetzte sich der h. Damasus
mit jenem heiligen Eifer für die Reinheit des Glaubens, wie
er dem Oberhaupte der Kirche Jesu Christi geziemt; daher ist
das Andenken dieses h. Papstes auch immer in hohen Ehren
gehalten worden, und das Concilium von Chalcedon nennt ihn
„die Zierde und Verherrlichung Roms". Nebst seinem heiligen
Lebenswandel und dem Eifer gegen die Irrlehren rühmt Theo=
doretus auch noch an ihm das unermüdliche Verkündigen des
Wortes Gottes. Er ließ die Kirche des h. Laurentius, welche
noch bis auf den heutigen Tag die Nebenbenennung in Damaso
führt, aufs prachtvollste herstellen und ausschmücken; eben so
verherrlichte er die Gräber der Martyrer. Den h. Hieronymus
wählte er sich zum Geheimschreiber und bestimmte ihn, die la=
teinische Uebersetzung der h. Schriften des neuen Testamentes
nach dem griechischen Texte zu verbessern. Von diesem h. Papste,
welcher, 80 Jahre alt, im Jahre 384 starb, nachdem er der
Kirche 18 Jahre und 2 Monate vorgestanden hatte, besitzen
wir noch mehre Briefe, so wie auch noch einige geistliche Dich=
tungen, welche meistens Epitaphien auf Martyrer=Gräber sind;
auch führte er die nach Abbetung jedes einzelnen Psalms üb=
liche Dorologie ein: Ehre sei dem Vater und dem Sohne und
dem h. Geiste, u. s. w.

Siricius,

ein Römer, wurde mit Ausschließung des Ursinus, welcher
wiederholte Versuche, sich des päpstlichen Stuhles zu versichern,
gemacht hatte, zum Oberhaupte der Kirche erwählt. Er belegte
den Irrlehrer Jovinian sammt seinen Anhängern mit dem Ana=
them und gab dem römischen Clerus, welcher um diese Zeit
sehr ausschweifend geworden war und schon in dem h. Hiero=
nymus einen großen Tadler fand, mehre sehr strenge Vorschrif=
ten; so drang er auch besonders auf die Ehelosigkeit der Priester,
und der Irrlehrer Priscillianus mochte wohl nicht ganz ohne
seine Veranlassung zu Trier hingerichtet worden sein. Wir be=

ſitzen verſchiedene äußerſt merkwürdige Briefe von dieſem h. Papſte, unter welchen der an den tarragoniſchen Biſchof Himerus gerichtete, worin er demſelben auf mehre wichtige Fragen antwortet, für den erſten echten Decretal-Brief gehalten wird. — Siricius ſtarb im Jahre 398.

Anaſtaſius,

ein Römer, widerſetzte ſich ſtandhaft dem immer mehr um ſich greifenden Origenismus und verwarf die ruſiniſche Ueberſetzung des Periarchon, als — wie er ſich hierüber in einem Schreiben an Johannes, Biſchof von Jeruſalem, ausdrückt — hinneigend zu ſolchen Anſichten, welche den auf der Ueberlieferung der Apoſtel und Väter beruhenden Glauben gefährden könnten; in demſelben Schreiben gelobt er, darüber wachen zu wollen, daß der Glaube bei allen Völkern des Erdkreiſes, die er die Glieder ſeines Leibes nennt, rein erhalten werde. Hieronymus ſchildert den h. Anaſtaſius als einen Mann, heilig im Leben, reich in der Armuth und von apoſtoliſcher Wachſamkeit, und fügt hinzu, Gott habe ihn gar ſo bald (er regierte nämlich nur drei Jahre und einige Tage) von dieſer Welt entnommen, damit er den Gräuel der Verwüſtung nicht ſähe, den der Gothenkönig Alarich, neun Jahre nach dem Tode dieſes h. Papſtes (410), über die Stadt Rom brachte. Man ſchreibt dem h. Anaſtaſius die Verordnung zu, daß die Gläubigen der Vorleſung des Evangeliums nicht ſitzend, ſondern ſtehend, mit ehrfurchtsvoll gebeugtem Haupte, zuhören ſollten; auch wurde er der Erſte, vorzugsweiſe vor den übrigen geiſtlichen Würdnern, welche früherhin alle dieſe Benennung führten, Papa, Papſt, genannt.

Innocentius I.,

von Albano, wurde im Jahre 402 einhellig zum Papſte erwählt. Unter ſeiner Regierung ſtörten die Novatianer und Pelagianer den Frieden der Kirche, und zu Rom, welches ein Raub der Barbaren geworden war, traten die Ueberreſte des Heidenthums ans Tageslicht, und alte Götzentempel wurden eröffnet. Den Irrlehren begegnete der h. Innocentius, der als ein rettender Leuchtthurm in dieser Verwirrung der christlichen Welt da stand, mit allem Gewichte seines Ansehens und seiner oberhirtlichen Gewalt; das Schicksal Roms aber drückte ihn zu sehr darnieder: er unterlag diesem Grame und starb zu Ravenna im Jahre 417. Wir besitzen mehre Briefe dieses h. Papstes, welche an verschiedene Bischöfe, die ihn über kirchliche Disciplinar-Verhältnisse befragten, gerichtet sind. Die Väter des Conciliums von Milevum, welches wegen des traurigen Zustandes, worein die Irrlehre der Pelagianer über Freiheit, Gnade und Erbsünde die Kirchen Africa's und Palästina's versetzt hatte, gehalten wurde, wandten sich an den h. Innocentius unter andern mit folgenden Worten: „Weil Dich der Herr, aus besonderm Erweis seiner Gnade, auf den apostolischen Stuhl gesetzt und als einen solchen dieser unserer Zeit Dich vorgestellt hat, daß es uns eher müßte als Schuld der Vernachlässigung angerechnet werden, wenn wir vor Dir, Verehrungswürdigster, von demjenigen still schwiegen, was nun der Kirche noth thut, als daß Du darüber hochmüthig oder lässig hinwegsehen könntest: so bitten wir Dich, wolle Dich in diesen großen Gefahren mit aller Sorge eines Hirten der kranken Glieder Christi annehmen." Eben so wandte sich der h. Chrysostomus an ihn, um Schutz gegen das auf dem Pseudo-Concilium ad quercum wider ihn ausgesprochene Urtheil zu erhalten; der h. Papst nahm sich seiner an, hieß den Ausspruch jener Versammlung nichtig, und sein Beschluß wurde von der ganzen Kirche angenommen. Um diese Zeit blühten in der katholischen Kirche die großen heiligen Männer: Basilius, die beiden Gregorius von Nazianz und von Nyssa, Ambrosius, Hieronymus, Augustinus, Chrysostomus und viele Andere.

Zosimus,

ein Grieche. Cölestius, Schüler des Pelagius, hatte es durch sein gewandtes und verstecktes Wesen dahin gebracht, diesen h. Papst für sich und für die Sache der Pelagianer zu gewinnen; kaum aber wurde Zosimus durch die Bischöfe Africa's über den listigen Betrüger enttäuscht, als er auch keinen Augenblick anstand, das gegen Cölestius und Pelagius von Innocentius ausgesprochene Urtheil zu bestätigen, und der Kaiser befahl ihm sogar, die in Rom sich aufhaltenden Pelagianer aus der Stadt verweisen zu lassen. Daß der h. Zosimus die Berufung des von den africanischen Bischöfen abgesetzten Priesters Apiarius annahm, versetzte ihn mit jenen in einige Spannung; nicht aber, als hätten die Bischöfe Africa's die Berufung auf den Papst im Allgemeinen verworfen (denn der h. Augustinus erklärt unumwunden, daß den Bischöfen die freie Berufung auf den Papst zustehe), sondern weil es ihren Disciplinar-Gesetzen zuwider war, daß jeder geringere Geistliche und einfache Priester, nur zu oft in wenig erheblichen oder bereits recht geschlichteten Angelegenheiten, sich nach Rom wende. Auch legte der h. Zosimus die Streitigkeiten bei, die zwischen den Kirchen von Arles und Vienne in Gallien wegen des Metropolitan-Rechtes über die Provinzen von Vienne und Narbonne obwalteten, und entschied zu Gunsten des Patroklos, Bischofs von Arles. — Er starb am Ende des Jahres 418. Wir besitzen von diesem h. Papste sechszehn Briefe, die mit Wärme und Salbung geschrieben sind.

Bonifacius I.,

ein Römer. Eulalius, Archidiakon von Rom, hatte sich der Laterankirche bemächtigt und war durch den kleinen Anhang, den er sich gewonnen hatte, zum Papste erwählt worden. Der Kaiser Honorius schützte aber den h. Bonifacius, der vom größern Theile der Geistlichkeit und des Volkes zum Oberhaupt der Kirche war ausersehen worden, im Besitze des apostolischen Stuhles und verwies den Eulalius ins Elend. Der h. Augustinus widmete diesem h. Papste, der kaum vier Jahre lang regierte und um 422 starb, seine vier Bücher gegen die Irrthümer der Pelagianer.

Cölestinus I.,

ein Römer, schickte gleich im Beginne seines Oberhirten-Amtes den Faustinus nach Africa, um dort auf einem Concilium die Angelegenheit des Priesters Apiarius, die unter dem Papste Zosimus zur Sprache gekommen, aber noch immer nicht geschlichtet worden war, aufs Neue zu untersuchen und zu beendigen. Apiarius gestand endlich seine lang' mit Kühnheit geläugneten Verbrechen ein, und es blieb bei der durch die africanischen Bischöfe gegen ihn ausgesprochenen Absetzung. Als die Irrthümer des Nestorius bekannt geworden waren, berief der h. Cölestinus in Rom (430) ein Concilium zusammen, wo diese Irrlehren verworfen und Nestorius, Bischof von Constantinopel, abgesetzt wurde. Im darauf folgenden Jahre (431) versammelte sich aus derselben Ursache das dritte allgemeine Concilium zu Ephesus, wo der h. Cyrillus, Patriarch von Alexandrien, die Stelle des Papstes vertrat. Hier wurde die göttliche Mutterschaft der seligsten Jungfrau Maria ausgesprochen und die Irrlehre von zwei Personen in Christo verworfen; auch wiederholten die Väter das Anathem gegen die Irrlehre der Pelagianer. Der Jubel des Volkes zu Ephesus war unbeschreiblich groß, als die Väter dieser allgemeinen Kirchenversammlung, nach den gefaßten und verkündigten Beschlüssen, erst beim Einbruche der Nacht die Kirche, wo sie versammelt gewesen waren, verließen; sie wurden von den Männern mit Fackeln nach ihrer Wohnung begleitet, und die Weiber trugen Blumengewinde und Rauchwerk vor ihnen her. Am Ende desselben Jahres vernahm der h. Papst Cölestinus, daß mehre Priester Galliens nach dem Tode des h. Augustinus die Gnadenlehre dieses großen Kirchenvaters angriffen; er schrieb deßhalb an die Bischöfe dieses Landes und tadelte die Gegner des h. Kirchenvaters, fügte aber auch zugleich hinzu, es wolle hiermit nicht gesagt sein, als müsse man sich allen Erklärungen und Erklärungsweisen dieses h. Vaters unterwerfen. — Cölestinus starb bald in der Mitte des Jahres 432. Er erließ einige Sendschreiben an die Bischöfe Frankreichs.

Sirtus III.,

ein Römer, trat mit dem Siege der Kirche über Pelagius und Nestorius sein Oberhirten-Amt an und sandte an den letztern ein Schreiben, worin er ihn zur Rückkehr zum alten wahren Glauben der Kirche liebevoll aufforderte, doch ohne Erfolg; nur daß er sich selbst Schmähungen von Seiten dieses stolzen Irrlehrers zuzog. Besser gelang es ihm, die Streitigkeiten, welche unter den orientalischen Bischöfen ausgebrochen waren, beizulegen, besonders durch die Aussöhnung des h. Cyrillus mit Johannes von Antiochien. Wir besitzen von diesem Papste mehre Briefe und einige geistliche Dichtungen über die Erbsünde gegen die Lehre des Pelagius. — Der h. Sirtus starb angeblich im Jahre 440.

Leo I., mit dem Beinamen der Große,

geboren zu Rom oder, wie Andere wollen, zu Toscana. Seine Vorfahren, Cölestinus und Sirtus, bedienten sich in den wichtigsten und verwickeltsten Angelegenheiten seiner ausgezeichneten Talente schon, da er noch erst Diakon war. Nach dem Tode des heiligen Sirtus wählte ihn der gesammte römische Clerus zum Papste, und das Volk vernahm diese Wahl mit Frohlocken. Durch unablässige Bemühungen gelang es diesem großen Papste, den Fortschritten der Irrlehren Einhalt zu thun und viele der Verblendeten in den Schooß der Mutterkirche zurückzuführen. Kaum hatte er in Erfahrung gebracht, daß sich in Rom eine große Anzahl Manichäer befänden, deren Irrthümer über den christlichen Lehrbegriff auch von Lastern und Schandthaten begleitet waren, so veranstaltete er ein öffentliches Gericht gegen dieselben, in welchem die heimlich gehaltenen Abscheulichkeiten ihrer Mysterien ans Tageslicht kamen; diejenigen von ihnen aber, die diesen Gräueln nicht entsagen wollten, überlieferte er der weltlichen Macht. Auch gelang es seinem Glaubenseifer endlich, die letzten Ueberreste der Pelagianer und Priscillianisten aus Italien zu verbannen; eben so widersetzte er sich durch seine Legaten den Umtrieben der Eutychianer, die,

nach dem Vorgange ihres Häuptlings Eutyches, in den entgegengesetzten Fehler des Nestorius verfielen und in Christo
nur Eine Natur annahmen, und auf der Räuber-Synode zu
Ephesus im Jahre 449 diesen Irrthum sanctionirt hatten. Um
aber desto kräftiger und als Oberhirt der ganzen Kirche Christi,
Allen zur Warnung, diesen neuen Irrthümern entgegen wirken zu
können, veranlaßte der h. Leo den Marcian, Kaiser im Oriente,
nach Chalcedon eine allgemeine Kirchenversammlung im Jahre
451 zusammen zu berufen, und schickte selbst vier seiner Stellvertreter dahin, welche in derselben den Vorsitz führen sollten.
In der zweiten Sitzung wurde ein Schreiben des Papstes an
Flavian, Patriarchen von Constantinopel, vorgelesen, in welchem
der geistreiche Verfasser auf eine bewundernswürdige Weise
den wahren Glaubensbegriff von der Menschwerdung des Sohnes Gottes entwickelt hatte, so daß die ganze Versammlung der
Väter dieser Arbeit einen ungetheilten Beifall schenkte. Der
Irrthum wurde verworfen, Eutyches aus der Kirchengemeinschaft ausgeschlossen und Dioscorus, sein vorzüglichster Anhänger, seiner Würde als Bischof von Alexandrien entsetzt.
Während der Dauer dieser Kirchenversammlung überzog der
Hunnenkönig Attila, der sich selbst die Geißel Gottes nannte,
den Occident mit seinen Scharen, und die schrecklichste Verwüstung bezeichnete seinen Weg. Valentinian, damals Kaiser
im Occident, hatte den h. Leo dazu ausersehen, diesen wilden
Krieger in seinem Siegeslaufe aufzuhalten und ihm Friedens-
vorschläge zu machen. Eben als Attila gegen Rom im Anzuge
war, ging das Oberhaupt der Kirche Christi ihm entgegen,
und redete mit so großer Würde, Sanftmuth und Eindringlichkeit ihm zu, daß der trotzende Verwüster, der in thörichter
Aufgeblasenheit von sich selbst aussagte, die Sterne müßten
auf seinen Willen vom Himmel vor ihm niederfallen, seinen
wilden Geist überwältigt fühlte, an Rom vorüberzog, Italien
verließ und über die Donau zurückging. Bald darauf erschien
auch Genserich, der Vandalen König, in Italien, und stand
plötzlich unvermuthet vor den Thoren Roms. Wenn der h. Leo

es dieses Mal auch nicht vermochte, die Hauptstadt der christlichen Welt vor einer vierzehntägigen Plünderung zu bewahren, so erhielt er auf seine Vorstellungen doch so viel, daß die Barbaren weder mordeten noch niederbrannten, und daß auch selbst die drei Hauptkirchen Roms, die von Constantin dem Großen mit außerordentlichen Schätzen beschenkt worden waren, nicht geplündert wurden. Wolle man nun der Erzählung eines Schriftstellers aus dem 8. Jahrhunderte Glauben beimessen, der, was das Ereigniß unter Attila anbelangt, vorgibt, dieser unbändige Eroberer sei durch eine Erscheinung geschreckt worden und habe so den Bitten des h. Leo gewillfahrt, oder man halte diese Angabe für ein Mährchen: so verdient es doch gewiß unsere volle Bewunderung, daß die zwei wüthendsten Völkerquäler ihrer Zeit, Attila der Heide und Genserich der Arianer, auf die Vorstellungen eines einzelnen, ihnen unbekannten Mannes eingingen, der keinen andern Titel seiner Macht vorzeigen konnte, als den, daß er auf Erden der sichtbare Statthalter eines Königs war, dessen Reich nicht von dieser Welt ist. Dieser Papst ist auch das erste Oberhaupt der Kirche, von welchem wir größere schriftstellerische Werke besitzen; sie bestehen aus 96 geistlichen Reden und 141 Briefen; er schrieb Lateinisch, und sein Styl ist gepflegt, fließend, zuweilen in gemessener rhythmischer Cadenz, voller Würde und Kraft, Reinheit und Reichthum in der Sprache. — Der h. Leo starb im Jahre 461 und hinterließ den wohlbegründeten Ruf eines Heiligen und eines großen Mannes.

Hilarius,

von der Insel Sardinien, war unter dem h. Leo Archidiakon der römischen Kirche gewesen und von diesem großen Manne bei vielen wichtigen Geschäften zu Rathe gezogen worden. Allgemein war die Freude der Bischöfe und der Gläubigen, den h. Hilarius auf den Stuhl des Apostelfürsten erhoben zu sehen, und die Strenge, womit er die Kirchenzucht handhabte, ließ die Kirche Gottes mit Zuversicht hoffen, daß die segensreichen

Pflanzungen des h. Leo unter die wünschenswertheste Aufsicht
gekommen seien. Hilarius bestätigte die allgemeinen Kirchenver=
sammlungen von Nicäa, Ephesus und Chalcedon und hielt im
Jahre 465 eine Synode zu Rom, auf welcher unter andern die
Verordnung erlassen wurde, daß kein Bischof sich eigenmächtig
seinen Nachfolger wählen dürfe. — Er starb im Jahre 468.

Simplicius,

aus der Gegend von Tivoli, stand der Kirche Gottes unter
sehr schwierigen Verhältnissen vor. Der Geist der Spaltung,
welcher schon bei Gründung des Christenthums die Kirche Got=
tes im Oriente heimgesucht hatte, griff, von Habsucht und Ehr=
geiz getrieben, immer mehr um sich; auch ließen sich schon um
jene Zeit von Seiten der morgenländischen Kaiser die unver=
kennbaren Bestrebungen erblicken, die Kirche unter die Herr=
schaft der weltlichen Macht zu bringen, welchem Schicksale sie
denn auch im Morgenlande erlag und als griechische Kirche
noch bis auf den heutigen Tag erliegt. So hatte der h. Sim=
plicius mit dem Kaiser Zeno Isauricus zu kämpfen, welcher
eine Glaubensformel unter dem Namen Henotikon bekannt
machte, deren Annahme er forderte. Wenn auch in dersel=
ben keine Irrlehre über die Menschwerdung des Sohnes Gottes
enthalten war, so wurde doch auch darin des allgemeinen Con=
ciliums von Chalcedon nicht gedacht, und im Gegentheil zeigte
der Kaiser durch Verfolgung der Anhänger dieses Conciliums,
daß er der Annahme desselben nicht zugethan war. Nicht we=
niger Umsicht forderten von Seiten des h. Papstes die Fall=
stricke, welche ihm der eutychianisch gesinnte Acacius, Pa=
triarch von Constantinopel, legte, und in welchen Umtrieben
schon die frühesten Keime der späterhin erfolgten Trennung der
morgenländischen von der abendländischen Kirche zu ersehen sind.
Eben so standen dem h. Simplicius die Bischöfe von Alexan=
drien und Antiochien, an Irrthümern haftend, feindlich gegen=
über. Mehr oder minder blieb das Volk kein müßiger Zuschauer
bei diesen verschiedenen Glaubensstreitigkeiten, wo die geistlichen

und weltlichen Vorgesetzten, die reichen Bischöfe und die ärmern Mönche sich feindlich gegenüber standen, und so tritt hier gleichsam das erste Vorbild der spätern langwierigen religiös-bürgerlichen Kriege hervor. — Nach einer fünfzehnjährigen, äußerst ruhmvollen Regierung starb dieser h. Papst im Jahre 483; er hinterließ achtzehn Briefe, die meistens von großer Wichtigkeit sind.

Felix III.,

ein Römer, verwarf gleich beim Antritte seiner Regierung das Henotikon, welches der Kaiser Zeno noch immer unter dem verlockenden Titel eines Unions-Edictes geltend zu machen strebte, und sprach das Anathem gegen diejenigen aus, die sich zur Annahme desselben hatten verleiten lassen. Er widersetzte sich mit ungeschwächter Charakterstärke dem Kaiser, ohne doch auch wieder im Geringsten die Majestät zu beleidigen; auch war er der Erste, welcher den Kaiser mit dem Ausdrucke: mein Sohn! anredete. Der Patriarch Acacius setzte seine heillosen Ränke, den Frieden der Kirche Gottes störend, noch immer fort; der h. Felix suchte ihn durch Sendschreiben, die nur Liebe und Sanftmuth athmeten, zur Einigkeit zurück zu führen, doch vergebens; der widerspenstige Patriarch unterhielt fortwährend die Gemeinschaft mit dem wegen Irrglaubens excommunicirten Bischofe von Alexandrien, Petrus Mongus, so daß das Oberhaupt der Kirche sich genöthigt sah, auch gegen ihn Absetzung und Ausschließung aus der Kirchengemeinschaft erfolgen zu lassen, wodurch die Kirche von Constantinopel auf mehre Jahre von Rom getrennt wurde. Im Jahre 487 ordnete Felix zu Rom eine Kirchenversammlung an, auf welcher diejenigen Bischöfe, Priester, Diakone und Laien Africa's, welche, vom Arianismus zum wahren Glauben zurückgekehrt, sich hatten wiedertaufen lassen, mit der Mutterkirche ausgesöhnt wurden. Athalarich, König der Gothen, obgleich Arianer, schätzte den h. Felix sehr und ließ seinen Tugenden und seinem apostolischen Eifer Gerechtigkeit widerfahren, so daß er ihm mehre Gerechtsamen und Freiheiten in Leitung der Kirche

Gottes gestattete und besondere Veranstaltungen traf, daß der Priesterstand geschützt und geehrt sei. — Felix starb i. J. 492.

Gelasius I.,

ein Africaner oder ein Römer, hatte während seines Pontificates mit vielen Schwierigkeiten zu kämpfen; denn die weltlichen Herrscher waren entweder den Irrlehren des Eutyches, wie der morgenländische Kaiser Anastasius, oder dem Arianismus ergeben, wie Theodorich, der in Italien herrschte, nebst den übrigen gothischen Königen; der Frankenkönig Clodwig (Ludwig) war noch ungetauft. Auch wurde die Trennung der morgenländischen Kirche von der abendländischen dadurch unterhalten, daß Euphemius, Patriarch von Constantinopel, den gegen Acacius ausgesprochenen Bann nicht öffentlich anerkennen wollte. Ein durch den h. Gelasius in Rom im Jahre 494 zusammen berufenes Concilium lieferte das Verzeichniß der h. Schriften des alten und neuen Testamentes ganz so, wie die allgemeine Kirchenversammlung zu Trient dasselbe bestimmte; auch wurde auf diesem Concilium der Schriften der Kirchenväter in Beziehung auf die Glaubenslehre der Ueberlieferung mit Auszeichnung gedacht. Der h. Gelasius verfaßte mehre Schriften, von welchen uns noch eine Abhandlung gegen Eutyches und Nestorius und eine Sammlung von Sendschreiben übrig geblieben sind. In einem der letztern ermahnt er den Kaiser Anastasius zum wahren Glauben und sagt unter Anderm: „O, möchte doch die Sprache der Wahrheit, die keine Furcht kennt, deinen Ohren, o Fürst, nicht gleich einer Beleidigung vorkommen!" Diesem h. Papste werden mehre Hymnen, Präfationen und Gebete zur h. Messe-Feier und zur Ausspendung der Sacramente zugeschrieben, und ein altes Sacramentarium der römischen Kirche ist nach ihm benannt; der Gebrauch, daß die Priesterweihe insgemein zur Zeit der Quatember-Fasten ertheilt wird, rührt von ihm her. Er starb im Jahre 496. Dionysius der Kleine († 540), welcher die christliche Zeitrechnung einführte, hat dem h. Gelasius ganz nach Verdienst in seinem Briefe an den Priester Julian die herrlichste Lobrede gehalten.

Anastasius II.,

ein Römer, verwandte sich mit großem Freimuthe bei dem Kaiser Anastasius für die Beschützung des katholischen Glaubens und hatte die Freude, daß unter seiner Regierung der Frankenkönig Clodwig sich zum christlichen Glauben bekannte. Der h. Bischof Remigius von Rheims unterrichtete denselben, und nachdem er diese Worte zu ihm geredet hatte: „Beuge dein Haupt, stolzer Sicambrer; bete an, was du verbranntest, und verbrenne, was du angebetet hast!" taufte er ihn. Da Clodwig um jene Zeit der einzige christliche Fürst war, welcher mit der katholischen Kirche und dem apostolischen Stuhle in Gemeinschaft stand, so erwarb er dadurch sich und seinen Nachfolgern den Titel des allerchristlichsten Königs — rex christianissimus —, worauf aber die neueste Zeit verzichtete! — Anastasius starb schon am Ende des Jahres 498.

Symmachus,

aus Sardinien, wurde gleich nach dem Tode des h. Anastasius auf den päpstlichen Stuhl erhoben. Festus, ein einflußreicher römischer Patricier, ließ einige Zeit nachher den Erzpriester Laurentius, den er besser, als den dem Concilium von Chalcedon eifrig anhangenden Symmachus, zu lenken hoffte, zum Papste erwählen. Diese Spaltung wurde aber durch den Gothenkönig Theodorich geendet, welcher, obgleich ein Arianer, befahl, daß es bei der ersten Wahl, die durch Stimmenmehrheit rechtlicher Weise vor sich gegangen war, sein Bewenden haben solle; so wurde Symmachus als Papst bestätigt und von den Bischöfen allgemein anerkannt. Doch ruhete die Gegenpartei nicht und klagte den h. Papst mehrer Verbrechen und Schandthaten an. Zur Untersuchung dieser Vorwürfe rief Theodorich im Jahre 501 in Rom ein Concilium zusammen. Die Bischöfe aber entgegneten dem Könige ernst und beharrlich: „der Papst selbst müsse das Concilium berufen; denn dem apostolischen

Stuhle zu Rom komme dieses Recht durch den Primat Petri zu und sei ihm auch durch die Concilien selbst zugestanden worden." Theodorich wies ihnen hierauf Briefe des Papstes vor, in welchen dieser mit der Veranstaltung des Conciliums einverstanden war, und so wurde Symmachus von den gegen ihn erhobenen Anklagen frei gesprochen. Als dieses Ergebniß des römischen Conciliums nach Gallien kam, verursachte es bei den dortigen Bischöfen allgemeine Mißbilligung, und der h. Avitus, Bischof von Vienne, erhielt den Auftrag, nach Rom zu schreiben und sich im Namen ihrer aller über die Anmaßung der Bischöfe, sich zu Richtern des Papstes aufgeworfen zu haben, zu beklagen; doch lobte er hinwiederum die Väter, daß sie die Schuldlosigkeit des Papstes anerkannt hätten. Unterdessen hatte sich der Kaiser Anastasius gegen das chalcedonische Concilium erklärt, und der Papst verweigerte ihm die Kirchengemeinschaft; hierauf hieß der Kaiser seinerseits den Papst einen Manichäer, obgleich dieser selbst allen Manichäern befohlen hatte, die Stadt Rom zu meiden. Der h. Papst verwahrte sich gegen diese Anklage mit aller Würde, wie es sich für ein Oberhaupt der Kirche Gottes geziemt, in einer Schutzschrift, die noch bis auf uns gekommen ist. Als der Vandalenkönig Trasimund mehr als 200 africanische Bischöfe nach Sardinien in die Verbannung geschickt hatte, unterstützte der Papst Symmachus dieselben von Rom aus auf alle nur erdenkliche Weise. Er baute mehre Kirchen und soll auch verordnet haben, daß an Sonntagen und an Erinnerungsfesten der Martyrer der Hymnus Gloria in excelsis Deo in der h. Messe gesungen werde, obgleich diese Verordnung von Andern bereits dem Telesphorus zugeschrieben wird. — Er starb im Rufe der Heiligkeit im Jahre 514. Sein Zeitgenosse, der berühmte Eunodius, Bischof von Pavia († 521), schrieb unter dem Titel: „Vertheidigung des römischen Conciliums, welches den Papst Symmachus frei sprach," eine Schutzschrift für diesen h. Papst, die wir noch besitzen. Von Symmachus selbst haben wir noch eilf Briefe und mehre Kirchenverordnungen.

Hormisdas,

von Frusino in Campanien. Obgleich die Gesandtschaftsreise des Eunodius zu dem Kaiser Anastasius nach Constantinopel, die große Kirchenspaltung, welche durch des Eutyches Irrlehre entstanden war, aufzuheben, wenig fruchtete: so kam die Wiedervereinigung doch unter des Anastasius Nachfolger, dem Kaiser Justinus, zu Stande; in welcher Beziehung Hormisdas zu Rom im Jahre 518 ein Concilium hielt. Aus Furcht, der Lehre des Eutyches Vorschub zu leisten, weigerte er sich, den dringenden Bitten der skytischen Mönche Gehör zu geben zur Bestätigung des Satzes: „Einer aus der Dreieinigkeit habe gelitten." Der Kirchengesang (die Psalmodie) wurde unter dem Einflusse dieses h. Papstes sehr verbessert; auch wachte er unermüdet über der Reinheit der Lehre und der Sitten. Wir besitzen von Hormisdas mehre Briefe; aus dem 160., welcher an Salustius, Bischof von Sevilla und päpstlichen Legaten in Spanien, gerichtet ist, ersehen wir, welch eine große Gewalt die Päpste um diese Zeit in der Kirche ausübten. — Hormisdas starb in der Mitte des Jahres 523, als ein Muster von Bescheidenheit, Geduld und Menschenfreundlichkeit; ganz besonders aber wird seine Liebe gegen die Armen gerühmt, für welche er selbst immer wieder arm wurde, wenn er etwas besaß.

Johannes I,

ein Toscaner. Der Kaiser Justinus gebot den Arianern, die den Katholiken entfremdeten Kirchen denselben wieder einzuräumen. Da dieses dem abendländischen Kaiser Theodorich, welcher der arianischen Secte zugethan war, nicht gefiel, so begab sich der h. Papst Johannes selbst nach Constantinopel, um die Sache auszugleichen. Hier wurde er aufs festlichste empfangen und mit Ehren überhäuft, und die Streitigkeiten wurden ganz zu Gunsten der Katholiken gegen die Forderungen der Arianer beendet. Dieses mißfiel dem Theodorich, welcher sich durch den Papst getäuscht glaubte, und so versicherte er sich desselben bei seiner Zurückkunft und ließ ihn in Ravenna einsperren, wo er, als

Martyrer betrachtet, im Jahre 526 starb. — Die beiden Sendschreiben, welche seinen Namen führen, sind offenbar unecht.

Felix IV.,

geboren zu Benevent im samnischen Gebiete, wurde besonders
durch den Einfluß des Kaisers Theodorich zum Papste erwählt,
und starb, nachdem er der Kirche Gottes etwas über 5 Jahre
lang mit Eifer, Gelehrsamkeit und Frömmigkeit vorgestanden
hatte, im Herbste des Jahres 530.

Bonifacius II.,

ein Gothe von Herkommen, wurde zu Rom geboren. Von Herbheit des Charakters und Eigenmächtigkeit im Verfahren ist dieser Papst nicht ganz frei zu sprechen; so that er seinen Nebenbuhler um den apostolischen Stuhl, den Dioscorus, noch nach
dessen Tode in den Kirchenbann und zwang die in der Basilica
des h. Petrus versammelten Bischöfe, ihm die Wahl seines
Nachfolgers zuzugestehen. Er bezeichnete hierzu den Diakon
Vigilius. Die Bischöfe aber, da sie näher erwogen, wie unrecht
sie gethan hatten, etwas einzugehen, welches dem alten Herkommen ganz entgegen war, erklärten kurze Zeit danach die
Bestimmung des Papstes für nichtig, und Bonifacius verbrannte
selbst die darüber ausgefertigte Urkunde in ihrer aller Beisein.
Ein großes Verdienst dieses Papstes ist es hingegen, daß er dem
Orden des h. Benedictus, durch den besonders im Abendlande
so viel Gutes gestiftet wurde, die erste oberhirtliche Aufmerksamkeit schenkte. Man hat von ihm einen Brief an den h. Cä-
sarius von Arles; bezweifelbar ist die Echtheit seines Briefes
an den alexandrinischen Bischof Eulalius und des Decretes,
worin es unter Anderm heißt: „Darauf beruhet alles Heil, daß
man sich an der Richtschnur des rechten Glaubens halte und
nicht abweiche von den Satzungen der Väter; und da wir nicht
begehren, uns jemals von dieser Hoffnung und von diesem
Glauben zu trennen, und die Vorschriften der Väter befolgen,
so sprechen wir das Anathem über diejenigen aus, die ihre

Häupter gegen die römische Kirche erheben."—Bonifacius starb nach einer zweijährigen Regierung im Jahre 532.

Johannes II., mit dem Beinamen Mercurius,

ein Römer. Da die Nestorianer es zur Begünstigung ihrer Irrlehren auslegten, daß der Papst Hormisdas dem Satze: „Einer aus der Dreieinigkeit hat gelitten", seine Zustimmung versagt hatte und die Akömeten (d. h. wachende Mönche) ihn mit großer Heftigkeit bestritten, so daß sie sich jener Irrlehre verdächtig machten: so fand Papst Johannes es für rathsam, den Satz, welchem übrigens kein unrechtgläubiger Sinn unterliegt, zu bestätigen, jedoch mit Hinzufügung der Worte: „im Fleische", d. h. als der menschgewordene Sohn Gottes, da alle Handlungen Jesu Christi göttlich-menschliche waren, damit die Schwachen und Unwissenden keinen Anstoß daran nähmen. Die Akömeten, welche, um den Frieden mit dem Papste wieder herzustellen, Gesandte zu einem Colloquium nach Rom schickten, nannten ihn den Vater der gesammten Christenheit, mußten aber zusehen, wie ihre Gesandtschaft, die mit dem Ausspruche des Papstes nicht zufrieden war, mit dem Banne beladen Rom verließ. Während seines Pontificates überwand Justinian, der Kaiser des Orientes, die Vandalen in Africa, und eroberte dieses Land wieder. — Johannes starb im Monate Mai 535.

Agapetus I.,

ein Römer, von festem, unerschütterlichem Charakter und erfüllt von dem Bewußtsein der Wichtigkeit seines Amtes, der Kirche Gottes vorzustehen. Den inständigen Bitten des Gothenkönigs Theodat zufolge, welcher einen Krieg von Seiten des morgenländischen Kaisers Justinian befürchtete, reis'te er nach Constantinopel; dann aber auch, um den Kaiser deßwegen anzugehen, daß er die Irrlehrer in seinen ganz besondern Schutz nehme und ihnen ausgezeichnete Vortheile gewähre. Der Kaiser hatte nämlich die Schwachheit, sich mit theologischen Streitigkeiten mehr abzugeben, als mit der Staatsverwaltung; er wollte daher

auf die Vorstellung des Papstes nicht eingehen; im Gegentheil
drohte er ihm die Verbannung an, wenn er nicht mit dem
Eutychianer Anthymus in Kirchengemeinschaft treten wolle.
Agapetus weigerte sich dessen standhaft und erwiderte, er habe
erwartet, einen katholisch gesinnten Kaiser zu finden, er sehe
nun aber den Tyrannen Diocletian vor sich. Dieses Benehmen
des Papstes verfehlte seinen Zweck nicht: es brachte sowohl
den Kaiser als auch die Eutychianer zu besonnenerm Verfahren.
Als in der Folge Anthymus durch die Ränke der Kaiserinn
Theodora Patriarch von Constantinopel geworden war, zog
er sich, aus Furcht, nun dem Concilium von Chalcedon zuschwö-
ren zu müssen, in sein früheres Bisthum zurück. Hierauf erklärte
ihn der Papst ausdrücklich von der Kirchengemeinschaft ausgeschlossen, wenn er sich nicht durch Anerkennung des besagten
Conciliums zum Katholizismus bekenne. Nun wurde Memnas,
eben so ausgezeichnet durch Wissenschaft als durch Frommsinn,
zum Patriarchen erwählt, und der Papst selbst setzte ihn ein.
Eben damit beschäftigt, eine Untersuchung gegen mehre euty-
chianische Bischöfe einzuleiten, starb der h. Papst Agapetus zu
Constantinopel im Jahre 536, in gänzlicher Dürftigkeit, wie
er auch immer gelebt hatte. Er regierte noch nicht ein volles
Jahr. Die Briefe, welche wir von ihm besitzen, zeigen ihn als
einen Mann voll Muth und Würde, ohne Menschenfurcht, und
dessen Richtschnur bei seinen Handlungen einzig und allein das
unbestechbare Pflichtgefühl war. Die römische Kirche feiert sein
Andenken am 20. September, dem Tage, an welchem seine Gebeine im Vaticane zu Rom mit außerordentlicher, durch den
Kaiser selbst veranstalteter Feierlichkeit beerdigt wurden; die
griechische Kirche aber am 17. April, seinem Sterbetage.

Silverius, auch Sylvester II. genannt,

aus Campanien, Sohn des Papstes Hormisdas, welcher, ehe
er sich dem geistlichen Stande widmete, im Ehestande gelebt
hatte. Mit Gewalt setzte Theodatus, König der Hunnen, den
Silverius auf den päpstlichen Stuhl; doch wurde diese Erhe-

bung nicht eher für rechtmäßig erkannt, als bis die römische Geistlichkeit damit einverstanden war. Gleich darauf nahm Belisar,
Feldherr des Kaisers Justinian, die Stadt Rom ein, und die
Kaiserinn Theodora war geschäftig, diese Gelegenheit zu benutzen, um der Secte der Akephaler, einem Zweige der Eutychianer, Eingang zu verschaffen. Sie suchte daher den Papst
für ihr Vorhaben einzunehmen; da sie aber gewahrte, daß alle
ihre Künste an der Festigkeit des Kirchen-Oberhauptes scheiter-
ten, so beschloß sie seine Absetzung. Silverius wurde nun angeklagt, daß er mit dem besiegten Gothenkönige in geheimem Einverständnisse sei, und obwohl es sich unbezweifelbar herausstellte,
daß der in dieser Beziehung vorgewiesene Brief von einem
Rechtsgelehrten, Namens Marcus, geschmiedet worden war,
so wurde er doch, als dem Staate verdächtig und gefährlich,
nach Patara in Lycien verbannt und der Diakon Vigilius im
November des Jahres 537 zum Papste erwählt. Der Bischof
von Patara nahm sich des Silverius lebhaft an, ging selbst
nach Constantinopel zum Kaiser, drohete ihm mit dem Gerichte
Gottes und sagte unter Anderm zu ihm: „Wohl gibt es mehre
Könige auf dieser Erde; die Kirche aber, die auf der ganzen
Erde verbreitet ist, soll nur Ein Oberhaupt haben." Der Kaiser ließ sich hierauf den wahren Bestand der Dinge erklären
und setzte Silverius wieder auf den Stuhl des h. Petrus.
Kaum aber war dieser nach Rom zurückgekehrt, als Belisar
ihn wieder ergreifen ließ, und zwar auf anhaltendes Bitten
seiner Frau, welche sich dadurch in der Gunst der Kaiserinn
nur noch mehr befestigen wollte. Silverius wurde nun nach
der Insel Palmaria, Terracina gegenüber, ins Elend geschickt,
wo er im Jahre 538 den Hungertod starb, und zwar, nach
Aussage des Procopius, der sich damals in Italien aufhielt,
durch Erwirkung der Antonia, Gemahlinn des Belisar. —Die
Kirche feiert das Andenken des h. Silverius am 4. des Mo-
nates Junius.

Vigilius,

ein Römer, begleitete als Diakon den Papst Agapetus nach Constantinopel. Hier versprach ihm Theodora, Gemahlinn des Kaisers Justinian, ihm zum päpstlichen Throne zu verhelfen, wenn er sich dazu anschicken könne, das im Jahre 535 zu Constantinopel gegen die Eutychianer Anthymus, Severus und Theodosius gehaltene Concilium für nichtig zu erklären. Vigilius versprach dies und wurde im Jahr 537, noch bei Lebzeiten des Papstes Silverius, den man ins Elend schickte, zum Papst erwählt. Diese durchaus ungültige Erhebung wurde im Jahre 539, nach dem Tode des rechtmäßigen Papstes, bestätigt. In einem Briefe an Theodosius von Alexandrien schien Vigilius der Lehre des Anthymus und der Akephaler anzuhangen; öffentlich aber bekannte er sich zur reinen katholischen Lehre; er schrieb sogar an die Kaiserinn in diesen kühnen Ausdrücken: „Was ich früher zugesagt habe, war Unrecht; ich habe wie ein Wahnsinniger gehandelt. Nun und nimmer kann ich mit Eurem Begehren einverstanden sein; wie sollte ich einen irrgläubigen und mit dem Kirchenbanne belegten Menschen vertheidigen!" Im Jahre 547 ging er selbst nach Constantinopel und zeigte sich dort eben so muthig und standhaft, indem er die Kaiserinn und die Akephaler in den Kirchenbann that. Da traf ihn die unversöhnliche Rache der Kaiserinn; man schleppte ihn an einem Stricke um seinen Hals durch die Straßen von Constantinopel und warf ihn in ein elendes Gefängniß. Erst bei dem Tode des Anthymus erhielt er seine Freiheit wieder, die er aber, als er in die Angelegenheit der so genannten drei Capitel (die Schriften des Theodor von Mopsuesta, dessen Anathem gegen den h. Cyrillus und der Brief des Ibas für den Theodor) mit verwickelt wurde, wieder verlor. Der Kaiser Justinian hatte nämlich diese Schriften im Jahre 545 als irrgläubige verworfen und wollte nun den Papst zwingen, ein Gleiches zu thun. Dieser weigerte sich dessen aber aus Furcht, sich hiedurch den Eutychianern willfährig zu zeigen und jene Männer, die als Rechtgläubige vom Concilium zu Chalcedon

schienen anerkannt worden zu sein, im Rufe zu gefährden,
wenn auch ihre oben genannten Schriften nicht eben die
strengste Prüfung aushalten sollten. Diesen Zwist zu endi-
gen, kam er endlich mit dem Kaiser dahin überein, daß ein zu-
Constantinopel zusammen berufenes Concilium darüber entscheiden
solle. Bei den Vorbereitungen hierzu kam es aber zu solchen
Heftigkeiten, daß Vigilius zu seiner persönlichen Sicherheit in
eine Kirche flüchten mußte. Der Prätor drang ihm mit der
bewaffneten Macht nach und wollte ihn diesem Asyle entreißen.
Vigilius klammerte sich an eine Säule fest und rief aus:
„Wisset, daß, wenn ihr auch mich in Bande legt, der heilige
Petrus doch nicht gefesselt ist!" Das Volk zwang endlich den
Prätor, sich zurückzuziehen. Unterdessen kam im Jahre 553 das
Concilium zu Constantinopel zu Stande und verwarf die drei
Capitel. Der Papst trat in der Folge diesem Ausspruche des
Conciliums bei, doch mit der ausdrücklichen Erklärung, daß
er darum doch nicht die rechtgläubige Gesinnung der Verfasser
dieser Schriften antasten wolle, wenn er nun auch einsehe,
daß er, was die Schriften selbst anbelange, früherhin zu mild
geurtheilt habe. Mehren Kirchen des Orients wollte dieser
Schritt des Papstes nicht gefallen, und obgleich er ihnen erklärte, daß er dadurch nichts dem Glauben Entgegenstehendes
gethan habe, so trennten sich doch mehre von seiner Gemeinschaft, bis die folgenden Päpste Pelagius und Gregorius der
Große sie wieder mit der allgemeinen Kirche vereinigten. — Auf
dem Heimwege nach Italien, wohin Vigilius sich von Constantinopel auf geheimen Wegen flüchtete, da sich wieder neue Verfolgungen, die selbst seinem Leben droheten, gegen ihn erhoben
hatten, starb er zu Syracus in Sicilien, im Jahre 555, an
heftigen Steinschmerzen. Er hinterließ achtzehn Briefe.

Pelagius I.,

ein Römer, Diakon der römischen Kirche, war Archidiakon des
Papstes Vigilius und dessen Geschäftsträger im Oriente, wo
er sich durch Besonnenheit und Festigkeit des Charakters aus-

zeichnete. Seine Erhebung auf den päpstlichen Stuhl verdankte
er größtentheils dem Kaiser Justinian, der seine Talente zu
schätzen wußte. Kaum zur Regierung gelangt, stellte er die sehr
gesunkene Kirchen=Disciplin wieder her und erklärte sich ent=
schieden gegen jede Neuerung, immerdar auf die apostolische
Uebergabe hinweisend. Er bestätigte ebenfalls die Verwerfung
der drei Capitel und wirkte aus allen Kräften, die Annahme
des fünften allgemeinen Conciliums, welches unter dem vori=
gen Papst im Jahre 553 zu Constantinopel gehalten worden
war, von Seiten aller Kirchen zu bewerkstelligen. Die Bischöfe
von Toscana weigerten sich dieser Annahme und trennten sich
von der Kirchengemeinschaft mit dem Papste. Dieser schrieb
ihnen aber unter andern in folgenden Ausdrücken: „Glaubt
ihr denn nicht, euch von der Kirchengemeinschaft aller Gläu=
bigen getrennt zu haben, wenn ihr meinen Namen nicht, wie
es doch herkömmlich ist, bei der Ausübung des heiligen Ge=
heimnisses nennet? Denn so sehr ich dessen auch unwürdig
sein mag, so beruhet denn doch nun in mir der fest gegründete
apostolische Sitz durch bischöfliche Nachfolge.“ Als die Gothen
im Jahre 556 Rom belagerten, hatten die Römer ihm Vieles
zu verdanken; er ließ Lebensmittel unter sie vertheilen, und
Totila gewährte ihm bei Einnahme der Stadt viele Vortheile
für die Bewohner. Der Bau der Kirche zu den hh. Aposteln
Philippus und Jacobus wurde durch Pelagius begonnen. —
Er starb i. J. 560. Wir besitzen von ihm noch sechszehn Briefe.
Weil sich der Kaiser Justinian um jene Zeit einen so entschei=
denden Einfluß auf die Papstwahlen beilegte, woran auch
seine nächsten Nachfolger hielten, so verursachte dies von da
an sehr oft eine längere Dauer der päpstlichen Sedevacanzen,
als dies früherhin der Fall gewesen war.

Johannes III., mit dem Beinamen Catelinus,

ein Römer, arbeitete mit vielem Eifer, so wie sein Vorgän=
ger, für die Annahme der fünften allgemeinen Kirchenver=
sammlung und ließ sich die Ausschmückung der Kirchen und

Martyrer-Gräber ganz besonders angelegen sein. — Er starb nach einer fast dreizehnjährigen Regierung, während welcher Theodemir, König der Sueven, mit seinem Volke zum christlichen Glauben übertrat, im Jahre 573.

Benedictus I., mit dem Beinamen Bonosus,

ein Römer. Während seiner nur etwas über vier Jahre dauernden Regierung wurde Rom von den Alles verwüstenden Longobarden und von einer schrecklichen Hungersnoth heimgesucht. Mit der uneigennützigsten Selbstaufopferung that Benedictus alles, was nur in seinen Kräften stand, dem bedrängten Volke mit Hülfe beizuspringen. — Er starb im Jahre 578.

Pelagius II.,

ein Römer, doch gothischen Ursprungs, that dagegen Einspruch, daß Johannes, Patriarch von Constantinopel, sich den Titel eines allgemeinen Bischofs beilegte, und gab sich alle Mühe, jedoch vergebens, die Bischöfe Istriens, welche sich wegen der Angelegenheit der drei Capitel von der Kirchengemeinschaft getrennt hatten, wieder mit der Kirche zu vereinigen. Eine pestartige Krankheit, welche am Ende des 6. Jahrhunderts in Rom große Verwüstungen anrichtete, raffte auch im Jahre 590 den Papst Pelagius hin. Er war ein Vater der Armen und Preßhaften, die seinen frühen Hintritt tief betrauerten. Man schreibt ihm zehn Briefe zu, von denen aber der erste, zweite, achte und neunte gewiß unecht sind.

Gregorius I., mit dem Beinamen der Große,

aus einer vornehmen römischen Familie, bekleidete seit dem Jahre 573 die Stelle eines Prätors von Rom. Doch vermochte ihn irdische Hoheit nicht lange zu fesseln, und er begab sich in ein Kloster, welches er selbst hatte erbauen lassen. Der Papst Pelagius II., welcher auf seine Talente aufmerksam geworden war, hieß ihn aus seiner Einsamkeit hervorgehen und machte ihn zu einem der sieben Diakone der römischen Kirche. Bald darauf ging er als päpstlicher Gesandter nach Constantinopel,

um den Beistand des Kaisers Tiberius II. gegen die Longobar=
den anzuflehen. Als er im Jahre 584 nach Rom zurückgekehrt
war, wählte ihn Pelagius| zu seinem Geheimschreiber, und
nach dem Tode dieses Papstes wurde er von der Geistlich=
keit und vom Volke einstimmig zu dessen Nachfolger erwählt.
Gregorius, der sich nicht würdig und kräftig genug erachtete,
diesem wichtigen Amte vorzustehen, flüchtete sich, als er seine
Erhebung auf den päpstlichen Stuhl vernahm. Vergebens aber:
er wurde entdeckt und gab endlich den ihn bestürmenden Bitten
des Volkes und der Geistlichkeit nach. Da der Pest, welche
beim Tode des Papstes Pelagius wüthete, noch immer neue
Opfer fielen, so eröffnete das neuerwählte Kirchen=Oberhaupt
sein Pontificat mit der Anordnung öffentlicher Bittgänge, um
von Gott die Abwendung dieser schrecklichen Plage zu erflehen;
die jetzt noch übliche Procession am Feste des h. Marcus (25.
April) rührt von dieser Begebenheit her. Kaum hatte endlich
die verheerende Pest nachgelassen, als Gregorius nach allen
Seiten hin seine Thätigkeit entwickelte, welche, von so unge=
wöhnlicher Größe sie auch war und so viel er auch von Krank=
heiten und Körperschwäche heimgesucht wurde, doch erst mit
seinem Tode endete. So gelang es ihm, die allgemeine Annahme
der letzten allgemeinen Kirchenversammlung zu bewirken und
hiedurch zugleich das Schisma wegen der drei Capitel fast
ganz aufzuheben. Durch seine Bemühungen traten die arianischen
Longobarden wieder zur katholischen Kirche zurück. Nach Sar=
dinien sandte er Bischöfe, um den dort noch lebenden Heiden
das Evangelium zu verkünden, und nach England schickte er
den h. Mönch Augustinus nebst 40 Genossen, um das dort fast
ganz verschwundene Christenthum wieder herzustellen und die
heidnischen Angelsachsen zur Annahme der Religion des Kreuzes
zu bewegen. Diese Mission trug herrliche Früchte: Ethelbert,
König von Kent, bekannte sich im Jahre 597 zum Christen=
thum, und das Volk ahmte das Beispiel seines Königs nach.
Vor Allem empfahl dieser h. Papst den Missionaren Sanftmuth
bei ihrem Bekehrungsgeschäfte, und er mißbilligte laut die häu=

figen Quälereien, welche man den Juden anthat, um sie zum
Christenthume zu bringen. „Man muß", sagte er in dieser Hin=
sicht, „die Ungläubigen durch Sanftmuth, Güte und gründ=
lichen Unterricht zur christlichen Religion berufen, nicht aber
durch Drohung und Schrecken." Während der h. Gregorius
so aus allen Kräften strebte, das Reich Gottes nach außen hin
zu verbreiten, ging er zugleich unermüdet damit um, die Kir=
chen=Disciplin zu befestigen und der überhand nehmenden Un=
sittlichkeit der Geistlichen zu steuern, zu welchem Endzwecke von
Zeit zu Zeit in Rom Concilien gehalten wurden. Auf denselben
wurde unter Anderm festgesetzt, daß eine Jungfrau vor dem 40.
Lebensjahre den Schleier nicht nehmen dürfe, und den Bischö=
fen und Priestern verboten, Waffen zu tragen und Jagdhunde
zu halten. Eben so verdient machte sich der h. Papst um eine
erbauliche und zweckmäßige Abhaltung des Gottesdienstes im
Allgemeinen, als auch ganz besonders um Verbesserung des
Kirchengesanges, der auch, nach Frankreich und Deutschland
verpflanzt, noch bis auf den heutigen Tag den Namen nach
seinem Beförderer, dem h. Gregorius, führt. Mit edelm Frei=
muthe und mit unwiderstehlicher Salbung und Kraft der Rede
belehrte er die Fürsten seiner Zeit und wies sie zurecht, wo sie
Maßregeln ergriffen hatten, die, dem Sinne des lauteren
Christenthums zuwider, nicht das Glück ihrer Völker bewirken
konnten. Eben so aufmerksam war er auf das Leben und Wir=
ken der Bischöfe und wußte sich mit eben so viel Würde als
Nachdruck das Ansehen und die Macht eines Oberhauptes der
Kirche Jesu Christi zu erhalten. Unter Anderm warf er dem
Desiderius (Didier), Bischof von Vienne, vor, daß er, statt
seinen schweren und mannigfaltigen Pflichten als Bischof ob=
zuliegen, damit umgehe, die Profan=Wissenschaften zu lehren und
die heidnischen Classiker zu erklären. „Es ist gewiß nicht sehr
schicklich," schrieb er dem Desiderius, „daß ein Mund, welcher
geweiht wurde, Jesum Christum zu preisen und zu predigen,
auch von den Lobeserhebungen spreche, welche die Heiden dem
Jupiter und ihren falschen Göttern spendeten." Hieraus welle

man aber nur nicht den Schluß ziehen, als sei der h. Papst
Gregorius ein Feind der Wissenschaften gewesen; wie hätte er
selbst ohne gehörige classische Bildung ein solcher wissenschaft=
licher Mann werden können, wie wir ihn doch durch seine vie=
len vortrefflichen Schriften kennen lernen! Er rügte nur das
Unschickliche, daß ein Bischof seine Zeit ganz darauf verwandte,
die Classiker der Griechen und Römer zu erklären, statt das
Reich Gottes und seines Sohnes Jesus Christus zu verkün=
digen; wozu noch kommt, daß zu damaliger Zeit in Frankreich
noch hin und wieder Götzendienst herrschte, wie wir aus einem
Briefe des h. Gregorius an die Königinn Brunehuld ersehen,
und daß sogar Einige das angenommene Christenthum mit dem
nur halb verlassenen Heidenthume zu vereinigen strebten. Wie
umsichtig mußte daher nicht das Betragen eines Bischofs sein,
und wie sehr mußte er sich hüten, damit er nicht diese Neigung
zum Heidenthume in seiner Gemeinde nährte! Trotz diesen
Gründen haben die Feinde des christlichen Glaubens dennoch
nicht unterlassen, aus dieser Begebenheit die Fabel zu schmieden,
als habe der große Papst Gregorius nicht allein die Wissen=
schaft zu unterdrücken gestrebt, sondern sogar die Verbrennung
der in Rom befindlichen alten Classiker verordnet. Ein Schrift=
steller des 12. Jahrhunderts ist der Erste, welcher etwas, und
zwar ohne alle Quellen=Angabe, darüber berichtet, und dieser
kann doch gewiß nicht als Zeuge gelten für ein angebliches
Ereigniß aus dem 6. Jahrhunderte. Montagne wärmte im 16.
Jahrhunderte diesen Bericht wieder auf, und von nun an wurde
er ein Steckenpferd für diejenigen, welche die Verwerflichkeit
des christlichen Glaubens und der katholischen Kirche aus dem
hin und wieder nicht zu läugnenden verwerflichen Betragen eini=
ger ihrer Oberhirten beweisen wollten; wahrlich ein trauriges
Geschäft, so zu beweisen! -- Bei dieser großen Strenge und
Wachsamkeit, welche der h. Gegorius in seinem weit ausge=
dehnten Wirkungskreise gegen Andere ausübte, war er gegen
sich selbst noch viel strenger; er lebte höchst einfach, und die
Reichthümer, welche die römische Kirche schon damals besaß,

wurden ein immer offener Schatz für die Armen und Kranken. Mit unerschütterlichem Nachdrucke widersetzte sich der große Nachfolger des h. Petrus dem Johannes, Patriarchen von Constantinopel, welcher, von seinem eiteln und anmaßenden Bestreben nicht ablassend, noch immer den Titel eines allgemeinen Bischofs führte; nicht etwa, als wenn der h. Gregorius durch Nichtbeachtung dieser Anmaßung für sein eigenes Ansehen gefürchtet und seine Macht gefährdet geglaubt hätte; sondern er erklärte sogar, daß auch ihm selbst dieser Titel nicht gebühre, weil er leicht zu dem Mißverständnisse verleiten könne, als wolle das Oberhaupt der Kirche sich zum eigentlichen Bischofe eines jeden einzelnen Bisthums machen; und um diesen eiteln und ränkevollen Bestrebungen des Patriarchen Constantinopels den schroffsten Gegensatz zu entbieten und darzuthun, daß ein willkürlich angenommener Titel weder die alten Gerechtsamen eines andern schmälern noch auch neue begründen könne, und gewiß auch, wie es ein unausbleibliches Ergebniß seines ganzen Lebens und Charakters ist, aus aufrichtiger Demuth, nahm Gregorius den Titel eines Dieners der Diener Jesu Christi an, welchen seine Nachfolger beibehalten haben bis auf den heutigen Tag. Dem Johannes folgte Cyriacus auf dem patriarchalischen Stuhle und meldete diese seine Erhebung bei Uebersendung des Glaubensbekenntnisses, wie es gebräuchlich war, dem h. Gregorius; dieser antwortete ihm äußerst liebreich und rieth ihm, zur Erhaltung des kirchlichen Friedens, nicht, wie sein Vorgänger, den Titel eines allgemeinen Bischofs anzunehmen. — Nach einem unermüdet thatenreichen und segensvollen Leben starb dieser große Papst am 12. März 604, nachdem er während 13 Jahre, 6 Monate und 10 Tage die Kirche Gottes verwaltet hatte, in einem Alter von beinahe 64 Jahren. Unter allen Päpsten ist der h. Gregorius derjenige, von welchem wir die meisten Schriften besitzen; die vorzüglichsten sind: 1) Vorschriften für Seelsorger; 2) Homilien; 3) Erklärungen über das Buch Hiob oder Moral=Vorträge; 4) Zwiegespräche; 5) zwölf Bücher Briefe.

Sabinianus,

ein Tuscier, war Diakon der römischen Kirche und Nuncius des h. Gregorius des Großen zu Constantinopel, welchem er 6 Monate nach dessen Tode auf den päpstlichen Stuhl folgte. Es ist auffallend, daß einige Geschichtschreiber von diesem Papste berichten, er sei dem Laster des Geizes ergeben gewesen, wo andere im Gegentheile ihm deßhalb großes Lob sprechen, daß er zur Zeit einer großen Hungersnoth seine Vorrathskammern geöffnet und das hungrige Volk mit der größten Freigebigkeit gespeist habe. Die Schriftsteller, welche ihn des Geizes beschuldigten, führen sogar an, er sei deßwegen so sehr verhaßt gewesen, daß man gescheut habe, ihn öffentlich zu begraben. Was nun diesen Umstand anbelangt, so darf nicht übersehen werden, daß sein heiliger Vorgänger, Gregorius der Große, geraume Zeit vor seinem Tode für sich und seine Nachfolger eine Leichenbestattung ohne alles öffentliche Gepränge angeordnet hatte, und wie er selbst denn auch in aller Stille, nur von der allgemeinen Trauer des römischen Volkes begleitet, in der Kirche zum h. Petrus beigesetzt wurde. Wenn man nun auch in viel späterer Zeit bei der Beerdigung der Päpste von diesem frommen Wunsche des h. Gregorius abging, so läßt sich doch wohl vermuthen, daß bei seinem ersten unmittelbaren Nachfolger die Leichenbestattung noch prunklos vor sich ging; ein Umstand, welchen Uebelgesinnte sehr leicht zu obiger Angabe benutzen konnten. Auch schreiben einige Autoren dem Papste Sabinianus die Erfindung der Glocken zu; es ist aber hinlänglich erwiesen, daß man sich zu Nola in Campanien schon früher der Glocken bediente; die größern Glocken mögen vielleicht von ihm herrühren, und so viel ist gewiß, daß er in Rom den Gebrauch der Glocken zum Gottesdienste näher bestimmte. — Sabinianus starb im Anfange des Jahres 606.

Bonifacius III.,

ein Römer, berief ein Concilium von 72 Bischöfen zusammen, in welchem der Kirchenbann gegen diejenigen ausgesprochen wurde, welche noch fürder den Vorschlag in Anregung bringen würden, daß die Nachfolger der Päpste und Bischöfe schon bei Lebzeiten dieser ernannt werden sollten. Obgleich der h. Gregorius der Große dem Patriarchen Cyriacus von Constantinopel die Weisung auf das liebreichste ertheilt hatte, daß er den Titel eines allgemeinen Bischofs nicht annehmen möge, so legte dieser ihn sich dennoch bei, und verzichtete nicht eher darauf, als bis ein durch Bonifacius erwirktes Decret des Kaisers Phokas, worin ausdrücklich gesagt wurde, daß dieser Titel nur dem römischen Bischofe zukomme, ihn dazu zwang. — Bonifacius III. stand der Kirche Gottes nur 8 Monate und einige Tage vor.

Bonifacius IV.,

aus Valeria, im Lande der Marsen, war der Sohn eines Arztes. Der Kaiser Phokas überließ diesem Papste das Pantheon zu Rom (ein Tempel, welchen Marcus Agrippa dem Jupiter Vinder und andern heidnischen Gottheiten 25 Jahre vor Christi Geburt errichtet hatte), daß es in eine christliche Kirche umgewandelt werde. Bonifacius weihete nun das Pantheon zur Anbetung des wahren Gottes und zur Verehrung der seligsten Jungfrau Maria und aller Heiligen ein, wovon sich denn auch das auf den ersten November fallende Fest aller Heiligen herschreibt. Diese Kirche besteht unter der bekannten Benennung Maria rotunda ad Martyres bis auf den heutigen Tag und ist dieselbe, welche der große Michel Angelo zum Model für die Kuppel der Peterskirche nahm. Die morgenländische Kirche erfuhr unter der Regierung dieses Papstes schwere Drangsale; Chosroes, König der Perser, eroberte Jerusalem mit Sturm, und schleppte die gefangenen Christen sammt ihrem Patriarchen in die persischen Länder; auch führte er das angeblich wahre Kreuz Jesu Christi mit sich fort nach Persien. — Bonifacius starb im Jahre 615, und wegen seines ausgezeichnet gottseligen Lebenswandels ehrt die Kirche sein Andenken am 25. Mai. Es sind mehre Schriften unter seinem Namen bekannt, die aber nicht von ihm herrühren.

Deusdedit I., auch Adeodatus genannt,

ein Römer, zeichnete sich durch Gottesfurcht, emsige Kranken-
pflege und vorzügliche wissenschaftliche Bildung aus. Er ist der
erste Papst, welcher seine Verordnungs-Schreiben mit einem Blei-
siegel (bulla) versah; daher die Benennung Bulle. — Der h.
Deusdedit starb im Jahre 617.

Bonifacius V.,

ein Neapolitaner, ließ sich die völlige Bekehrung Englands sehr
angelegen sein und verordnete, daß, wer sich in eine Kirche geflüchtet habe, dort von keinem weltlichen Richter ergriffen werden dürfe; eine Maßregel, die in den damaligen Zeiten der Roh-
heit und Selbstrache gewiß sehr menschenfreundlich war. Unter
der Regierung dieses Papstes flüchtete Mahomed, der schon zu
Lebzeiten Bonifacius' IV. sich für einen göttlichen Propheten
ausgegeben hatte, von Mekka nach Medina, von welchem Ereignisse (622) die Türken ihre Zeitrechnung beginnen. — Bonifacius V. starb im Jahre 625.

Honorius I.,

aus der Umgegend von Rom, brachte das Schisma der Bischöfe von Istrien wegen der drei Capitel völlig zu Ende, indem es, ungeachtet aller Mühe, welche der h. Gregorius der
Große sich zur Aufhebung desselben gab, doch theilweise noch
immer fortgedauert hatte; auch ließ sich Papst Honorius die
immer dauerhaftere Befestigung des christlichen Glaubens in
England und Schottland ganz besonders angelegen sein. In
den ersten Jahren seiner Regierung begann Theodorus, Bischof
von Phara, seine Irrlehre von einem Willen in Christo kund
zu machen, da doch nach der allgemeinen Lehre der Kirche zwei
Willen in Christo sind, ein göttlicher nämlich und ein menschlicher. Sergius, Patriarch von Constantinopel, pflichtete dieser
Irrlehre bei und beförderte auf jede ihm nur mögliche Weise
die Verbreitung derselben. So gelang es ihm über bald, den
Cyrus, Bischof von Phasis, der kurz darauf Patriarch von
Alexandrien wurde, für sich zu gewinnen, und diesem folgten
schnell Macarius, Patriarch von Antiochien, und Athanasius,

Patriarch der Jacobiten; selbst der Kaiser Heraclius wurde noch kurz vor seinem Tode durch den Sergius dahin gestimmt, dieser Lehre anzuhangen, in Folge dessen er eine Glaubenserklärung unter dem Namen Ekthesis ausgab und allen seinen Unterthanen gebot, dieser Lehre ohne Widerrede zu folgen. Sophronius aber, Patriarch von Jerusalem, widersetzte sich dieser neuen Irrlehre und verwarf sie auf einer Synode mit dem besondern Bemerken, daß sie wieder zum Eutychianismus führe, indem diesem gemäß nur eine Natur in Christo angenommen wurde, welches doch durch das allgemeine Concilium von Chalcedon verworfen worden war. Da sich nun Sergius durch diesen Widerstand von Seiten des Patriarchen von Jerusalem in die Enge getrieben sah, so versuchte er mit kecker Stirn und tückischer Verschmitztheit das Gewagteste und klagte seinen Gegner bei dem Papste Honorius, dessen friedliebende, aber leider auch wenig charakterfeste Gesinnung er kennen mochte, mit dem Bemerken an, daß Sophronius den Frieden der morgenländischen Kirche störe und eine neue Lehre einführen wolle, indem er sich des Ausdruckes von zwei Willen in Christo bediene, eines Ausdruckes, der weder bei den Vätern, noch in Conciliar-Aussprüchen anzutreffen sei. Zu diesem Ankläger gesellte sich, nicht minder ränkevoll, Cyrus, der Patriarch von Alexandrien, und schilderte dem Papste die äußerste Gefahr, worin sich die Kirche des Orients befinde, und daß die Irrlehre des Sophronius siegen würde, wenn er nicht schnell ins Mittel träte. Hier zeigte es sich nun nur gar zu deutlich, daß in wichtigen Angelegenheiten nichts schädlicher wirke, als halbe Maßregeln zu ergreifen und es allen Theilen recht machen zu wollen. Honorius antwortete dem Sergius unter Anderm: „Wir bekennen nur einen Willen in Jesu Christo, weil die Gottheit nur unsere Natur, nicht aber auch unsere Sündhaftigkeit angenommen hat, die menschliche Natur nämlich, so wie sie war von Gott erschaffen worden, unverderbt durch die Sünde.“ — „Wir müssen solche neue Ausdrücke vermeiden, woran die Kirchen sich ärgern, damit die Schwachen nicht, indem sie von zwei

Wirkungen in Jesu Christo hören, glauben möchten, wir wären entweder dem Nestorius oder dem Eutyches zugethan." Diese Stellen zeigen augenscheinlich, daß Honorius der Lehre von den zwei Willen ein anderes Verständniß unterlegte, daß nämlich in Christo nur ein guter, mit dem göttlichen übereinstimmender, nicht aber auch ein böser Wille sei, nach welcher Erklärung allerdings nur ein Wille, oder vielmehr Einigkeit unter dem göttlichen und menschlichen Willen, in Christo besteht. Eben so augenscheinlich erhellet aber auch, daß Honorius diesen Ausweg wählte, den lieben Frieden beizubehalten und weder dem einen noch dem andern Theile wehe zu thun. Der Patriarch Sergius aber und seine Spießgesellen waren über dieses Schreiben höchlich erfreut und mußten nun nichts angelegentlicher ins Werk zu stellen, als daß sie das Schreiben des Papstes in Umlauf setzten und eine große Menge glauben machten, das Oberhaupt der Kirche habe ihre Lehre gebilligt. Honorius starb im Jahre 638, wo diese Angelegenheit, der Monotheismus, erst recht anfing, die Gemüther zu verwirren und den Frieden der Kirche auf eine höchst traurige Weise zu stören. Im Jahre 680—81 kam endlich unter dem Kaiser Constantinus Pogonatus, Urenkel des Kaisers Heraclius, und dem Papste Agathon das sechste allgemeine Concilium, welches das dritte von Constantinopel ist, zu Stande. Auf diesem Concilium wurde die Lehre der Monotheliten verworfen und ihre Urheber sammt dem Papste Honorius in folgenden Ausdrücken mit dem Anathem belegt: „Da wir den Brief des Sergius an den Honorius und den des Honorius an den Sergius als nicht mit der apostolischen Lehre, den Conciliar-Aussprüchen und der Meinung aller bewährten Väter übereinstimmend gefunden haben, und da sie im Gegentheile den Irrlehren der Häretiker sich anschließen: so verwerfen wir sie ganz und gar und verabscheuen sie als der Seele schädlich. Wir haben ferner für Recht erkannt, daß aus der Kirchengemeinschaft auszuschließen seien die Namen des Theodorus, des Sergius, des Cyrus, des Pyrrhus, und daß nebst ihnen mit dem Anathem zu belegen sei Honorius, ehedem Vater der Gläubigen in der alten Roma, weil aus seinem Sendschreiben an den Sergius hervorgeht, daß er in allen Beziehungen diesem Häretiker beigepflichtet und die verwerfliche Irrlehre bestätiget hat." (Conc. VI. Art. 12.) Papst Leo II. bestätigte im Jahre 682 diese allgemeine Kirchenversammlung und fügte in Betracht des Papstes Honorius hinzu: „welcher die apostolische Kirche nicht mit der Lehre der Ueberlieferung erleuchtet, sondern im Gegentheile sich der Zerstörung des Glaubens schuldig gemacht hat." Den Bischöfen Spaniens aber, welchen er die Acten dieses Conciliums zur Unterschrift überschickte, schrieb er: „Der Papst Honorius wurde sammt Theodorus, Cyrus und Sergius mit dem Anathem belegt, weil er darein willigte, daß die reine apostolische Ueberlieferung, welche er von seinen Vorfahren überkommen hatte, befleckt wurde." Der morgenländische Kaiser Philippicus Bardanes († 713), welcher dem Monothelismus zugethan blieb, verwarf das sechste allgemeine Concilium und befahl, daß die Namen des Sergius, Honorius und aller, welche dieses Concilium aus der Kirchengemeinschaft ausgeschlossen hatte, wieder in die heiligen Kirchen-Dyptichen aufgenommen werden sollten; doch wiederholte das siebente (787) und achte (869) allgemeine Concilium die Anathematizirung des Papstes Honorius. Im vierten Regierungsjahre dieses Papstes (629) brachte der Kaiser Heraclius, der endlich den Perserkönig Chosroes in mehren Schlachten besiegt hatte, das heilige Kreuz nach Jerusalem zurück, und von dieser Begebenheit schreibt sich das Fest der Kreuz-Erhöhung her, welches so die morgen- wie die abendländische Kirche am 14. September feiert. Der bedauernswürdigen Charakterschwäche ungeachtet, welche Honorius bei der Angelegenheit des Monothelismus an Tag legte, hat er doch auch in mancher andern Hinsicht sehr heilsam für die Kirche Gottes gewirkt. In Rom selbst ließ er mehre ansehnliche neue Kirchen erbauen, beschenkte reichlich die vorhandenen und trug Vieles zur feierlichern Ausübung des Gottesdienstes bei. Wir besitzen von ihm noch einige Briefe und ein Epigramm.

Severinus, auch Zephyrinus II. genannt,

ein Römer, folgte, nachdem der apostolische Stuhl zu Rom
durch die muthwilligen Umtriebe des Hofes zu Constantinopel
über Jahresfrist erledigt geblieben war, dem Papste Honorius
in der Regierung, starb aber schon nach Verlauf von zwei
Monaten im Jahre 640.

Johannes IV.,

von Salona in Dalmatien, verwarf auf einem Concilium zu
Rom die Ekthesis des Kaisers Heraclius als irrgläubig, und
erklärte alle Beschlüsse, welche die Monotheliten auf ihren
Synoden gefaßt hatten, für null und nichtig. Kaum war
aber dem Kaiser diese Nachricht zugekommen, als er dem
Papste meldete, dieses Edict rühre nicht eigentlich von ihm her:
der Patriarch Sergius habe es abgefaßt und ihn bewogen, es
unter seinem Namen bekannt zu machen; er mißbillige es
nun aber und wolle fürderhin keine Schuld mehr an den Verwirrungen sein, die noch daraus entstehen könnten. — Papst
Johannes starb, nachdem er noch nicht zwei volle Jahre regiert
hatte, im J. 642. Man sagt von ihm, daß er einen beträchtlichen Theil seines Vermögens darauf verwendet habe, eine
große Anzahl Christen, welche sich in der Knechtschaft barba-
rischer Horden befanden, loszukaufen. Unter seiner Regierung
trug sich auch das für die Wissenschaft höchst betrübende Ereigniß zu, daß Amru, Heerführer des Kalifen Omar, nach der
Eroberung von Alexandrien die dortige reichste Büchersammlung
der damals cultivirten Welt, die besonders auch unersetzliche
Schätze der geistlichen Wissenschaft aus der frühesten Zeit
des Christenthums enthielt, zur Heizung von fast viertausend
öffentlichen Bädern durch sechs Monate hindurch verbrennen ließ.

Theodorus I.,

aus Jerusalem, doch griechischen Ursprunges, belegte den Pyrrhus, Nachfolger des Sergius als Patriarchen von Constanti-

nopel, wegen seiner Anhänglichkeit an der Irrlehre seines Vorgängers, mit dem Anathem, eben so den wuthschnaubenden
Paulus, Nachfolger des Pyrrhus, nachdem er durch seine Legaten, die er an ihn nach Constantinopel gesandt hatte, ihn
freundschaftlich von seinem Irrglauben und tobenden Verfahren abzubringen gehofft hatte. Der Patriarch Paulus aber ließ
die päpstlichen Gesandten auf die unmenschlichste Weise mit
Geißelhieben zerfleischen. Ebenfalls widersetzte sich Theodorus
dem Typus des Constans, einem Edicte, nach welchem sowohl
den Monotheliten als auch den Katholiken untersagt wurde,
künftighin die Frage über die zwei Willen in Christo zur
Sprache zu bringen. Dieser Papst war der erste, welchem der
Titel Pontifex maximus ertheilt wurde, und der letzte, welchen
die übrigen Bischöfe „Bruder" anredeten. Mochte es nun sein,
weil der Kampf gegen die Irrgläubigen immer schwieriger,
und ihre Ränkesucht und Halsstarrigkeit, vom Hochmuthe ge-
stachelt, immer lebhafter wurde, oder weil das Entstehen der
vielen verschiedenen Reiche in Europa, eine gar zu häufige Na-
tional-Trennung fürchten lassend, in geistlicher Hinsicht die ausdrückliche Hervorhebung des kirchlichen Mittelpunktes nothwendiger machte, oder etwa gar, weil man dem Papste Theodor
Eitelkeit oder Hochmuth vorwerfen müsse, wozu aber in seinem
ganzen sonstigen Betragen keine Veranlassung aufzufinden ist,
daß er die Benennung eines Pontifex maximus annahm: so
hat er doch durch eben diese Benennung keinen Zuwachs geistlicher Gewalt an sich gerissen, die sowohl er selbst, als auch
seine Vorgänger nicht schon gehabt hätten, wie dieses aus dem
Verfahren fast aller früheren Päpste hervorging und wie besonders derjenige Papst, der sich zuerst einen Diener der Diener Jesu Christi nannte, gewiß keine geringere Jurisdiction in
geistlichen Dingen über die ganze Kirche ausübte, als derjenige,
der zuerst den Titel eines Pontifex maximus annahm. Oder
sollte nicht vielmehr der Papst Theodor deßwegen vorzugsweise
diesen Titel angenommen haben, weil die Patriarchen Constantinopels, des Verbotes des Kaisers Phokas ungeachtet, noch

immer fortfuhren, sich allgemeine Bischöfe zu nennen, eine Benennung, welche der h. Gregorius der Große selbst für das
Oberhaupt der Kirche zweideutig fand, hingegen das Amt,
welches der Pontifex maximus bei den alten Römern bekleidete, seiner ursprünglichen Bedeutung nach, dem Zeugnisse des
Dionys von Halicarnaß und des Titus Livius gemäß, ganz
mit dem eines Oberhauptes der christlichen Kirche übereinstimmt,
und dessen Benennung die christlichen Kaiser bis auf Gratian
(† 383) beibehielten, von welcher Zeit an schon selbst mehre
Bischöfe so benannt wurden, ehe Papst Theodorus diesen Titel
vorzugsweise annahm, wie er denn auch ihm, da er nun doch
schon einmal in die Kirchensprache übergegangen war, seiner
ursprünglichen vollen Bedeutung nach, vorzugsweise zukam. —
Papst Theodor starb im Rufe der Heiligkeit, nachdem er sechs
Jahre und einige Monate regiert hatte, im Jahre 649.

Zweite Abtheilung.

Martinus I.,

aus Todi, im Herzogthume Spoleto, hielt gleich nach dem Antritte seines Pontificates zu Rom ein zahlreiches Concilium, auf welchem die Lehre der Monotheliten, die Ekthesis des Heraclius und der Typus des Constans verworfen wurden. Dieses zog ihm die Ungnade des Kaisers Constans zu, und als ein Versuch, ihn zu ermorden, mißlungen war, wurde er heimtückischer Weise aus Rom entführt und nach der Insel Naros gebracht, wo er als Gefangener ein höchst mühseliges Jahr verlebte. Von da schleppte man ihn nach Constantinopel, wo er Einsperrung, Bande, Verleumbung und jedes Ungemach zu tragen hatte. Endlich wurde diesem heiligen Vorsteher der Kirche Christi der taurische Chersones, die heutige Krimm, zum Verbannungsorte angewiesen, wo er unter Mühseligkeiten und Elend aller Art nach zweijährigem Gefängnisse starb. — Der h. Martinus regierte die Kirche Christi sechs Jahre lang und hinterließ achtzehn Briefe.

Eugenius I.,

ein Römer, regierte als päpstlicher Bevollmächtigter die Kirche Gottes während der Gefangenschaft des h. Martinus, wurde sein Nachfolger und starb schon nach einer kaum dreijährigen Regierung, im Jahre 657.

Vitalianus,

aus Segri in Campanien, sandte Missionare nach England, gab sich große Mühe, den Kaiser Constans wieder mit der katholischen Kirche auszusöhnen, worauf dieser, im Gefühle der Unbehaglichkeit, sich in solcher Spannung mit der Kirche Gottes zu befinden, sich selbst nach Rom begab, den Papst zu besuchen. Vitalian ging, von seinem Presbyterium und einer großen Menge des römischen Volkes begleitet, ihm fünf Meilen weit entgegen. Doch rechtfertigte der Kaiser seine anscheinlich gute Gesinnung nur zum Theile; er beschenkte Kirchen, plünderte dagegen das Privat=Eigenthum und schonte nicht die metallenen Ziegel auf den Dächern. — Vitalian verwaltete im Allgemeinen sein Oberhirten=Amt mit großem Eifer bis zum Anfange des Jahres 672, wo er im Rufe der Heiligkeit starb. Mehre Concilien, die unter der Regierung dieses h. Papstes gehalten wurden, zeugen eben so von seiner Gelehrsamkeit als Gottesfurcht; er hinterließ einige Briefe und soll die ersten Orgeln in den Kirchen eingeführt, oder doch deren Gebrauch beim Gottesdienste befördert haben.

Deusdedit oder Adeodatus II.,

ein Römer und Mönch vom Berge Cölius, verwaltete die Kirche Gottes etwas über vier Jahre lang; er ist der erste Papst, welcher sich in seinen Briefen des Ausdruckes: Salutem et apostolicam benedictionem! bediente. Man rühmt besonders seine große Gastfreundschaft gegen Fremde. — Er starb 676.

Donus oder Domnus I., auch Canon genannt,

ein Römer, leitete die Zusammenberufung des sechsten allgemeinen Conciliums ein und brachte die Kirche von Ravenna wieder an den apostolischen Stuhl zurück, nachdem dieselbe hartnäckig versucht hatte, sich der Jurisdiction desselben zu entziehen. — Papst Donus starb, nachdem er noch nicht zwei volle Jahre regiert hatte, 678.

Agatho,

ein Sicilianer, stand der sechsten allgemeinen Kirchenversamm=
lung, welche im Jahre 680 unter dem Kaiser Constantinus
Pogonatus gegen die Monotheliten zu Constantinopel gehalten
wurde, durch seine Abgesandten vor, und ließ diesem Kaiser ein
Schreiben zukommen, in welchem es unter Anderm heißt: „Die
katholische Christenheit erkennt diese (die römische) Kirche als
die Mutter und Oberinn aller andern an. Ihr Primat schreibt
sich von dem h. Petrus her, diesem Fürsten der Apostel, wel=
chem Jesus Christus die Leitung Seiner ganzen Herde über=
gab, und zwar mit dem Versprechen, daß er im Glauben nicht
irren werde." Als die Väter des Conciliums diesen Brief vor=
lesen hörten, erklärten sie einstimmig: „Hier redet der h. Petrus
durch den Mund Agatho's!" Dieser h. Papst ließ es sich sehr
angelegen sein, den h. Wilfried dem bischöflichen Stuhle von
York wiederzugeben, und brachte es dahin, daß die Päpste nicht
mehr die Abgabe an die Kaiser zu entrichten hatten, welche
diese bei jeder neuen Papstwahl einforderten; auch zeigte er
sich bei einer die Stadt Rom und ganz Italien verheerenden
Pest äußerst wohlthätig und hülfreich gegen die Nothleidenden
und Kranken. Viele Wunder, die er in der Kraft Gottes soll
gewirkt haben, erwarben ihm den Beinamen des Wunderthäti=
gen. Sowohl die morgen= als die abendländische Kirche ehrt
sein Andenken. — Er starb im Jahre 682.

Leo II.,

ein Sicilianer, schickte den Subdiakon Constantin als Legaten
nach Constantinopel, um dem Kaiser ein Schreiben zu über=
bringen, in welchem er die Bestimmungen des sechsten allge=
meinen Kirchenrathes bestätigte. Von diesem h. Papste, der mit
eben so vieler Weisheit als Festigkeit die Kirche Gottes re=
gierte, schreibt sich die Darreichung des Friedenskusses während
der Messe=Feier und die Besprengung der Gläubigen mit Weih=
wasser her. Er veranstaltete eine lateinische Uebersetzung des
sechsten allgemeinen Conciliums, und hinterließ mehre geistliche

Lieder und Briefe, von welchen letztern aber einige unterge=
schoben sein mögen. Anastasius rühmt die große Gewandtheit,
welche dieser Papst in der griechischen und lateinischen Sprache
besessen haben. — Leo starb in der Mitte des Jahres 683.

Benedictus II.,

ein Römer, wurde von dem Kaiser Constantinus Pogonatus
so hoch geehrt, daß derselbe ein Gesetz ergehen ließ, gemäß wel=
chem die Päpste nach ihrer Erwählung nicht erst noch die kai=
serliche Bestätigung einzuholen brauchten; eben so übersandte
er ihm, nach der Sitte des Morgenlandes, Haarlocken seiner
Söhne, zum Zeichen, daß diese ihn als ihren geistlichen Vater
betrachteten. — Der h. Papst Benedictus regierte die Kirche
Christi kaum ein Jahr lang.

Johannes V.,

aus Syrien, verwaltete die Kirche Christi mit Eifer, Sanft=
muth und Klugheit etwas über ein Jahr lang und starb
686. Unter seiner Regierung hatten schon die häufigen Wall=
fahrten nach Rom begonnen. Fürsten, Bischöfe, Laien, die größ=
ten Verbrecher, selbst Klosterfrauen zogen nach diesem Mittel=
punkte der Christenheit, hier Buße zu thun und Vergebung ihrer
Sünden zu erflehen.

Conon.

Da nach dem Tode des Papstes Johannes die Papstwahl strei=
tig wurde, entschied man endlich für den durch sein hohes Al=
ter und Ehrfurcht einflößendes Aeußeres, vor Allem aber durch
seinen unsträflichen Wandel so allgemein gefeierten Conon, einen
Thrazier von Herkommen, geboren auf der Insel Sicilien. Doch
verwaltete er die Kirche kaum ein Jahr lang. Der h. Kilian
wurde von ihm zum Bischofe von Würzburg geweiht. — Er
starb 687.

Sergius I.,

entsprossen aus Antiochien, geboren zu Palermo, hatte mit zwei
Gegenpäpsten, Paschalis und Theodorus, zu kämpfen, vor de=

nen jener sich freiwillig, dieser aber erst nach einem lebhaften Widerstande dem rechtmäßigen Oberhaupte unterwarf. Bald darauf ertheilte Sergius einem Könige der Westsachsen, den er in Rom zum Christenthum bekehrt hatte, die h. Taufe. Ungefähr im vierten Jahre nach dem Antritte seiner Regierung (691) versammelten sich die morgenländischen Bischöfe, ohne vom Papste zusammen gerufen zu sein, zu Constantinopel und setzten 103 Verordnungen fest. Obwohl nun unter denselben viele sehr annehmbar waren, so weigerte sich der Papst Sergius doch, diesem Concilium, bekannt unter dem Namen in trullo oder Quinisextum, seine Bestätigung zu geben, weßhalb die Morgenländer den Kaiser Justinian II. dahin anzutreiben suchten, daß er den Papst zu dieser Bestätigung zwingen möge. Sergius verordnete, daß in der h. Messe bei Brechung der h. Hostien das Agnus Dei gesprochen werde. — Er starb nach einer fast vierzehnjährigen Regierung 701.

Johannes VI.,

ein Grieche, erwies sich erfolgreich als Vermittler und Friedensstifter während der kriegerischen Unruhen, die unter seiner Regierung Italien bewegten.—Er regierte nur etwas über drei Jahre und starb 705.

Johannes VII.,

ein Grieche, entweihte sein geheiligtes Amt durch Menschenfurcht. Als ihm nämlich der Kaiser Justinian, nachdem doch schon der Papst Sergius sich dessen geweigert hatte, die Acten des Conciliums in trullo zur Bestätigung zusandte, obgleich mit dem Bemerken, diejenigen Verordnungen zu durchstreichen, die seinen Beifall nicht erhalten könnten, schickte er dieselben dem Kaiser, aus Furcht, ihm zu mißfallen, ohne auch nur die geringste Aenderung daran vorgenommen zu haben, zurück, indem er nach seiner Ueberzeugung doch Manches, was den überlieferten Kirchensatzungen entgegenstand, tadeln mußte. Uebrigens machte sich dieser Papst durch Verschönerung und Wiederherstellung der Kirchen und Kirchhöfe verdient; er verwal-

tete die Kirche fast drei Jahre lang und starb 707. Unter seiner Regierung erhob sich schon im Morgenlande, vom Kaiser
Leo Isauricus unterstützt, der berüchtigte Bilderstreit.

Sisinnius,

ein Syrier, starb schon am zwanzigsten Tage nach seiner Erwählung.

Constantinus,

ein Syrier, hatte die Freude, daß unter seiner Regierung der
h. Abt Ceolfried die Pikten und Scoten wieder ganz mit der
römischen Kirche vereinigte; desto besorgter aber mußte ihm bei
der Einladung zu Muthe sein, welche der Kaiser Justinian,
ganz im Tone eines herrischen Befehles, an ihn ergehen ließ.
Lange schwankte Constantin, ob er diesem Rufe Gehör leisten
solle oder nicht; denn die Leiden, welche der h. Papst Martinus zu dulden gehabt hatte, waren noch in zu frischem Andenken. Endlich entschloß er sich doch und machte sich auf den Weg,
indem er das Heil der ganzen Kirche und sich selbst der göttlichen Fürsehung übergab. In Nikomedien traf der Papst mit
dem Kaiser zusammen und besiegte durch seine schlichte Hoheit
und unwiderstehliche Würde den eiteln und halsstarrigen Sinn
des weltlichen Herrschers, welcher während des h. Meßopfers
die h. Communion aus der Hand des Papstes empfing, diesen
um Fürbitte zur Vergebung seiner Sünden anflehte und alle Gerechtsamen, die seine Vorfahren der römischen Kirche hatten
angedeihen lassen, bestätigte. — Papst Constantinus starb nach
einer siebenjährigen Regierung im Jahre 715.

Gregorius II.,

ein Römer, wurde wegen ausgezeichneter Dienste, welche er bereits der Kirche geleistet hatte, auf den päpstlichen Stuhl erhoben. Selbst dem Orden des h. Benedictus angehörig, ließ
er sich die Wiederherstellung der vorzüglichsten und ersten Pflanz-
schule desselben, des Monte-Cassino, ganz besonders angelegen
sein und sandte den h. Bonifacius nach Deutschland, das Evan-

gelium Jesu Christi zu predigen. Von zwei Concilien, welche er zusammen berief, war das erste (721) gegen die ungültigen Ehen, und das zweite (729) gegen die Bilderstürmer gerichtet. Leo Isauricus III., welcher sich vom Schustergewerbe bis zur Kaiserwürde des Orientes emporgeschwungen hatte, ließ sich nämlich vom Gefühle seiner Herrschermacht zu tyrannischem Verfahren und eigenmächtigen Eingriffen in kirchliches Glaubensbekenntniß und Herkommen verleiten. Mochte nun auch die Verehrung der Bilder um jene Zeit, und besonders im Morgenlande, so wie auch bald nachher im Abendlande, mit vielen Mißbräuchen verbunden gewesen sein, so war es doch weder am weltlichen Staats-Oberhaupte, diesen Mißbräuchen, ohne deßwegen sich erst mit dem Kirchen-Oberhaupte in Verbindung zu setzen, eigenmächtig und noch dazu auf eine dem Geiste der Weisheit, Mäßigung und Liebe entgegengesetzte Weise zu begegnen; noch weniger aber durfte das Kirchen-Oberhaupt zugeben, daß der Kaiser die Verehrung der Bilder an sich als irrgläubig verwarf, die Verehrenden selbst auf die grausamste Art verfolgte und den Germanus, den rechtmäßigen Patriarchen Constantinopels, entsetzte, dagegen aber einen gewissen Anastasius, der dem Kaiser alle kirchliche Gewalt in die Hände gab, zum Patriarchen erwählte. Papst Gregor sprach daher den Bann gegen den Kaiser Leo als einen Bilderstürmer und gegen seine Anhänger aus; dagegen aber war er zugleich bemüht, in Verbindung mit dem Erarchen von Ravenna die Unternehmung des Petasius fruchtlos zu machen und dem Kaiser Italien zu sichern; eben so widersetzte er sich dem Vorhaben des römischen Heeres, welches den Kaiser Leo entthronen und einen Andern zum Kaiser ausrufen wollte; an den Kaiser selbst aber schrieb er, daß, gleichwie die Päpste sich nicht in die Reichsgeschäfte mischen, so auch die Kaiser das Kirchen-Regiment ungestört lassen sollten. — Die Wuth der Bilderstürmer beschränkte sich leider bald nicht mehr auf den Orient, sie brang bis nach Italien, und selbst Rom erlebte ähnliche Auftritte. Die Longebarden benutzten diese Gelegenheit allgemeiner Verwirrung und

zogen auf Eroberung und Plünderung aus. Gregor, welchem,
so wie seinen beiden Nachfolgern, die deutsche Kirche und mit
ihr die deutsche Cultur ihr Aufblühen verdankt, regierte fast
sechszehn Jahre lang und hinterließ fünfzehn Briefe und mehre
Disciplinar-Entscheidungen. — Er starb 731.

Gregorius III.,

ein Syrier. Die erste Sorge dieses Papstes war, den Frieden
der Kirche, welcher durch die Bilderstürmer auf eine so traurige Weise gestört wurde, wieder herzustellen. Er schrieb deßhalb an den Kaiser Leo und machte ihm heftige Vorwürfe,
daß er, mit dem Kirchenbanne belegt, noch immer fortfahre,
dem Irrthume zu huldigen und die Bilderstürmer zu schützen.
Dieses Schreiben blieb fruchtlos, und der Kaiser verharrte nur
noch hartnäckiger in seinem wüthenden Verfahren. Gregor berief nun (732) ein Concilium und belegte die Bilderstürmer
aufs Neue mit dem Anathem. Um diese Zeit breiteten die Longobarden ihre Macht immer mehr aus und suchten sich des
ganzen römischen Reiches zu bemeistern. Kaiser Leo begab sich fast
ganz seiner Herrschaft im Abendlande, indem er Italien, von
aller Hülfe entblößt, einen Raub der Barbaren werden ließ.
Unter diesen Umständen übte der Papst die vollständige weltliche Oberherrschaft über das Exarchat Ravenna statt des Kaisers aus, und rief durch Gesandte den Carl Martel um Hülfe
gegen die Longobarden an, mit dem ausdrücklichen Bemerken,
daß er ihn im Falle der Hülfeleistung, und wenn Leo wirklich,
wie es das Ansehen habe, auf Italien verzichte, als Consul
von Rom und als seinen Oberherrn anerkennen wolle. Diese
Gesandtschaft erließ der Papst nach einem ausdrücklichen Beschlusse der Großen Roms, welche es ihrer Selbsterhaltung
schuldig zu sein glaubten, sich nach fremder Hülfe umzusehen.
Carl Martel wurde aber in Frankreich durch die Sarazenen selbst zu sehr beschäftigt, als daß er nach Italien gegen
die Longobarden hätte ziehen können. — Gregor starb, ohne seine
Bitte erfüllt zu sehen, allgemein betrauert, nachdem er fast eilf

Jahre lang regiert hatte, im Jahre 741; er hinterließ zwei
Briefe. Unter diesem Papste zeigte sich wohl zuerst scharf bezeichnet die augenscheinliche Begründung der weltlichen Macht der
Päpste, wenn dieselbe auch schon unter den früheren Päpsten
in ihrem Verhältnisse zur Stadt Rom selbst nicht zu verkennen ist.

Zacharias,

ein Grieche, hielt gleich nach dem Antritte seiner Regierung
mehre Concilien, um die gesunkene Kirchen-Disciplin wieder
herzustellen. Eine beträchtliche Menge Sclaven, welche von venetianischen Kaufleuten nach Africa sollten verhandelt werden,
kaufte er los und begründete in Rom eine regelmäßige Almo-
sen-Vertheilung unter die Armen und Kranken. Während der
Unruhen in Italien setzte er sich zum Schutze der Römer öfters
der Lebensgefahr aus. Seine Beredsamkeit und sein unerschüt-
terlicher, beharrlicher Sinn brachten es dahin, daß Luitprand und Rachis, Könige der Longobarden, welche er persönlich aufsuchte, ihre Ansprüche auf das ravenna'sche Exarchat
aufgaben, was ihm die Gunst des Kaisers Constantinus Copronymus erwarb, der ihn mit ansehnlichen Ländereien beschenkte.
Daß Zacharias auf den Antrag Pipin's der Absetzung des
Schwächlings Schilderich III., Königs von Frankreich, zu
Gunsten des erstern beistimmte, ist wohl zu unwiderlegbar geschichtlich begründet, als daß es sich der Mühe lohnte, die undankbare Arbeit zu übernehmen, das Gegentheil beweisen zu
wollen, und hier, wie auch da, wo nach tausend und zweiund-
fünfzig Jahren (1804), wenn auch unter einigen andern Beziehungen, sich ein ganz ähnlicher Fall ereignete, muß man nur
die Blicke auf das ganze große historische Gewebe und Ergebniß gerichtet halten, wie es der unbefangene Johannes von
Müller in seinen Reisen der Päpste zur Genüge nachgewiesen
hat. Was die Anklage gegen den Papst Zacharias anbelangt,
als habe er die Lehre des Priesters Virgilius von Salzburg,
daß es Gegenfüßler gebe, mit dem Anathem belegt, so muß man

wissen, daß die Verwerfung dieser Lehre nur in so fern ausgesprochen wurde, als sie etwa zu der Irrlehre Anlaß geben könne, daß nicht alle Menschen von Adam abstammen und durch Jesum Christum erlöset worden seien. Das Ansehen der deutschen Kirche zu heben und ihren Bestand immer mehr zu sichern und zu befestigen, ernannte der Papst Zacharias den h. Bonifacius zum Erzbischofe von Mainz. Nachdem dieser h. Papst die Sanftmuth und den Adel seiner Gesinnung auch besonders dadurch an Tag gelegt hatte, daß er gerade diejenigen mit Ehrenbezeigungen und Wohlthaten überhäufte, die ihn vor seiner Erhebung auf den päpstlichen Stuhl verfolgt hatten, starb er nach einer zehnjährigen Regierung, am 14. März 752. Er hinterließ Briefe, Kirchenverordnungen und eine griechische Uebersetzung der Dialogen des h. Gregorius des Großen.

St e ph a n u s II.,

ein Römer, starb am dritten Tage nach seiner Erwählung, vom Schlage getroffen. Daher wird er auch von den meisten Geschichtschreibern in der Reihenfolge der Päpste nicht mitgezählt.

St e ph a n u s II. oder III.,

ein Römer. Nachdem Astolph, König der Longobarden, sich des Exarchates von Ravenna bemeistert hatte, bedrohte er die Stadt Rom. Papst Stephanus wandte sich, um schnelle Hülfe flehend, an den Kaiser Constantin Copronymus; dieser aber, wie schon früher Kaiser Leo, bekümmerte sich kaum mehr um seine Besitzungen in Italien und hieß den Papst sich an den König Pipin wenden. Der Thränen des römischen Volkes ungeachtet, welches ihn von diesem Schritte zurückhalten wollte, verfügte Stephan sich persönlich zum Könige der Longobarden; doch seine Verwendung blieb fruchtlos. Da begab er sich nach Frankreich zum Könige Pipin, welcher, auf des Papstes Anrathen, zu drei wiederholten Malen Gesandte an Astolph schickte; doch dieser ließ sich nicht bewegen, seine Eroberungen aufzugeben und Rom verschonen zu wollen. Nun rüstete sich Pipin gegen

ihn, und noch auf halbem Wege gab er den Bitten des Papstes
nach, eine vierte Gesandtschaft an Astolph abgehen zu lassen,
um das Blutvergießen wo möglich zu verhindern. Da Astolph
hierauf aber nur durch neue Drohungen antwortete, überschritt
Pipin die Alpen, schloß den Longobarden-König in Pavia ein
und zwang ihm das Versprechen ab, Ravenna zurück zu geben.
Kaum aber hatte Pipin den Rücken gekehrt, so stand Astolph
wieder vor den Mauern Roms. Papst Stephanus wandte sich
aufs Neue an seinen Beschützer; dieser erschien wiederum in
Italien, eroberte gegen Astolph das Erarchat und nahm ihm
noch dazu 22 Städte ab, die er dem Papste schenkte, und so
den ersten bedeutenden Grund zu der weltlichen Herrschaft der
Päpste legte. Der eben so freimüthige als berühmte Kirchengeschichtschreiber Fleury sagt unter Anderm hierüber Folgendes:
,,So lange noch das römische Reich als solches bestand, um-
schloß es in seiner weiten Ausdehnung auch fast die ganze
Christenheit; nachdem aber Europa in verschiedene von einander unabhängige Fürstenthümer zerfiel, mußte der Papst,
wenn er nicht selbst auch ein unabhängiger Landesherr war,
der Unterthan irgend eines andern sein, welches unstreitig der
allgemeinen geistlichen Vereinigung und Unterwerfung unter
ihn als geistliches Oberhaupt sehr Vieles in den Weg gelegt
und zu immerwährenden Spaltungen Anlaß gegeben haben
würde. Und so darf man es wohl als eine Fügung der göttlichen Fürsehung betrachten, daß der Papst in dieser Beziehung
unabhängig wurde." *) Papst Stephan versammelte oft die römische Geistlichkeit in seinem Pallaste und ermahnte sie, fleißig
dem Stubium der h. Schrift und der Concilien obzuliegen, auf
daß sie den Feinden der Kirche immer Rede stehen könnten. —

---

*) Hierzu dürfte man auch wohl die Frage aufwerfen: ob derjenige
    Staat, in welchem das Oberhaupt der katholischen Christenheit sich
    als Unterthan befände, nicht bald ein so großes moralisches Ueberge-
    wicht über alle andern Staaten erlangen würde, daß die Regenten
    derselben aus eigenem Antriebe, um des politischen Gleichgewichtes
    willen, welches vom moralischen Uebergewichte nicht wenig abhängig
    ist, dem Papste eine unabhängige Stellung zu sichern trachten müßten?

— Er starb nach einer fünfjährigen Regierung im Jahre 757, und hinterließ fünf Briefe und einige canonische Vorschriften.

Paulus I.,

ein Römer, Bruder des vorigen Papstes. Ueber seine unermüdliche Ausübung der Werke der Barmherzigkeit herrscht nur Eine Stimme, und selbst von denen, die den Papst nicht als geistliches Oberhaupt anerkennen, wird ihm dieses Lob in hohem Maße gezollt. Pipin unterstützte ihn gegen die Neckereien des Desiderius, Königs der Lombardei. — Er starb nach einer zehnjährigen Regierung, während welcher vom Ebro bis an die Wolga die Völker in Gährung und Kampf begriffen waren, im Jahre 767, und hinterließ zweiundzwanzig Briefe. Sein Andenken hält die Kirche heilig.

Stephanus III. oder IV.,

ein Römer, entsprossen aus Sicilien. Constantin, ein vornehmer Römer, obgleich kein Geistlicher, hatte sich des päpstlichen Stuhles bemächtigt; er wurde gerichtet, und sowohl ihm als mehren seiner Anhänger stach man die Augen aus; eine Maßregel, die leider in jenen unglücklichen Zeiten der Anarchie und Verwüstung nichts Auffallendes darbot. Stephan, nun ungestörter Besitzer des apostolischen Stuhles, berief ein Concilium, auf welchem der Usurpator Constantin mit dem Anathem belegt, und in der dritten Sitzung die Verordnung erlassen wurde, daß alle durch Constantin ungültig geweihten Bischöfe nach Hause zurückkehren, dort aufs Neue erwählt werden und dann nach Rom sich begeben sollten, um vom Papste geweiht zu werden. — Stephan regierte drei und ein halbes Jahr und starb im Jahre 772. Er gehörte dem Orden des h. Benedictus an, und gab das erste Beispiel eines Papstes, sich aus politischen Rücksichten in die Familien-Verhältnisse der Großen zu mischen, indem er Carl dem Großen, damaligem Könige der Franken, die Vermählung mit einer Tochter des Königs der Longobarden abrieth, von Seiten dieses Fürsten aber kein Gehör erhielt.

Hadrianus I.,

aus einer alten römischen herzoglichen Familie, vereinigte in sich den festen, energischen Sinn des alten, und die Klugheit und Gewandtheit des neuen Roms. Seine Legaten hatten auf dem siebenten allgemeinen Concilium, welches das zweite von Nicäa ist, den Vorsitz; es wurde auf ausdrückliches Betreiben des Kaisers Constantin und seiner Mutter Irene zusammen berufen, und 377 dort versammelte Bischöfe sprachen über die den Abbildungen der Heiligen gebührende Ehrerbietung aus, und verwarfen die Irrlehren der Bilderstürmer. Bei einer durch Ueberschwemmung der Tiber eingetretenen Hungersnoth wurde Hadrian den Römern im schönsten Sinne des Wortes Vater des Volkes. Gegen die Anfälle des Königs der Longobarden leistete ihm Carl der Große, sein persönlicher Freund, mächtige Hülfe, indem er in vollem Siegeslaufe bis nach Rom kam, wo der Papst ihn in der Peterskirche erwartete und das Volk den Gesang anstimmte: „Gelobt sei, der da kommt im Namen des Herrn!" Es hat den Anschein, als wenn hier dem Könige der Franken schon die Ehre zugedacht gewesen wäre, welche ihm unter Hadrian's Nachfolger widerfuhr; Carl aber sah sich wegen einer Empörung der Sachsen genöthigt, Rom in Eile zu verlassen. — Nach einer fast 24jährigen Regierung starb Papst Hadrian, allgemein betrauert, im Jahre 795. Carl der Große schätzte diesen Papst ungemein: er beweinte seinen Tod und verfertigte selbst auf ihn ein Trauergedicht, das er mit goldenen Buchstaben einer Marmortafel eingraben ließ.

Leo III.,

ein Römer und Benedictiner, hatte kaum die päpstliche Würde erlangt, als er durch seine Gesandten Carl dem Großen die Schlüssel der Basilica des h. Petrus und das Banner der Stadt Rom zuschickte, mit der Bitte, er möge einen Großen des Reiches beordern, den Römern den Eid der Treue und Unterwürfigkeit abzunehmen. Nicht lange danach, im Jahre 799, kam eine Verschwörung gegen Leo zu Stande, an deren

Spitze zwei Geistliche, Neffen des verstorbenen Papstes, sich befanden. Als nun der Papst aus dem Lateran-Pallaste ritt, um sich zur Procession der großen Litaneien zu begeben, umzingelten ihn die Verschwornen, warfen ihn zur Erde und mißhandelten ihn auf die schrecklichste Art, bemüht, ihm Augen und Zunge auszureißen. Von Straße zu Straße geschleppt, wurde er endlich in das Kloster des h. Sylvester gebracht, wo er unstreitig unter den wiederholten an ihm verübten Grausamkeiten den Geist aufgegeben haben würde, wenn nicht ein benachbarter Herzog mit bewaffneter Macht herbeigeeilt wäre, ihn zu retten und nach Spoleto in Sicherheit zu bringen. Leo flüchtete nun nach Frankreich zu Carl dem Großen, welcher ihn unter bewaffneter Begleitung nach Italien zurücksandte, wo er dann wie im Triumphe in Rom einzog, begleitet von allen Ständen der Stadt, die ihm mit ihren Fahnen entgegen gegangen waren. Im Jahre 800 begab sich Carl der Große nach Italien, und Papst Leo setzte ihm zu Rom am Weihnachts-Tage desselben Jahres die Krone des abendländischen Kaiserreiches auf, welches mit Augustulus im Jahre 475 erloschen war. Für die Häupter der Verschwörung, über welche Carl das Todesurtheil gesprochen hatte, kam Leo bittend ein, und der Kaiser schenkte ihnen das Leben; als aber ein Jahr nach des Kaisers Tode ein neuer Anschlag auf das Leben des Papstes angezettelt wurde, ließ Leo die Rädelsführer hinrichten. Mehre nicht unbedeutende Concilien wurden unter Leo's Regierung gehalten, und auf einem derselben billigte er durchaus nicht den Zusatz zum nicänisch-constantinopolitanischen Symbolum „filioque" in Betreff des Hervorgehens des h. Geistes aus dem Vater „und dem Sohne"; nicht, als wenn er diesen Zusatz nicht als die wahre, allgemeine, überlieferte Kirchenlehre anerkannt hätte: seine Mißbilligung beruhete nur darauf, daß Einzelne sich ohne Noth unterständen, dem Symbolum eines allgemeinen Conciliums etwas zuzusetzen. Dessen ungeachtet erhielt sich diese Einschaltung in jenen Ländern, wo sie einmal aufgenommen war, bis sie endlich selbst von einem allgemeinen

Concilium sanctionirt wurde. — Papst Leo starb im Jahre 810, nachdem er zwanzig und ein halbes Jahr lang regiert hatte. Man hat von ihm dreizehn Briefe; das so genannte Enchiridion Leonis papae, welches früherhin wegen seines räthselhaften und mystischen Tones von Alchymisten und dergleichen Leuten gesucht wurde, rührt nicht von ihm her.

St e ph a n u s IV. oder V.,

ein Römer, begab sich gleich nach seiner Erhebung auf den päpstlichen Stuhl nach Frankreich, wo er den Sohn Carl's des Großen, Ludwig den Frommen, von Neuem krönte. Nach Rom zurückgekehrt, wo er die Römer dem Kaiser Ludwig den Eid der Treue schwören ließ, starb er drei Monate nachher im Jahre 817.

P a sch a l i s I.,

ein Römer, durch seine Tugenden ein Mann wie aus apostolischer Zeit, wenn ihm auch etwas mehr Festigkeit zu wünschen gewesen wäre, schickte eine Gesandtschaft an Ludwig den Frommen, welcher hierauf die Schenkungen, die seine Vorfahren dem apostolischen Stuhle hatten zukommen lassen, bestätigte. Da im Morgenlande der Streit wegen der Bilderverehrung noch immer fortdauerte, so flüchteten mehre Griechen nach Italien und wurden vom Papste Paschalis äußerst gastfreundlich aufgenommen. Lothar wurde durch ihn zum Kaiser gekrönt. Die Stadt Rom war um diese Zeit eine Beute der schrecklichsten Anarchie; Mordthaten, Gewaltthätigkeiten und Verbrechen aller Art hatten überhand genommen, und selbst Paschalis, den die Kirche wegen seiner ausgezeichneten Tugenden mit Recht als einen Heiligen verehrt, soll sich durch einen Eid von dem Verdachte haben reinigen müssen, daß er keinen Antheil an der Ermordung zweier Geistlichen gehabt habe. — Er starb nach einer siebenjährigen, sehr unruhigen Regierung, im Jahre 824.

E u g e n i u s II.,

ein Römer, voll demüthigen Sinnes. Sollte er wirklich die Wasserprobe als ein Bewahrheitungsmittel in Rechts- und Ge-

wissensfachen gebilligt haben, welche geschichtliche Angabe wohl
nicht so leicht als unstatthaft kann erwiesen werden, so gibt
dies allerdings keinen gar hohen Begriff von den Vorzügen
seines Geistes, wo hingegen doch auch nicht unbemerkt bleiben
darf, daß er von vielen seiner Zeitgenossen wegen ausgebrei=
teter hoher Gelehrsamkeit sehr gelobt wird. Dergleichen Proben
wurden übrigens im Jahre 829 auf einem Concilium zu Worms
verworfen und untersagt. Gegen den immer mehr überhand
nehmenden Aufwand der Bischöfe, welche es in ihrer Tracht
den Fürsten gleich und selbst zuvor zu thun suchten, erließ
dieser Papst, solchem ärgerlichen Unwesen zu steuern, 38 strenge
Satzungen. — Er starb nach einer fast vierjährigen Regierung
im Jahre 827.

Valentinus,

ein Römer, starb schon am vierzigsten Tage nach seiner Er=
wählung.

Gregorius IV.,

ein Römer, aus dem Orden des h. Benedictus, eben so aus=
gezeichnet durch Gelehrsamkeit als Frömmigkeit, unternahm
es, die Stadt Ostia wieder zu erbauen, um die Mündung der
Tiber gegen die Sarazenen zu schützen, welche bereits Meister
von ganz Sicilien waren; er nannte die neue Stadt Gregorio=
polis. Zur Zeit der Streitigkeiten zwischen Ludwig dem From=
men und seinen Söhnen ging Gregor, den Bitten Lothar's
nachgebend, nach Frankreich. „Wisset,“ sagte er dem Kaiser,
„daß meine Anwesenheit keinen andern Zweck hat, als unter
Euch den Frieden wieder herzustellen, welchen der Heiland uns
allen so sehr anempfohlen hat.“ Da er aber nichts ausrichten
konnte, so kehrte er, über beide Parteien schwürig, und mit
der französischen Geistlichkeit, welche ihm unverholen ihren
Verdacht zu erkennen gab, er wolle sich gebieterisch in ihre
kirchlichen Privat=Angelegenheiten mischen, sehr unzufrieden,
nach Rom zurück, wo er im Jahre 844 starb, nachdem er unge=
fähr siebenzehn Jahre lang auf dem apostolischen Stuhle gesessen

hatte. Kurz vor seinem Tode machte die Kaiserinn Theodora der Bilderstürmerei, welche noch immer nicht ganz aufgehört hatte, ein Ende. Gregor hinterließ drei Briefe.

Sergius II.,

ein Römer, verwaltete unter heftigen Kriegesstürmen, bei welchen er, um größeres Unheil abzuwenden, sich oft sehr nachgiebig erweisen mußte, die Kirche Gottes kaum drei Jahre lang.

Leo IV.,

ein Römer, mußte zu seinem größten Kummer die Sarazenen solche Fortschritte machen sehen, daß sie endlich vor den Thoren Roms standen und die Hauptstadt der Christenheit in ein mahomedanisches Raubnest umzuwandeln droheten. Die Kaiser des Morgen= und Abendlandes bekümmerten sich wenig um Rom und überließen es seinem Schicksale. Da übernahm Leo in dieser gefahrvollen Lage das Amt eines Herrschers und zugleich eines Vaters, der seine Kinder vertheidigt. Aus dem Kirchen= schatze ließ er die Stadtmauern ausbessern, Thürme erbauen und die Tiber mit Ketten sperren; die Neapolitaner und die von Gajetta zogen herbei, von Leo dazu aufgefordert, um die Küste und den Hafen von Ostia zu vertheidigen. Der Papst selbst besuchte alle Posten, sprach ihnen Muth ein und erwartete so die Landung der Sarazenen, nicht etwa im kriegerischen Anzuge, sondern als ein Oberpriester, der das christliche Volk ermuthigt, und als ein König, der über die Sicherheit seiner Unterthanen wacht. Der Angriff geschah, und die Sarazenen wurden muthig und nachdrucksvoll bei ihrer Landung empfangen; dazu erhob sich ein heftiger Sturm, der die Hälfte ihrer Schiffe zerstreute, und welche nicht im Schiffbruche untergingen, wurden durch die Kettensperre gefangen. Papst Leo, in welchem in jenen Zeiten üppiger Feigheit und Verderbtheit der Muth alter, besserer Römerzeit wieder auflebte, sah so seinen Muth und seine Sorgfalt auf das herrlichste belohnt. Die gefangenen Sarazenen ließ er an der ferneren Befestigung und Verschöne= rung der Stadt Rom arbeiten; der Vatican wurde mit einer feſten Mauer umgeben, und ſo bildete ſich hier gleichſam eine neue Stadt, welche den Namen Leonia erhielt. Papſt Leo, welcher ſelbſt ein ſehr fleißiger Verkünder des Wortes Gottes war, und in Allem der Geiſtlichkeit und dem Volke als Muſter vorleuchtete, ließ es ſich beſonders angelegen ſein, dem Sitten- verderben ſeiner Zeit zu ſteuern und die ſehr geſunkene Kirchen- Disciplin wieder herzuſtellen. Zu dem Ende hielt er im Jahre 855 zu Rom ein Concilium, auf welchem er auch unter An- derm, um ein Abſchreckungsbeiſpiel aufzuſtellen, den Anaſtaſius, Cardinalprieſter des h. Marcellus, abſetzte, weil er ſich nicht in dem von ihm zu verwaltenden Kirchenſprengel aufgehalten hatte. Wir beſitzen noch von Leo, welcher acht Jahre und einige Monate lang regierte, eine Homilie: De cura pastorali, welche an die Biſchöfe und Prieſter gerichtet iſt und viel Bemerkens- werthes enthält. — Dieſer h. Papſt ſtarb im nämlichen Jahre mit Kaiſer Lothar, 855.

Benedictus III.,

ein Römer, wurde wider ſeinen Willen zum Papſte erwählt und mit Gewalt in den Lateran-Pallaſt gebracht. Der oben be- ſprochene Anaſtaſius warf ſich zum Gegenpapſte auf und miß- handelte auf eine empörende Weiſe den ruhig duldenden Bene- dict. Wir beſitzen von dieſem Papſte zwei Briefe; der eine iſt an Hincmar, Erzbiſchof von Rheims, gerichtet, und der andere an die Biſchöfe Carl's des Kahlen, gegen den Diakon Hubert, welcher ſchwerer Verbrechen wegen angeklagt war. — Benedict ſtarb nach einer faſt dreijährigen Regierung, im Jahre 858.

Nicolaus I., mit dem Beinamen der Große,

ein Römer, wurde im Beiſein des Kaiſers Ludwig II. in der Baſilica des h. Petrus auf den apoſtoliſchen Stuhl erhoben, zur nämlichen Zeit, als Photius, eben ſo geiſtreich und gelehrt als hochmüthig und ränkevoll, ſich gegen Ignatius, den recht- mäßigen Patriarchen von Conſtantinopel, dieſes patriarchali- ſchen Stuhles bemächtigt hatte. Die Partei, welche dem Ig- natius anhängig war, wurde durch Photius zwar gewaltſam,

und durch seinen Einfluß auf den Kaiser Michael ziemlich
sicher, im Zaume gehalten; da er aber doch einen offenbaren
Aufruhr gegen sich befürchten mochte, so wandte er sich, ausgeübt in der Verstellungskunst, an den Papst Nicolaus. In dem
Schreiben an denselben sparte er weder Lügen noch Schmeiche-
leien; er seufzte über die Last, die man gegen seinen Willen
auf seine Schultern gelegt und von der man den Patriarchen
Ignatius befreit habe; schließlich bat er den Papst, er möge
doch Legaten nach Constantinopel senden, um die hin und wieder noch vorhandenen Ueberreste der Bilderstürmerei ganz zu
vertilgen, oder vielmehr um eine Bestätigung der Absetzung des
Ignatius zu erschleichen, wie es denn auch der Verfolg gezeigt hat. Nicolaus schickte die verlangten Legaten, welche,
durch die bei ihrer Ankunft erlittenen Mißhandlungen eingeschüchtert, einer in Constantinopel gehaltenen Synode, auf
welcher der schlaue Photius über Ignatius den Sieg davon
trug, beipflichteten. Kaum war der Papst von diesen Umtrieben unterrichtet, als er den rechtmäßigen Patriarchen in alle
seine Rechte wieder einsetzte und das Anathem über die Erhebung des Photius aussprach. Photius, hiedurch sehr in die
Enge getrieben, versuchte, den Papst auf alle mögliche Weise
zu gewinnen, doch vergebens: Nicolaus beharrte standhaft bei
seinem Ausspruche und sandte nochmals drei Legaten nach
Constantinopel. Kaum waren diese an der Gränze des Reiches
angekommen, als man sie aufhielt und mißhandelte, so daß sie
genöthigt waren, sich wieder nach Rom zurück zu begeben. Nun
brach Photius offenbar mit dem Papste und erklärte, daß, seit
die Kaiserwürde von Rom nach Constantinopel übergegangen
sei, der ehemalige Primat der römischen Kirche nun auch an
der Kirche von Constantinopel hafte, — wodurch er sich denn
zum Oberhaupte der Kirche gegen dasjenige schon vorhandene
Oberhaupt aufwarf, welches er selbst noch kurz vorher dafür
anerkannt hatte. Dieses geschah auf einer Synode zu Constantinopel im Jahre 866, wo Photius den Papst aus der Kirchengemeinschaft ausschloß und ihn seiner Würde entsetzte. Hier

Smith, Päpste. 3. Aufl.   6

findet der, schon lange vorgearbeitete, entscheidende Ausbruch
der Trennung der morgenländischen Kirche von der abendlän=
dischen und dem rechtmäßigen Oberhaupte der gesammten Kirche
Jesu Christi Statt, und dauert leider noch bis auf den heuti=
gen Tag. Im darauf folgenden Jahre (867) waren die Bi=
schöfe Frankreichs in Troyes auf einer Synode versammelt,
wo sie vom Papste die Nachricht von dem unerhörten Verfah=
ren des Photius erhielten. In dem desfalls an sie gesandten
Schreiben sagte der Papst unter Anderm: „Ehe Wir ihnen
(den Griechen) Unsere Legaten zugeschickt hatten, überhäuften
sie Uns mit Lobsprüchen und erhoben die Oberherrlichkeit des
heiligen Stuhles; aber sobald Wir nur ihr ungerechtes Ver=
fahren verwarfen, redeten sie eine andere Sprache und über=
luden Uns mit Schimpfworten, und da sie, Gott sei Dank!
an Unserer Person nichts auszusetzen wußten, so griffen sie die
Ueberlieferung der Väter an, an welche ihre Vorfahren nie so
vermessen waren, sich zu wagen." Wie sehr diese Spaltung
nun auch den großen Papst betrüben mußte, so hatte er an=
dererseits doch auch die Freude, daß seine Bemühungen für
die Ausbreitung des Glaubens nicht ohne Früchte blieben. So
nahm Bogoris, König der Bulgaren, nebst einem Theile seines
Volkes im Jahre 865 die Religion des Kreuzes an und schickte
im darauf folgenden Jahre seinen Sohn, begleitet von vielen
Großen des Reiches, an den Papst, um von ihm Bischöfe und
Priester für die Neubekehrten zu erbitten und sich bei ihm über
manche Punkte der christlichen Glaubens= und Sittenlehre und
des Kirchen=Regimentes Raths zu erholen. Großen Kummer
verursachte aber auch diesem ausgezeichneten Nachfolger des
h. Petrus das unsittliche Beginnen Lothar's II., Königs von
Lotharingen, welcher aus den unzulänglichsten Gründen sich
von seiner Gemahlinn schied und ein Kebsweib zu sich nahm.
Der Papst that Einspruch und hieß seinen Legaten dem Kö=
nige mit dem Banne drohen. Lothar, erschreckt, rief seine Ge=
mahlinn an den Hof zurück. Schwere Verfolgungen nöthigten
die Königinn aber, den Hof zu meiden, und Lothar that wie

zuvor. — Papst Nicolaus starb, nachdem er die Kirche Gottes während neun Jahre, sechs Monate und einiger Tage regiert hatte, im Jahre 867, und hinterließ mehre schätzbare Briefe.

Hadrianus II.,

ein Römer, wurde wider seinen Willen auf den päpstlichen Stuhl erhoben, nachdem er schon zweimal diese Würde abgelehnt hatte. Er hielt zu Rom ein Concilium gegen Photius, und als der Kaiser Basilius der Macedonier, Michael's Nachfolger, der den Photius den patriarchalischen Stuhl verlassen hieß und den Ignatius wieder auf denselben erhob, um diesen Streit für immer geendigt zu sehen, eine allgemeine Kirchenversammlung veranstaltet wünschte, schickte Hadrian seine Legaten nach Constantinopel, um in seinem Namen auf dem achten allgemeinen Concilium den Vorsitz zu haben. Basilius empfing dieselben mit der größten Ehrerbietung und bezeigte seine Anhänglichkeit an Hadrian und seine Unterwerfung unter den apostolischen Stuhl zu Rom. Das Concilium sprach das Anathem über Photius, so wie auch über alle diejenigen aus, welche dessen ungerechte Sache nicht verlassen wollten. So erfreulich nun auch das Einverständniß zwischen dem griechischen Kaiser, dem Patriarchen Ignatius und dem Papste war, so wurde es doch bald wieder dadurch getrübt, daß Ignatius sowohl als der Papst ihre Patriarchal-Rechte an den neubekehrten Bulgaren, welchen dieser den Gottesdienst in ihrer Landessprache zu halten erlaubt hatte, geltend machen wollten. Mit Carl dem Kahlen war Hadrian wegen des Bischofs Hincmar von Laon in Streitigkeit gerathen, und es läßt sich nicht läugnen, daß er bei dem Aufruhre Carlman's gegen seinen Vater für die Partei des Prinzen nicht ganz unthätig sich erwiesen hatte. Das schändliche Benehmen Lothar's mißbilligte auch er im höchsten Grade, so daß der König sich gezwungen sah, selbst nach Rom zu reisen, um den Papst zu besänftigen; er starb auf seiner Rückkehr, und seine rechtmäßige Gemahlinn nahm hierauf den Schleier. — Hadrian starb nach einer fast fünfjährigen Regierung, im Rufe der Heiligkeit, im Jahre 872; er hinterließ mehre Briefe.

Johannes VIII.,

ein Römer, krönte im Jahre 875 Carl den Kahlen zum Kaiser und begab sich drei Jahre später nach Frankreich, wo er zu Troyes ein Concilium hielt, auf welchem er Ludwig den Stammler feierlich zum Könige krönte. Die Verwüstungen, welche die Sarazenen in Italien anstellten, veranlaßten ihn, nach Rom zurückzukehren, wo die Ungläubigen ihn zu einem jährlichen Tribute von 25,000 Mark Silber zwangen. Um dieselbe Zeit ließ sich dieser nachgiebige und äußerst schwache Papst durch die Zurede des Kaisers Basilius und die Verstellungskünste des Photius, der unterdessen auch den Kaiser für sich gewonnen hatte, dahin bewegen, den Photius, der nach des Ignatius Tode den Patriarchen-Sitz wieder eingenommen hatte, in die Kirchengemeinschaft aufzunehmen. Obgleich diese Willfährigkeit des Papstes allen Bischöfen auffiel und gemißbilligt wurde, so wußte Photius es doch noch sogar dahin zu bringen, daß in Constantinopel im Jahre 879 ein Concilium zu Stande kam, auf welchem er für ihn günstige Briefe des Papstes vorzeigen konnte. Doch waren diese ihm noch immer nicht günstig genug, und so verfälschte er, der, um seinen Zweck zu erreichen, zu jedem Betruge fähig war, die päpstlichen Schreiben. Da man nun auf keine denkbare Weise solchen vorgeblichen Aeußerungen des Papstes gegen den als den ärgsten Ränkeschmid und einen heftigen Feind der römischen Kirche nur zu bekannten Photius Glauben beimessen, auch die allgemeine Befremdung darüber dem Papste nicht unbekannt bleiben konnte, so schickte derselbe den Martinus oder Marinus als Legaten nach Constantinopel, um sich von dem wahren Hergange jenes Conciliums zu vergewissern. Da vernahm er nun, wie betrügerisch Photius dabei verfahren war; und daß die päpstlichen Gesandten, eingeschüchtert oder bestochen, ihren empfangenen Verhaltungsbefehlen gerade entgegen gehandelt

hatten. Das Concilium wurde daher für null und nichtig erklärt und Photius als Verfälscher der päpstlichen Sendschreiben in den Bann gethan. Papst Johannes änderte an der alten Kirchen-Disciplin, daß er an der Stelle öffentlicher Bußübungen auch Wallfahrten zuließ. Wir besitzen von ihm drei-
hundert und zwanzig Briefe, welche den Beweis liefern, daß er
um des unbedeutendsten Umstandes willen mit der Strafe des
Kirchenbannes zu belegen pflegte. — Er starb im Jahre 882,
nachdem er der Kirche zehn Jahre lang vorgestanden hatte.

Martinus II., auch Marinus I. genannt,

von Galezza in Toscana, hatte der Kirche Gottes schon als
päpstlicher Legat in Constantinopel, wohin er zu drei verschiedenen Malen gesandt wurde, wesentliche Dienste geleistet; auf
den apostolischen Stuhl erhoben, belegte er, die Billigung des
Verfahrens seiner Vorgänger hiermit aussprechend, den Photius mit dem Kirchenbanne und starb im Jahre 884.

Hadrianus III.,

ein Römer, begab sich, gegen den Andrang der Barbaren Hülfe
von Kaiser Carl dem Dicken zu erbitten, auf den Reichstag
nach Worms, starb aber auf dem Wege dahin. Auch dieser
Papst sprach den Bann gegen Photius aus und regierte ein
Jahr und vier Monate.

Stephanus VI.,

ein Römer, vertheidigte heftig gegen den Kaiser Basilius die
Vorrechte des römischen Stuhls und erklärte sich, so wie seine
Vorgänger, lebhaft gegen den Patriarchen Photius. Kaiser
Leo der Philosoph, durch diese unausgesetzten Einsprüche der
römischen Päpste gegen die Anmaßung der Kirche von Constantinopel und ihres Patriarchen aufmerksam gemacht, ließ die
ganze Angelegenheit noch einmal untersuchen. Die Klagen von
Seiten Roms wurden begründet gefunden, und Photius, der
nun auch wegen des Zusatzes filioque im nicänisch-constantinopolitanischen Symbolum die abendländische Kirche des Irrglau-

bens beschuldigt hatte, wurde im Jahre 886 seines Patriar-
chal-Sitzes verlustig erklärt und in ein armenisches Kloster verwiesen, wo er im Jahre 891 sein unruhiges Leben beschloß.
Fleury schildert diesen berüchtigten Schismatiker mit folgenden
wenigen Worten: „Er (Photius) war der ausgezeichnetste Geist
und der größte Gelehrte seines Jahrhunderts, dabei aber auch
ein vollendeter Heuchler: voll Bosheit in seinen Handlungen,
in seinen Reden wie ein Heiliger." Als Papst Stephan seine
Regierung antrat, war das Kirchenvermögen sehr eingeschmol-
zen; um diesem Mangel zu steuern, gab er sein ganzes Privat-
vermögen hin; und als Rom von einer schrecklichen Hungersnoth
heimgesucht wurde, entbehrte er selbst nicht selten das Noth-
wendigste, um Witwen und Waisen beizustehen. Ganz besonders war er darauf bedacht, im Kirchen-Regimente erfahrene
und übrigens in Künsten und Wissenschaften bewanderte Männer zu seiner eigenen Belehrung und Ausbildung um sich zu
versammeln. Die Darbringung des h. Meßopfers und stilles
und lautes Gebet füllte fortwährend einen großen Theil der
Tageszeit dieses gottesfürchtigen Papstes aus. — Er starb in
demselben Jahre mit Photius, nach einer fast sechsjährigen Regierung, 891.

Formosus,

Bischof von Porto, war der Erste, welcher, gegen die bisherige
Disciplin, seinen bischöflichen Sitz verließ und dagegen einen
andern, den von Rom, einnahm. Formosus starb im Jahre
896 nach einer fünfjährigen, stürmischen Regierung, während
welcher unausgesetzt um den Besitz Italiens gekämpft wurde,
bis König Arnulph Rom eroberte und sich vom Papste zum
Kaiser krönen ließ.

Bonifacius VI.,

ein Römer, wurde durch eine Volks-Faction auf den päpstlichen
Stuhl erhoben, auf dem er zum Heile der Kirche nur fünfzehn
Tage lang blieb, da die Geschichte nicht viel Rühmliches von
seinen Sitten meldet.

Stephanus VI. oder VII.,

ein Römer, ließ im Jahre 897, kurz nachdem er den apostolischen Stuhl bestiegen hatte, den Leichnam seines Vorgängers
und persönlichen Feindes, des Papstes Formosus, ausgraben,
verhöhnte denselben und befahl zuletzt, ihn verstümmelt und
enthauptet den Wellen der Tiber Preis zu geben. Als Veranlassung zu diesem nichtswürdigen und grauenvollen Verfahren
gab Papst Stephanus das Vergehen an, dessen sich Formosus,
indem er gegen den alten Kirchengebrauch seinen bischöflichen
Sitz veränderte, schuldig gemacht habe; daher wurden die von
Formosus geweihten Bischöfe und Priester aufs Neue geweiht,
wogegen aber später, im Jahre 907, der Priester Aurilius,
als Papst Sergius III. in dieser Hinsicht wie Stephanus verfuhr, eine kühne und freimüthige Schrift herausgab, die wir
noch besitzen. Nachdem Papst Stephanus diese schreckliche Rache
an seinem Feinde genommen hatte, wiegelten die Freunde des
geschändeten Formosus das Volk auf, welches sich des Papstes
bemächtigte und ihn gefesselt in einen Kerker warf, wo er einige
Monate nachher erdrosselt wurde.

Romanus,

aus Galezza in Toscana, mißbilligte laut das unmenschliche
Verfahren seines Vorgängers, und starb, nachdem er vier Monate lang der Kirche Jesu Christi vorgestanden hatte. Er hinterließ einen Brief.

Theodorus II.,

ein Römer, ließ den verstümmelten Leichnam des Formosus
feierlich in die Grabstätte der Päpste bringen, und starb zwanzig Tage nach seiner Erwählung.

Johannes IX.,

aus Tivoli, ein Benedictiner, berief ein Concilium, auf welchem das Verfahren Stephan's VII. gegen den Leichnam und
das Andenken des Formosus verdammt wurde. Die Väter dieses Conciliums sprachen sich über die Versetzung des Formo-

fus von Porto nach Rom folgender Maßen aus: „Da Formosus in Folge ausgezeichneter Verdienste auf den apostolischen
Stuhl befördert wurde, so war er wohl genöthigt, die Kirche
von Porto zu verlassen." Papst Johannes, welcher ein Decret
abfaßte, worin er die Gegenwart eines kaiserlichen Abgesandten bei der Salbung des Papstes als erforderlich erklärte, starb
nach einer zweijährigen Regierung im Jahre 900.

Benedictus IV.,

ein Römer, ging, obgleich fruchtlos, der in großes Sittenverderbniß gesunkenen Geistlichkeit seiner Zeit mit dem besten Beispiele vor, und war ein Vater der Armen. Er krönte zu Rom
Ludwig III., mit dem Beinamen des Blinden, zum Kaiser, und
starb schon im Jahre 903.

Leo V.,

aus dem römischen Gebiete, ein Benedictiner, wurde durch seinen Nachfolger vom päpstlichen Stuhle verjagt und in den Kerker geworfen, wo er einige Wochen nach seiner Erwählung vor
Gram starb.

Christophorus,

ein Römer, büßte bald für sein ungerechtes Verfahren gegen
Leo, indem sein Nachfolger Sergius ihn sechs Monate nach dem
Besitze der päpstlichen Würde in ein Kloster schickte, wo er in
einen Kerker geworfen wurde und eines elenden Todes starb.

Sergius III.,

ein Römer, war schon beim Tode Theodor's II. von einem
Theile des römischen Volkes zur päpstlichen Würde erhoben
worden; da aber endlich die Wahl für Johannes IX. entschied, zog er sich zurück und hielt sich während sieben Jahre
verborgen. Nun kam er wieder zum Vorscheine und wurde
nach Christoph's Tode zum Papst erwählt. Sogleich nach seiner Erhebung erklärte er Johann IX. und die drei darauf folgenden Päpste für unrechtmäße Besitzer des apostolischen Stuhles;
eben so feindete er das Gedächtniß des Formosus an und bil-

ligte die Schandthaten Stephan's VII. Die Geschichtschreiber
Luitprand und Flodoard, jener Diakon von Pavia und zuletzt Bischof von Cremona, dieser ein Schüler des Remigius
von Aurerre und Erzpriester zu Rheims, beide Zeitgenossen des
Sergius, weichen in der Angabe über dessen Lebensweise sehr
von einander ab: jener, als Satyriker und leidenschaftlicher
Schriftsteller bekannt, läßt ihn in Laster versunken sein und,
in Liebesbande der berüchtigten Markgrafen-Tochter Marozzia
verstrickt, so hinsterben, wie er gelebt hat; dieser hingegen lobt
seinen Lebenswandel und seine Regierung. — Sergius stand der
Kirche sieben Jahre lang vor und starb, nachdem er die durch
ein Erdbeben zerstörte Lateran-Kirche wieder hatte herstellen
lassen, im Jahre 911.

Anastasius III.,

ein Römer, regierte nur zwei Jahre lang, und zwar ohne alle
geschichtliche Bedeutsamkeit.

Landus oder Lando,

ein Sabiner, überließ sich unbedingt der Willkür der Theodora,
eben so berüchtigt, als ihre Tochter Marozzia, und weihte auf
ihr Geheiß den Diakon Johannes, einen ihrer Lieblinge, zum
Erzbischofe von Ravenna; doch entehrte er den apostolischen
Stuhl nur sechs Monate, — da starb er.

Johannes X.,

ein Römer, bestieg durch seine Geliebte, die Theodora, den
päpstlichen Stuhl und war eher zum Feldherrn, als zum Oberhirten der Kirche Christi berufen. Ueber die Sarazenen, welche
wieder während einiger Zeit Italien beunruhigten, erfocht er,
den Oberbefehl führend, einen glänzenden Sieg. Bald darauf
aber vertrieb ihn Guido, Herzog von Toscana, vom päpstlichen
Stuhle, und zwar auf Anrathen seiner Frau, der Marozzia,
welche es nicht verschmerzen konnte, daß Johannes die Theodora ihr vorgezogen hatte. Guido wurde bei seinem Unternehmen von den Römern unterstützt, welche dem Papste abhold

waren, weil er seinem Bruder Peter, der sich bei den Großen
der Stadt verhaßt gemacht hatte, die Regierung fast ausschließlich überließ. Ihren Haß gegen den Papst suchten sie aber mit
dem Scheingrunde zu beschönigen, daß auch er, dem Formosus
gleich, seinen bischöflichen Sitz verändert habe, da er Erzbischof
von Ravenna gewesen. Als man sich seiner bemeistert hatte
und ihn zum Gefängniß abführte, bezeugte er tiefe Reue über
seinen verworfenen Lebenswandel, und bat die Umstehenden um
ihre Fürbitte bei Gott. — Mit Hülfe eines Kopfkissens wurde er
endlich im Jahre 928 erstickt, nachdem er vierzehn Jahre lang
Papst gewesen war.

Leo VI.,

ein Römer, soll schon im siebenten Monate nach seiner Erwählung eines gewaltsamen Todes gestorben sein.

Stephanus VII. oder VIII.,

ein Römer, starb im dritten Jahre seiner Regierung, 931, ohne
daß die Geschichte etwas Besonderes, seine große Wohlthätigkeit gegen Arme und Hülflose ausgenommen, von ihm berichtet.

Johannes XI.,

nach dem Geschichtschreiber Luitprand ein Sohn des Papstes
Sergius III. und der Marozzia, nach Andern aber des Albe-
rich, Herzogs von Spoleto, und der Marozzia; kam schon in
den Jünglingsjahren durch den Einfluß seiner Mutter auf
den päpstlichen Stuhl. Nachdem diese ihren Gemahl vergiftet hatte, heirathete sie dessen Bruder, Hugo, König der
Lombardei, der sich Roms bemächtigte. Hier aber wurde sie
sammt dem Papste Johannes von ihrem Sohne aus der Ehe
mit Guido von Toscana in die Engelsburg gesperrt. Der Papst
starb, wahrscheinlich vergiftet, in seinem Gefängnisse, im
Jahre 936.

Leo VII.,

ein Römer, wurde wider seinen Willen im Jahre 936 mit der
päpstlichen Würde bekleidet. Wir besitzen von ihm einen Brief

an Hugo, Abt von Tours, welcher beweist, wie sehr er sich die Wiederherstellung der gesunkenen Klosterzucht angelegen sein ließ. — Er starb im Jahre 939.

Stephanus VIII. oder IX.,

ein Deutscher und Verwandter des Kaisers Otto, war den Römern deßhalb so verhaßt, daß sie ihm bei einem Volksauflaufe sein Gesicht dergestalt zerschnitten, daß er sich öffentlich nicht mehr sehen lassen durfte. — Er starb im Jahre 942.

Martinus III., auch Marinus II. genannt.

ein Römer, erhielt den Namen eines Vaters des Vaterlandes wegen seiner großen Mildthätigkeit gegen die Armen und der preiswürdigen Klugheit, womit er es verstand, der barbarischen Anarchie, von welcher Rom bewegt wurde, Schranken zu setzen. Auch machte er sich in jenen dunkeln Zeiten um die Wissenschaften verdient und war dem Kunstsinne durch Erbauung neuer Kirchen und Wiederherstellung und Ausschmückung der beschädigten nicht wenig förderlich; besonders eiferte er gegen den Mißbrauch, der mit untergeschobenen Reliquien getrieben wurde. Er regierte drei und ein halbes Jahr und starb 946, nachdem er auch oft als friedenstiftender Vermittler bei den Streitigkeiten der Großen sich mit gutem Erfolg erwiesen hatte.

Agapetus II.,

ein Römer, rief gegen Berengar, welcher sich der Krone Italiens bemeistern wollte, den Kaiser Otto zu Hülfe und schlichtete die wegen des Metropolitan-Rechtes zwischen den Kirchen von Lorch und Salzburg obwaltenden Streitigkeiten. — Er regierte fast zehn Jahre lang und starb 955 im Rufe der Heiligkeit.

Johannes XII.,

ein Römer, folgte, obgleich er ein Geistlicher war, seinem mit dem Patriciate Roms bekleideten Vater in dieser Würde nach. Im Jahre 956 mußte er es dahin zu bringen, daß er zum Papste gewählt wurde, und nahm nun als solcher, da er früherhin Octavianus hieß, den Namen Johannes an, welchem

Beispiele der Namensänderung die meisten der folgenden Päpste sich anschlossen. Er war eben achtzehn Jahre alt, als er auf den päpstlichen Stuhl erhoben wurde. Berengar, dem es endlich doch gelungen war, sich die Königskrone Italiens aufs Haupt zu setzen, ließ dieses Land sein eisernes Zepter fühlen. Papst Johannes rief den Kaiser Otto gegen Berengar um Hülfe an, und nicht vergebens. Otto überschritt die Alpen und rächte den Papst; dieser krönte den Kaiser und schwur ihm über dem Grabe des h. Petrus ewige Treue. Doch hielt er diesen Schwur nicht lange, sondern verband sich mit Berengar's Sohne gegen seinen Wohlthäter. Otto kam nach Rom zurück und ordnete im Jahre 963 die Berufung eines Conciliums an. Hier wurde der Papst mehrer Verbrechen angeklagt, und zwar unter andern: „daß er mit Schwert, Harnisch und Helm gerüstet öffentlich erschienen sei, daß er auf die Gesundheit des Teufels getrunken, und endlich: daß er seinen Beischläferinnen die Verwaltung mehrer Städte und heilige Gefäße aus der Basilica des h. Petrus übergeben habe." Die Absetzung wurde hierauf gegen Johannes ausgesprochen, und statt seiner

Leo VIII.,

ein Römer, auf den apostolischen Stuhl erhoben. Kaum aber hatte Kaiser Otto den Rücken gekehrt, als Johannes wieder in Rom erschien und furchtbare Rache nahm. Seinen beiden vorzüglichsten Gegnern, die bei seiner Absetzung am geschäftigsten gewesen waren, ließ er Zunge, Nase und Finger abschneiden; dann berief er ein Concilium, auf welchem er die Beschlüsse des gegen ihn gehaltenen verwarf. Glücklicher Weise dauerte sein wüthendes Beginnen nicht lange, indem er kurz darauf im Jahre 964, von einem Manne, dessen Ehebett er beschimpft hatte, erstochen wurde, nachdem er mit der päpstlichen Würde acht Jahre lang bekleidet gewesen war. Die Römer, welche dem Papste Leo abhold waren, weil er durch einen Machtspruch Otto's auf den päpstlichen Stuhl gelangte, erwählten gegen denselben

Benedictus V.,

einen Römer. Doch waren sie genöthigt, ihn dem Kaiser Otto auszuliefern, der ihn mit sich nach Hamburg nahm, wo er im darauf folgenden Jahre 965 starb. Sein Leichnam wurde späterhin nach Rom gebracht. Als Leo auch in demselben Jahre starb, folgte

Johannes XIII.,

ein Römer, auf den päpstlichen Stuhl, und zwar durch Anordnung Otto's und gegen den Willen der Römer. Peter, Präfect von Rom, vertrieb ihn ein Jahr nach seiner Erwählung. Da ließ Otto zwölf Rädelsführer dieses Aufruhrs hängen und überlieferte den Präfecten Peter in die Hände des Papstes. Dieser ließ ihn durchpeitschen, rücklings auf einem Esel sitzend durch die Stadt führen und schickte ihn in die Verbannung. Nach Polen hatte der Papst Missionare gesandt, denen es gelang, den Herzog dieses Landes und einen großen Theil seiner Unterthanen zum Christenthume zu bekehren, worauf daselbst mehre Bisthümer errichtet wurden. — Johannes starb im Jahre 972.

Benedictus VI.,

ein Römer, wurde durch Crescentius, einen Sohn der Theodora, in die Engelsburg eingesperrt, wo ihn der Cardinal Bonifacius Franco im Jahre 974 erdrosseln ließ.

Donus II.,

ein Römer, nach Platina's Bericht tugendhaft und friedliebend, regierte nur während einiger Monate. Ihm folgte

Benedictus VII.,

ein Römer, aus der Familie Conti. Er regierte die Kirche Gottes acht Jahre und einige Monate lang, und leuchtete mit dem erhabenen Beispiele aller Tugenden eines Oberhirten jenen schrecklichen Zeiten vor. — Er starb im Jahre 983.

Johannes XIV.,

Bischof zu Pavia und Kanzler des Kaisers Otto II., führte zuvor den Namen Petrus, welchen er aber, aus Ehrfurcht vor dem

Apostelfürsten und ersten Oberhaupte der Kirche, bei seiner Thronbesteigung ablegte und den Namen Johannes annahm, so wie denn auch kein anderer Papst sich je den Namen des ersten Kirchen-Oberhauptes beigelegt hat. — Kaum hatte Johannes drei Monate lang auf dem apostolischen Stuhle gesessen, als er von dem Cardinal Franco, dem Mörder Benedict's VI., welcher sich schon damals, und auch bei der Wahl Benedict's VII., des obersten Kirchen-Regimentes bemächtigen wollte, in die Engelsburg gesetzt wurde, wo er vor Kummer und Elend oder, wie Einige wollen, an Gift den 20. August 984 starb.

Bonifacius VII.,

eben jener Cardinal Franco, daher von mehren Geschichtschreibern nur als Gegenpapst angeführt, bemächtigte sich nach Johannes' Tode des päpstlichen Stuhles; doch schon im Monate December desselben Jahres starb er plötzlich, vom Schlage gerührt. — Sein Leichnam wurde vom Volke mit Lanzenstichen durchbohrt, an den Füßen durch die Straßen Roms geschleift, und blieb endlich nackt und unbeerdigt vor der Bildsäule Constantin's des Großen liegen.

Johannes XV.,

ein Römer, war ein ausgezeichneter Gelehrter und verfaßte mehre Werke, starb aber wenige Tage nach seiner Erwählung, und wird daher von Vielen den Päpsten nicht zugezählt.

Johannes XVI.,

ein Römer, gelangte durch den Beistand des Kaisers Otto III. gegen die Gewaltthätigkeiten des Crescentius, der sich der Oberherrschaft Roms bemeistert hatte, zum ruhigen Besitze des apostolischen Stuhles. Am 3. Februar des Jahres 993 versetzte er feierlich den Bischof von Augsburg, Udalrich († 973), unter die Zahl der Heiligen und machte hiermit den Anfang der späterhin üblich gebliebenen feierlichen Heiligsprechungen (Canonisirungen). Johannes gab sich alle mögliche Mühe, den Frieden unter den christlichen Fürsten aufrecht zu erhalten oder ihn

wieder herzustellen, und starb an einem heftigen Fieber im
Jahre 996, nachdem er über zehn Jahre lang Nachfolger des
h. Petrus gewesen war.

Gregorius V.,

ein Sachse, zuvor Bruno genannt, und Verwandter des Kaisers Otto, kam im Jahre 996 an die Regierung, starb aber
schon im Jahre 999. Bald nach seiner Erwählung setzte ihm
Crescentius, für welchen er noch beim Kaiser fürgesprochen,
dieser Wohlthat uneingedenk, den Johannes Philagatus, Bischof
von Piacenza, entgegen und vertrieb ihn aus Rom. Gregorius
suchte und fand ein Asyl in Franken, während Philagatus
unter dem Namen

Johannes XVII.

den päpstlichen Thron bestieg, von welchem er aber bald durch
den Kaiser Otto gestürzt und vom Papste Gregor auf dem
(997) zu Pavia gehaltenen Concilium mit dem Anathem belegt
wurde, weßhalb er denn auch in mehren Verzeichnissen der Reihenfolge der Päpste nicht mit aufgeführt ist. Ein Anonymus,
Verfasser der Lebensbeschreibung des h. Nilus, berichtet, Philagatus sei der Augen, Ohren und der Nase beraubt, Crescentius aber enthauptet worden.

Sylvester II.,

von einer armen Familie aus der Auvergne abstammend, hieß
zuvor Gerbert, und wurde zu Aurilac in einem Kloster erzogen.
Nachdem er sich dem geistlichen Stande gewidmet hatte, erwarben ihm seine Verdienste die Würde eines Abtes zu Bobio in
der Lombardei. Späterhin wurde er nach Rheims berufen, um
der dortigen Schule vorzustehen, wo sich unter seinen Schü-
lern auch Robert, Sohn des Hugo Capet, befand. Seine große
Gelehrsamkeit gewann ihm endlich so viele Bewunderer und
Anhänger, daß er nach Arnold's Absetzung, im Jahre 992, auf
den erzbischöflichen Stuhl von Rheims erhoben wurde. Aber
nach der Wiedereinführung Arnold's durch Papst Gregor V.,

im Jahre 998, zog Gerbert sich zurück und begab sich zum Kaiser Otto III., dessen Lehrer er gewesen war. Dieser erwirkte ihm das Erzbisthum von Ravenna, und endlich, nach dem Tode Gregor's V., im Jahre 999, gelangte der gelehrte Benedictiner Gerbert zur päpstlichen Würde und legte sich den Namen Sylvester bei. Dieser Papst war einer der gelehrtesten Männer seiner Zeit; wir besitzen von ihm 149 Briefe, die Lebensbeschreibung des heiligen Adalbert, Erzbischofs von Prag, und einige mathematische Werke, die das schönste Zeugniß für seine ausgebreitete Gelehrsamkeit ablegen. Seine tiefen Kenntnisse in der Naturlehre, die weit über das Gewöhnliche seiner und auch noch einer spätern Zeit hinausgingen, hatten ihn in den Ruf eines Zauberers gebracht, der im Bündnisse mit dem Teufel stehe. Noch in neuerer Zeit haben Widersacher der katholischen Kirche, um von der Verwerflichkeit ihrer Oberhäupter gegen dieselbe zu schließen, dieses Mährchen aufgewärmt. — Sylvester starb im Jahre 1003, nachdem er die Bekehrung der Ungarn erlebt und ihren König Stephan mit den ausgezeichnetsten Ehren überhäuft hatte.

Johannes XVIII.,

ein Römer, zuvor Siccon genannt, saß nur während vier Monate und einiger Tage auf dem apostolischen Stuhle.

Johannes XIX.,

ein Römer, hieß zuvor Fasan. Er errichtete das Bisthum Bamberg, und unter seiner Regierung begann die Bekehrung der Russen zum Christenthume. Kurz vor seinem Ende entsagte er der päpstlichen Würde, und nachdem er sich in die Abtei des h. Paulus in Rom zurückgezogen hatte, ergriff er das Klosterleben. — Er starb im Jahr 1009.

Sergius IV.,

ein Römer, hieß früher Bucca porci (Schweinsrüssel), war Benedictiner und Bischof von Alba. Man lobt besonders seine Freigebigkeit gegen die Armen. — Er starb, nachdem er kaum drei Jahre lang Papst gewesen war, 1012.

Benedictus VIII.,

ein Römer, aus der Familie der Conti, Benedictiner und Bischof von Porto, wurde beim Antritte seines h. Amtes durch
einen Gegenpapst, Namens Gregor, hart bedrängt. Er begab
sich deßhalb nach Deutschland und rief den Kaiser Heinrich II.
um Hülfe an. Dieser führte ihn wieder in seine Würde ein
und ließ sich nebst seiner Gemahlinn Kunigunde zu Rom die
Kaiserkrone von ihm aufsetzen. Als die Sarazenen im Jahre
1016 das Gebiet des Papstes bedrohten, stellte sich Benedict
an die Spitze eines durch seine Gegenwart und durch den
feurigen Wunsch, das Kircheneigenthum zu schützen, ermuthig-
ten Heeres, und brachte dem Feinde eine vollkommne Niederlage bei. Eben so schlug er die Griechen, welche Apulien ver-
wüsteten. Zu Pavia hielt er ein Concilium, auf welchem er
acht Decrete erließ; auch verfaßte er mehre Sendschreiben, von
denen uns aber nur diejenigen übrig geblieben sind, die er zu
Gunsten der Abtei von Monte-Cassino ausgab. — Benedict
weihete den Dom zu Bamberg ein und starb im Jahre 1024,
nach einer fast zwölfjährigen, in kirchlicher und politischer Hinsicht energischen Regierung.

Johannes XX.,

Bruder des vorigen Papstes, krönte im Jahre 1027 den Kaiser Konrad II., welcher feierlichen Handlung die Könige Rudolph von Burgund und Kanut von England beiwohnten. Unter seiner Regierung bemühten sich die Griechen, einen großen
Theil der vornehmern römischen Geistlichkeit durch Bestechung
dahin zu verleiten, daß sie dem Patriarchen von Constantinopel den Titel eines ökumenischen (allgemeinen) Bischofs bei-
legen möchten; Papst Johannes kam diesen Umtrieben aber
noch bei Zeiten zuvor. Den Benedictiner Guido von Arezzo,
Erfinder der musicalischen Tonleiter ut, re, mi, fa, so, la,
berief er nach Rom, wo er ihn mit Ehren überhäufte, und
starb, kurz vor Entdeckung einer gegen ihn angezettelten Verschwörung, im Jahre 1033.

Benedictus IX.

war ein Neffe der beiden vorigen Päpste; das Geld seiner
Eltern verhalf ihm, in einem Alter von 18 Jahren, auf den
päpstlichen Stuhl. Da der Erbe des polnischen Thrones ins
Kloster gegangen war, so kamen Abgeordnete dieses Reiches
zum Papste, ihn um Lossprechung von den Ordensgelübben
für jenen Fürsten zu bitten, damit nicht bürgerliche Unruhen
durch die längere Erledigung des Thrones entstehen möchten.
Der Papst willigte unter der Bedingung ein, daß jeder polni=
sche Edelmann alljährlich dem apostolischen Stuhle einen
Pfennig zahlen solle; welche Abgabe, von dieser Zeit an noch
öfter in Gebrauch gesetzt, den Namen des Petrus=Pfennigs er=
hielt. Im Uebrigen gab Papst Benedictus ein höchst ärger=
liches Beispiel durch Ausschweifung und Grausamkeit, so daß
die Römer, endlich seiner Schandthaten müde, ihn aus Rom
vertrieben. Kurz darauf kam er wieder, verkaufte aber, um
seine Sicherheit besorgt, den päpstlichen Stuhl einem gewissen
Johannes Gratianus, während welcher Zeit sich noch ein an=
derer Johannes unter dem Namen Sylvester III. als Papst
geltend machen wollte. Dieser schrecklichen Verwirrung abzu=
helfen, wurde endlich

Gregorius VI.,

eben jener Johannes Gratianus, ein Römer und Erzpriester
der römischen Kirche, im Jahre 1044 als Papst anerkannt.
Als er seine Regierung antrat, hatten sich mehre Große des
päpstlichen Gebietes einen beträchtlichen Theil desselben ange=
eignet, so daß er sich genöthigt sah, diese vornehmen Räuber
mit dem Kirchenbanne zu belegen. Diese Maßregel machte
aber die Schuldigen nur noch verwegener, und sie erschienen
mit bewaffneter Hand vor Rom. Gregor trieb sie zu Paaren,
gewann der Kirche mehre verlorene Landschaften wieder und
stellte die Sicherheit der Landstraßen wieder her, welche so ge=
fährdet war, daß die Pilger nur zu großen Haufen vereint
wallfahrten durften, um sich gegen die Wegelagerer vertheidigen

zu können. Dies alles aber gefiel den Römern nicht, welche nun einmal an diese Räubereien gewohnt waren, und so griff das Feuer des Aufruhrs wieder um sich, welches erst bei der Ankunft Kaiser Heinrich's III. in Italien gedämpft wurde. Diese Anwesenheit des Kaisers veranlaßte das Concilium von Sutri, in der Nähe Roms, im Jahre 1046. Hier hielten die versammelten Väter dem Papste Gregorius vor, daß seine Beförderung zur päpstlichen Würde doch eigentlich auf dem Wege der Simonie zu Stande gekommen sei. Der Papst verstand diesen Wink, dankte ab und begab sich in das Kloster von Cluny, wo er seine Tage gottselig beschloß. Statt seiner wurde

Clemens II.,

ein Sachse, Namens Suidger, Bischof von Bamberg, zum Papste erwählt. Da bemühete sich Benedict IX. noch einmal, sich der päpstlichen Würde zu bemeistern, leistete aber nach einigen Monaten ganz darauf Verzicht und begab sich, seine Thorheiten und Vergehungen zu bereuen und abzubüßen, in ein Kloster, wo er im Jahre 1054 starb. — Clemens war ein sehr tugendhafter Papst und eiferte heftig gegen die Simonie. Leider verwaltete er die Kirche nur neun Monate und einige Tage.

Damasus II.,

ein Baier, hieß zuvor Poppo und war Bischof von Brixen. Er wurde an demselben Tage erwählt, als Benedict IX. sich auf immer der päpstlichen Würde begab, starb aber schon zu Palestrina einige Tage nach seiner Erwählung.

Leo IX.,

ein Elsasser, Namens Bruno, Sohn Hugo's, Grafen von Egesheim, war zuvor Bischof von Toul und wurde 1048 zu Worms durch den Einfluß seines Vetters, des Kaisers Heinrich III., von den dort versammelten Bischöfen, den Großen des Reichs und den Legaten der römischen Kirche zum Papste erwählt. Er konnte sich gar nicht in seine neue Lage finden und trat in Pilgerkleidung den Weg nach Rom an; erst das laute, freudige Zurufen des römischen Volkes konnte ihn bestimmen, den päpstlichen Thron zu besteigen. Nun aber trat er auch mit aller Kraft und Thätigkeit in seinem neuen Wirkungskreise auf: in Italien, Frankreich und Deutschland berief er Concilien, um wo möglich mit dem größten Nachdrucke den beiden schrecklichen Geißeln jener Zeit, wo die Geistlichkeit in das tiefste Sittenverderbniß versunken war, der Simonie und dem Concubinate, zu begegnen. Um jene Zeit verbreitete Berengar, Archidiakon von Angers und Schatzmeister und Scholaster der Abtei des h. Martinus zu Tours, seine Irrlehre über die wesentliche Gegenwart Jesu Christi im Altars=Sacramente, welche er zwar in irgend·einer Weise, nur nicht ganz im Sinne der Kirche, annahm. Papst Leo berief gegen ihn im Jahre 1050 ein Concilium, auf welchem die neue Lehre verworfen wurde. Auf einem in dem darauf folgenden Jahre gehaltenen Concilium wurde als Decret gegen das Concubinat erlassen: „daß alle Weiber, welche innerhalb Roms sich mit Priestern abgeben würden, verurtheilt werden sollten, lebenslänglich im Lateran=Pallaste Sclavendienste zu thun." Im Jahre 1053 fachte Michael Cerularius, Patriarch von Constantinopel, das Feuer der Zwietracht zwischen seiner Kirche und der von Rom wieder an, indem er an Johannes, Bischof von Trani in Apulien, einen Brief sandte, welchen dieser dem Papste und der gesammten Geistlichkeit des Abendlandes mittheilen sollte. In diesem Sendschreiben erklärte der hochmüthige Patriarch vorzüglich um dessentwillen die römische Kirche für ketzerisch, weil sie in ungesäuertem Brode consecrire, und sagte sich von derselben feierlich los. Papst Leo beantwortete bündig die Vorwürfe Michael's, verfaßte eine vortreffliche Apologie für die von den Lateinern beobachtete Kirchen=Praxis und sandte Legaten nach Constantinopel, welche das Anathem über den Patriarchen aussprachen. Dieser aber schloß gegenseitig die Legaten von der Kirchengemeinschaft aus, und so blieb die durch Photius zuerst entschieden herbeigeführte, und durch Michael Cerularius vollendete, Spaltung zwischen den Kirchen des Morgen= und Abendlandes, aller zur Wiedervereinigung gemachten

Verfuche uneradjtet, bis auf unfere Zeit beftehen. Ganz um diefelbe Zeit, als Leo gegen ben Patriarchen Conftantinopels zu kämpfen hatte, wurde er auch von den Normannen bes brängt; er begab fich beßhalb nach Deutfchland, wo er um Hülfe bat, die ihm auch bewilligt wurde. Selbft zog er hier= auf dem Feinde entgegen, wurde aber gefchlagen und gerieth in der Nähe von Benevent in Gefangenfchaft, in welcher er ein Jahr unter Bußübungen zubrachte, bis er im Jahre 1054 durch feine Befieger felbft, feinem Wunfche gemäß, nach Rom zurückgeführt wurde, aber fchon am 19. April des folgenden Jahres ftarb. — Er hat mehre Schriften zurückgelaffen, und die Kirche verehrt ihn als einen Heiligen.

Victor II.,

ein Schwabe, Sohn Harbuin's, Grafen von Kalco, hieß zu= vor Gebhard und war Bifchof zu Eichftädt. Hildebrand, Sub= diakon der römifchen Kirche (der nachherige Papft Greger VII.), wurde von der Geiftlichkeit Roms an Kaifer Heinrich III. gefandt, um diefen zur Einwilligung zu bewegen, daß Gebhard, fein Verwandter und Rath, den apoftolifchen Stuhl befteige. Nach einigem Widerftande von Seiten des Kaifers und des Bifchofs gelang es dem Legaten endlich, feinen Auf= trag durchzufetzen; er begleitete hierauf Gebharden nach Rom, wo diefer einftimmig als Papft anerkannt wurde und den Na= men Victor annahm. Auf einem zu Florenz gehaltenen Con= cilium fetzte er mehre Bifchöfe ab, welche der Simonie über= führt waren. Doch eben diefer fein großer Eifer für die Wie= derherftellung' der Kirchen=Disciplin zog ihm vielfältige Feinde zu, und ein Subdiakon verfuchte es, ihm im Kelche Gift bei= zubringen, was der Papft aber noch glücklicher Weife ent= deckte. — Er ftarb im Toscanifchen, wahrfcheinlich zu Flo= renz, im Jahre 1057.

Stephanus IX. oder X.,

ein Lothringer, Sohn Gotelon's, Herzogs von Niederlothringen, und Bruder Gottfried's des Bärtigen, Benedictiner und zuletzt

Abt auf Monte-Cassino, hielt gleich, nachdem er zur päpstlichen Würde gelangt war, mehre Concilien, um dem Sitten-
verderbnisse der Geistlichkeit abzuhelfen. Alle diejenigen Priester,
welche sich gegen die Enthaltsamkeit vergangen hatten, wurden, selbst nach Verlassung der Gemeinschaft mit ihren Concubinen
und geleisteter schwerer Buße, noch auf einige Zeit vom Presbyterium, auf immer aber von der Darbringung des h. Meßopfers ausgeschlossen. — Stephanus starb im Jahre 1058 zu
Florenz, im Rufe der Heiligkeit.

Benedictus X.,

ein Römer, kam durch die Ränke einer mächtigen Partei auf
den römischen Stuhl, von welchem er aber einige Monate
nachher verjagt wurde. — Er starb am 18. Januar 1059,
und wird von Vielen nicht in die Reihenfolge der Päpste
aufgenommen.

Nicolaus II.,

aus Burgund, Bischof von Florenz, welchen bischöflichen Sitz
er neben dem römischen Pontificate noch beibehielt, verordnete
auf einem zu Rom gehaltenen Concilium, daß in Zukunft die
Papstwahl, um dem stürmischen Einflusse des römischen Volkes auf dieselbe ein Ende zu machen, auf die Cardinäle be-
schränkt sein solle. Als die Normannen die der Kirche geraub-
ten Landschaften größtentheils wieder herausgaben, nahm er
ihnen den Kirchenbann ab und ging ein Bündniß mit ihnen
ein. — Er starb kurz darauf zu Florenz im Jahre 1061. Wir
besitzen von ihm neun Briefe in Angelegenheiten Frankreichs.

Alexander II.,

ein Mailänder und Bischof von Lucca. Da Kaiser Heinrich
IV., dieser leidenschaftliche Schutzherr der Simonie, keinen
Antheil an der Erhebung Alexander's auf den apostolischen
Stuhl gehabt hatte, so stellte er ihm den Cadalous, Bischof
von Parma, der wegen seines schlechten Lebenswandels berüchtigt war, und sich den Namen Honorius II. beilegte, entgegen. Doch behielt Alexander die Oberhand, vertrieb seinen

Gegner aus Rom und belegte ihn auf mehren Concilien mit dem Anathem. Als um jene Zeit in Frankreich eine schreckliche Judenverfolgung Statt fand, belobte er die französischen Bischöfe in einem Schreiben an dieselben, daß sie an diesen Grausamkeiten keinen Theil genommen hätten. An Harold, König von Norwegen, schrieb er unter Anderm: „Da Du in der Glaubenslehre und in heiliger Zucht noch wenig unterrichtet bist, es Uns aber, die Wir allen Kirchen vorzustehen haben, obliegt, durch fleißigen Unterricht Dich immer mehr zu belehren, hingegen aber auch die weite Entfernung Uns daran hindert: so haben Wir Unserm Legaten, dem Erzbischofe von Bremen, deßhalb den Auftrag ertheilt. So sei denn versichert, daß Du, wenn Du seiner Stimme folgst, dem heiligen Stuhle zu Rom selbst Gehör leistest." Hildebrand, sein Nachfolger, der schon damals fast ausschließlich die Geschäfte der Kirche leitete, rieth ihm, den Kaiser Heinrich IV. nach Rom zu fordern, um sich wegen der gegen ihn erhobenen Klagen zu rechtfertigen. Alexander erlebte aber die Antwort des Kaisers nicht mehr, und starb im Jahre 1073, nachdem er 11 Jahre, 6 Monate und einige Tage regiert hatte. Wir besitzen mehre Briefe von ihm.

Gregorius VII.

führte vor seiner Erhebung auf den Stuhl des h. Petrus den Namen Hildebrand. Ueber sein Herkommen sind die meisten Geschichtschreiber nicht unter einander einig; doch stimmen viele darin überein, daß er von einer alten adeligen Familie aus dem Toscanischen abstamme, womit sich doch auch allerdings die Behauptung Einiger verbinden läßt, nach welcher er der Sohn eines Zimmermanns gewesen sein soll, da es in jenen stürmischen Zeiten nicht sehr zu verwundern sein mochte, wenn ein altadeliges Geschlecht zuletzt der gewerbtreibenden Volksklasse angehörte. Er wurde etwa um das Jahr 1020 zu Soana im Toscanischen geboren. Noch als Knaben schickte man ihn nach Rom in das Benedictiner-Kloster auf dem Berge Aventino, wo seiner Mutter Bruder dazumal Abt war. Da aber um jene

Zeit das Sittenverderbniß besonders unter der römischen Geistlichkeit gar so groß war, so fürchtete der bereits hochgealterte
Oheim Hildebrand's für die Sittenreinheit des ihm anempfoh-
lenen jungen Verwandten und schickte denselben deßhalb in seinem 16. Jahre in das Benedictiner-Kloster zu Cluny in Frankreich, welchem der h. Odilo vorstand und seine Mönche unter
sehr strenger Ordenszucht hielt. Kaum hatte Hildebrand hier
das 24. Jahr seines Alters zurückgelegt, als er schon von seinem h. Abte zur Verbesserung der Klosterzucht nach Rom auf
den aventinischen Berg zurückgeschickt wurde. Der junge Refor-
mator nahm seinen Weg durch Deutschland und fand Gelegenheit, am Hofe Heinrich's III. Eingang zu erhalten. Nach Rom
zurückgekehrt, überstrahlte er bald alle seine Klostergenossen eben
so durch seinen Tugendeifer, als durch die Ausbildung seiner
Talente; da er aber wegen strenger Befolgung der Ordensre-
geln seinen Mitbrüdern, die leicht und losgebunden lebten, zu
allerhand Neckereien gegen ihn Anlaß gab, so entschloß er sich,
wieder nach Frankreich zurückzugehen; auch hatte er den Weg
dahin schon angetreten, als er plötzlich wieder im Kloster erschien, vorgebend, ein Traumgesicht habe ihm gezeigt, daß diese
Reise dem Willen Gottes entgegen sei. Bald darauf mußte er
doch wider seinen Willen Gregor VI., der auf seine Talente
aufmerksam geworden war, eben als derselbe der päpstlichen
Würde entsagt hatte, nach Frankreich begleiten. So kam er
denn wieder nach Cluny, in welches Kloster sich der Papst zu-
rückzog; hier nöthigten ihn die Mönche, bei ihnen zu bleiben,
und wählten selbst den erst 27jährigen Mitbruder zu ihrem
Prior. Die Päpste Clemens II. und Damasus II. waren unterdessen bald nach einander mit Tode abgegangen, als der meinei-
dige Benedict IX. die Kirche durch seine Geltendmachung als
Papst in große Verwirrung setzte. Da ging die römische Geistlichkeit den Kaiser Heinrich III. an, er möge in dieser Angelegenheit Vermittler sein und einen würdigen Mann zum
päpstlichen Throne in Vorschlag bringen, wobei sie ihm den
Wunsch nach dem gottesfürchtigen Bruno, Bischof zu Toul in

Lothringen, einem Verwandten des Kaisers, nicht verheimlichten. Als Gregor VI. zu Cluny auch von der Verwirrung hörte, schickte er den jungen Prior Hildebrand an den kaiserlichen Hof, um ihm wieder zum päpstlichen Stuhle zu verhelfen. Im Jahr 1047 kam Hildebrand in Worms an, konnte aber den Zweck seiner Sendung nicht erreichen, weil der Kaiser sich schon für den Bischof Bruno erklärt hatte; doch zog er, besonders durch seine geistliche Beredsamkeit, die Aufmerksamkeit des Kaisers und des Bischofs Bruno, so wie auch aller anwesenden Kirchenprälaten, dergestalt auf sich, daß Bruno ihn zu seinem Reisegefährten nach Rom wählte. Von nun an blieb Hildebrand unausgesetzt der Rathgeber des neuen Papstes, welcher den Namen Leo IX. angenommen hatte, und wurde dem Benedictiner-Kloster zu St. Paulus, welches sehr in Verfall gerathen war, als Abt vorgesetzt. Schon unter dem Papste Gregor VI. war Hildebrand römischer Cleriker geworden; sein nunmehriger Beschützer aber erhob ihn zum Archidiakon der römischen Kirche. Victor II., Leo's Nachfolger, bediente sich ebenfalls der weisen Einsichten Hildebrand's und schickte ihn als apostolischen Legaten nach Frankreich, wo er im Namen des Papstes den Kirchenversammlungen zu Lyon und zu Turon vorstand. Auf dieser letztern, wo ihm der Cardinal Gerhardus zur Seite gesetzt war, schwur Berengarius seine eucharistischen Irrlehren ab, und wurde nach abgelegtem katholischem Glaubensbekenntnisse wieder in die Gemeinschaft der Gläubigen aufgenommen. Auf seinem Heimwege nach Italien i. J. 1057 erfuhr Hildebrand, daß Papst Victor in Tuscien gefährlich krank liege; er eilte dahin und verblieb dort bis zu Victor's Tode. Da ersuchte die römische Geistlichkeit den Cardinal Friedrich, Abt auf dem Berge Cassino, daß er ihnen den würdigen Nachfolger Victor's bezeichne. Nebst vier Bischöfen schlug dieser nun auch den apostolischen Legaten Hildebrand zum Papste vor; doch wurde er zuletzt selbst am St. Stephanstage gewählt und bestieg unter dem Namen Stephan X. den päpstlichen Thron. Gleich im Anfange seiner Regierung schickte er den Legaten Hildebrand

nach Mailand, um die dortigen kirchlichen Mißhelligkeiten beizulegen, und hierauf — nach Kaiser Heinrich's III. Tode —
an die verwitwete Kaiserinn Agnes. Als auch dieser Papst
nach einer nur kurzen Regierung starb, gerieth Rom aufs Neue
in Verwirrung, worauf an Hildebrand, welcher sich, nachdem
Benedictus X. verjagt worden war, auf seiner Rückreise begriffen, in Florenz aufhielt, ein Schreiben erlassen wurde, er
möge den Römern einen würdigen Nachfolger des h. Petrus
vorschlagen. Hildebrand nannte ihnen den damaligen Bischof
von Florenz, welcher denn auch unter dem Namen Nicolaus II.
auf den päpstlichen Stuhl kam. Nach dessen Tode bestimmte
Hildebrand die Römer, den Anselmus, Bischof von Lucca, zum
Papste zu wählen; die Römer waren deß zufrieden, und Anselmus nannte sich, als Papst, Alexander II.

Nachdem dieser etwas länger als eilf Jahre die Kirche Gottes regiert hatte, entstand, eben nach geschehener Beerdigung
desselben, ein ungemein großer Zulauf des Volkes und der
Geistlichkeit in der Lateran-Kirche, und Alle riefen einstimmig den
Archidiakon Hildebrand zum Papste aus. Dieser stieg bestürzt
auf die Kanzel und suchte das Volk von seinem Vorhaben zurückzubringen. Doch half ihm sein Widerstreben nicht: unter
Weinen und Wehklagen mußte er sich mit den Insignien der
päpstlichen Würde bekleiden und zum Stuhle des h. Petrus gewaltsam schleppen lassen—im Jahr 1073, am 22. April, da er
ungefähr 53 Jahre alt geworden war. Hildebrand, welchem bei
dieser einstimmigen Erwählung der Name Gregor VII. durch
die römische Geistlichkeit selbst war beigelegt worden, schickte
am folgenden Tage eine Gesandtschaft an den Kaiser Heinrich
IV. mit der Bitte, er möge sich gegen diese Wahl der Römer
erklären; im Falle jedoch, daß er diese Wahl mit seinem höchsten Ansehen bestätige, könne er versichert sein, daß der neue
Papst seine offenbaren Laster, die Verleihung der höchsten geistlichen Würden für Geld an die verrufensten Individuen, und
seinen höchst ärgerlichen Lebenswandel als Reichs-Oberhaupt
im Allgemeinen, nicht ungeahndet hingehen lassen werde. Vielen

deutschen und lombardischen Bischöfen, die sich auf dem Wege
der Simonie in ihre Bisthümer eingedrungen hatten, wollte
die Wahl Hildebrand's zum Papste durchaus nicht zusagen,
da sie von seinen bekannten strengen sittlichen Grundsätzen und
von seinem festen, unerschütterlichen Charakter, den er schon
bei vielen kirchlichen Vorkommenheiten an Tag gelegt hatte,
sich keine Schonung versprechen konnten. Sie riethen daher
dem jungen Kaiser, diese durch die Römer ohne sein Vorwissen
vorgenommene Ernennung nicht zu bestätigen und den neugewähl-
ten Papst nicht anzuerkennen. Der Kaiser, welcher fürchten
mochte, daß eine solche geradezu erklärte Widersetzlichkeit von
seiner Seite, bei dem bekannten Hange der Römer zu Aufruhr
und Hartnäckigkeit, doch wohl nicht den erwünschten Erfolg
haben könnte, wobei er dann ins größte Gedränge kommen
mußte, begnügte sich damit, wenn er auch schon damals, wie
die bald darauf folgenden Ereignisse mit Grunde vermuthen
lassen, im Sinne hatte, den Papst zu stürzen, seinen Vertrauten,
den Grafen Eberhard von Nellenburg, nach Rom zu senden,
um nach dem Hergange dieser Wahlangelegenheit sich näher
zu erkundigen. Der kaiserliche Abgesandte wurde von dem Papste
mit besonderer Höflichkeit aufgenommen und erhielt von ihm
die Erklärung, daß er gegen seinen Willen auf den apostolischen
Stuhl erhoben worden sei; auch habe er gleich erklärt, sich
nicht eher zum Papste weihen lassen zu wollen, als bis der Kaiser
und die Reichsfürsten ihre Einwilligung dazu gegeben haben
würden. Als der Kaiser durch seinen Gesandten diese Antwort
erhielt, glaubte er nichts gegen Hildebrand unternehmen zu
dürfen und bestätigte dessen Erhebung zur päpstlichen Würde;
und so empfing denn Hildebrand in der Pfingstzeit desselben
Jahres die Priesterweihe, ward Bischof am Feste Petri und
Pauli und behielt den ihm von den Römern schon beigelegten
Namen Gregor VII. als Papst bei. — Wennschon im zehnten
Jahrhunderte die Kirche durch mehre unwürdige Oberhäupter,
rechtmäßig erwählte oder eingedrungene, durch die Doppelgei-
ßel der Simonie und des Concubinates und durch ein fast all-

gemeines, theils verfeinertes, theils rohes Sittenverderbniß, so des Clerus als der Laien, in große Bedrängniß versetzt worden war: so schienen doch im eilften Jahrhundert alle diese Uebel den höchsten Grad erreicht zu haben, und um die Verwirrung auf den Gipfel zu treiben, kam noch hinzu, daß das weltliche Oberhaupt, Kaiser Heinrich IV., wie aus Grundsatz, diesen schrecklichen Sittenverfall beförderte und gleichsam unter seinen besondern Schutz nahm. Kaum zum Knaben, näher dem Jünglinge, herangewachsen, wurde er der sorgsam bildenden Hand des h. Erzbischofs Anno von Köln entrissen; der eigennützige Schmeichler Albert, Bischof von Bremen, bemeisterte sich ganz des jungen Kaisers, hieß seine Ausschweifungen gut, gab ihnen Gelegenheit und Nahrung und regierte das Reich fast ganz eigenmächtig. Dazu gesellte sich ein gewisser junger Graf Werner, der von allen Leidenschaften wild umhergetrieben wurde; dieser bannte den Kaiser mit Leib und Seele an sich und machte ihn zum beständigen Genossen seiner Ausschweifungen. Durch die Schenkungen und Bepfründungen der bischöflichen Sitze und der Stifter hatten die Kaiser sich das Recht der Investitur erworben; Heinrich aber verkaufte die geistlichen Würden ganz ohne Scheu, und ohne auf den sittlichen Charakter der Bewerber zu sehen. Welch einer großen Gefahr die Kirche Gottes unter solchen grausenerregenden Verhältnissen ausgesetzt war, liegt am Tage; eben so einleuchtend ist es aber auch, daß nur ein an Geistesgaben, Tugenden und Charakterfestigkeit außerordentlicher Mann, in jenen Zeiten von der Fürsehung Dessen geweckt, Der da verheißen hat, Seine Kirche werde fortdauern auch gegen die Macht der Höllenpforten, geeignet war, die Kirche Gottes zu regieren. Ein solcher war Gregorius VII. Das durch Heinrich's Ausschweifungen der ganzen Christenheit gegebene Aergerniß, die schauderhaften Unbilden, welche er durch Simonie und das dadurch beförderte Sittenverderbniß des höhern und niedern Clerus der Kirche Gottes zufügte, veranlaßten den Papst endlich, ihm diese Vergehen vorzuhalten und ihn, obzwar ernst,

aber doch mit aller dem Staats-Oberhaupte gebührenden Achtung, zur Besserung seines Lebenswandels und zur Unterlas-
sung seines feindseligen Benehmens gegen die Kirche aufzufor-
dern. Heinrich versprach Besserung, indem er sich dem Papste
demüthig unterwarf und sich einen folgsamen Sohn der Kirche
nannte. Heimlich aber war Guibert, Erzbischof von Ravenna,
auf des Kaisers Anstiften bemüht, den Cencius, Sohn des
Präfecten Roms, einen verrufenen Wüstling und gewaltsamen
Ruhestöhrer, gegen den Papst aufzuhetzen. Cencius sammelte
seine zuverlässigsten Spießgesellen um sich, drang in der h.
Christnacht in die Kirche Maria major ein, schleppte den
Papst, der eben Messe-Feier hielt, vom Altare weg und ließ
ihn in einen Thurm einsperren, von wo er nach Deutschland
gebracht werden sollte. Die Römer, hierüber empört, bemeister-
ten sich des Thurmes und befreiten den Papst. Dieser forderte nun den Kaiser zur Rechenschaft auf, worauf derselbe
Gesandte nach Rom schickte, den Papst zu beschwichtigen, und
wiederholt Besserung versprach. Gregor erließ durch die Gesandten ein Schreiben an ihn, worin er ihn mit aller seinem erhabenen Amte zustehenden Gewalt zu einer aufrichtigen Reue und Buße ermahnte. Ehe aber noch Heinrich's
Gesandte nach Deutschland zurückgekehrt waren, hatte dieser zu
Worms eine Synode von 24 Bischöfen versammelt; hier wurde Gregor der unerhörtesten Laster und Gräuelthaten, unter
andern auch des persönlichen Umganges mit dem Teufel, beschuldigt und der päpstlichen Würde entsetzt. Kaum war der
Papst hiervon benachrichtigt, als er seinerseits eine Synode zu
Rom hielt, auf welcher das Investitur-Recht der Kaiser für
aufgehoben, Heinrich mit dem Kirchenbanne belegt, die Regierung ihm einstweilen untersagt und das Reich als des Gehor-
sams gegen ihn entbunden erklärt wurde. Gregor bediente sich
hier des in damaliger Zeit von Volk und Fürsten für geltend angenommenen Rechtes der Päpste, nach welchem dieselben sich auch in so fern als Richter der weltlichen Machthaber
betrachteten, als diese eben durch ihre weltliche Macht der

Kirche Gottes schaden oder nutzen könnten. Hätte sich Heinrich übrigens auf Deutschland und die Lombardei verlassen dürfen, dann würde ihm dennoch dieser Bannstrahl Gregor's wenig geschadet haben; die Deutschen aber, und unter diesen besonders die Sachsen, waren seines ausschweifenden Lebenswandels auch endlich müde, und nur die durch Simonie beförderten Bischöfe und Aebte hingen ihm an, so daß selbst den meisten Großen des Reiches das von Rom aus gegen den Kaiser ergangene Urtheil willkommen war, weßhalb sie sich zur Wahl eines neuen Reichs-Oberhauptes verbanden, indem sie ihr Augenmerk auf Rudolph von Schwaben gerichtet hatten. Gregor mißbilligte aber diesen voreiligen Schritt, da er dem Kaiser Heinrich nur für einstweilen die Regierung untersagt habe, und wünschte, daß in Augsburg ein Reichstag zu Stande kommen möge, wo, im Beisein des Papstes und des Kaisers, die ganze Angelegenheit gemeinschaftlich geschlichtet werde. Heinrich suchte dieser mißlichen Lage auszuweichen, und als der Papst zur strengsten Winterszeit schon auf dem Wege nach Deutschland begriffen war, kam der Kaiser ihm zuvor und begab sich nach Italien. Gregor, der besorgt war, was Heinrich im Schilde führen möge, zog sich in die, der Gräfinn Mathilde gehörige, Feste Canossa zurück, weil der wankelmüthige und eidbrüchige Charakter seines Gegners ihm diese Vorsicht anrieth. Heinrich schickte Gesandte an den Papst, durch welche er demselben seine Unterwürfigkeit unter die Kirche und ihr Oberhaupt versichern ließ, und daß er bereit sei, alle und jede Genugthuung wegen seines frühern Betragens zu leisten, wenn der Papst ihn nur vom Kirchenbanne lossprechen wolle. Dieser gab hierüber keine bestimmte Erklärung von sich, sondern ließ dem Kaiser nur durch seine Gesandten den frühern ausschweifenden Lebenswandel ernstlich verweisen. Hierauf erschien endlich Heinrich selbst im Aufzuge eines öffentlich Büßenden, mit entblößtem Haupte, barfuß und mit einem leinenen Bußkleide angethan, nur von wenigen seiner Anhänger begleitet, vor der Feste, den Papst unausgesetzt um Lossprechung vom

Kirchenbanne anflehend. Gregor erklärte: er glaube, daß er dieses ohne vorhergegangene Beredung mit den Reichsfürsten nicht thun dürfe, da ja der ganze Handel zu Augsburg geschlichtet werden sollte. Heinrich aber hörte nicht auf, zu flehen und zu bitten, und verweilte in der bezeichneten Weise bis zum dritten Tage vor Canossa. Er unterwarf sich hier nur den damals üblichen Formen der öffentlichen Kirchenbuße, und leistete diese hinsichtlich seiner schweren Verbrechen des Meineides an Kirche und Papst, und des Aergernisses, das er im Angesichte des ganzen Reiches gegeben hatte, durchaus nicht einmal in dem Verhältnisse, nach welchem geringere Vergehen damals noch viel schwerer abgebüßt werden mußten. Dem unbeständigen und so tief gesunkenen Kaiser noch immer nicht trauend, ließ der Papst sich endlich aber durch seine Umgebung dahin bewegen, Heinrich vom Banne zu lösen und ihn wieder in die Kirchengemeinschaft aufzunehmen; zugleich verlangte er aber auch, daß der Kaiser sein gegebenes Versprechen schriftlich bekräftigen, und von dem zusammen zu berufenden Reichstage sein Urtheil erwarten solle. Der Kaiser erklärte sich hierzu bereitwillig; Gregor selbst aber berichtete auf der Stelle den ganzen Hergang der Sache an die Großen des Reichs. Die Lombarden, ebenfalls des Kaisers überdrüssig, ergriffen diese Gelegenheit, ihn, angeblich wegen seiner zaghaften Verdemüthigung, zu verlassen, und riefen seinen unmündigen Sohn Konrad zum Kaiser aus; die Sachsen hingegen verdachten es dem Papste sehr, daß er den Kaiser ohne ihre Zustimmung vom Kirchenbanne befreit habe, und erklärten sich nun deutlicher für Rudolph von Schwaben. Kaum waren diese Anschläge dem Kaiser Heinrich zu Ohren gekommen, als er sein dem Papste gegebenes Versprechen für nichtig und sich wieder laut gegen ihn erklärte. Noch immer aber weigerte sich Gregor, seine Zustimmung zur förmlichen Absetzung Heinrich's zu geben; er ermahnte ihn vielmehr fortwährend zur Buße und drang auf die Einberufung des Reichstages. Als aber endlich von allen Seiten her die Klagen gegen den Kaiser sich vermehrten und das bis dahin Unerhörte von ihm berichteten, daß er seinen Ausschweifungen nicht allein keinen Einhalt gethan, sondern sogar sich so weit verging, die Bisthümer als ein Entgelt für die Befriedigung widernatürlicher Laster hinzugeben, auch den wiederholten Ermahnungen Gregor's ungeachtet sich vor den Reichstag nicht stellen wollte: da schloß dieser sich dem Ausspruche der deutschen Fürsten an, erklärte Heinrich seiner Kaiserwürde verlustig, und erkannte Rudolph von Schwaben als Kaiser an. Heinrich hatte früher selbst dem Papste ein solches Recht über den Kaiser eingeräumt, da er ihm schrieb: „Ein Fürst hat nur Gott zu seinem Richter, und kann um keines Verbrechens willen abgesetzt werden, es sei denn, er werde dem Glauben abtrünnig." Nun lag es doch am Tage, daß das Betragen Heinrich's für Kirche und Staat unabsehbar verderblicher war, als wenn er geradezu sich als Apostaten bekannt hätte. Obgleich ihm nun durch seine Verwerfung von Seiten des Papstes das Schlimmste widerfahren war, so hatte er doch noch immer Einige, die ihm anhingen. Er berief daher nach Mainz ein Concilium, den Papst abzusetzen; doch vermochte er dazu anfänglich nur 19 Bischöfe zu bewegen, welche endlich durch alle möglichen Umtriebe so viel bewirkten, daß ihnen noch 11 beitraten, nebst mehren deutschen und italienischen Fürsten, welche sich sämmtlich zu Brixen in Tyrol im Jahre 1080 versammelten. Blancus, welchen der Papst wegen seines unanständigen Wandels schon seit geraumer Zeit der Cardinal- und Legatenwürde entsetzt hatte, maßte sich's an, in diesem Pseudo-Concilium, Namens der römischen Kirche, den Vorsitz zu führen. Hier wurde nun Gregor VII. als Reichsverwüster, Verächter des Kaisers, als den berengarischen Irrthümern zugethan und endlich als Wahrsager, Traumdeuter und offenbarer Schwarzkünstler (negromanticus) angeklagt, verurtheilt und abgesetzt. Obgleich einige Bischöfe, da sie dieses Ergebniß der brixener Versammlung gewahr wurden, dem gefaßten Beschlusse sich widersetzen wollten, so erreichte die Mehrzahl doch durch Drohungen und stürmische Gewalt ihren Zweck, und Guibert, Erzbischof von Ravenna, ließ sich unter dem Namen Clemens III. zum Papste ausrufen. Unterdessen war Gregor zu Rom für das Heil der Kirche nicht müßig gewesen; er wiederholte nochmals, um der Simonie Einhalt zu thun, das Decret gegen das Investitur-Recht und ergriff die entschiedensten Maßregeln zur Aufrechthaltung des Cölibats der Geistlichkeit in den höhern Weihen, und zur gänzlichen Ausrottung des Concubinates, wobei er sich auf die Schriften der Kirchenväter und die Aussprüche mehrer Concilien, unter andern auf die beiden allgemeinen Kirchenversammlungen von Nicäa und Chalcedon berief; wie denn auch nur gänzliche Unwissenheit in der Kirchengeschichte ihn als den Urheber des geistlichen Cölibates erkennen kann. Zugleich forderte Gregor auch die Fürsten und Völker Europa's in den feurigsten Ausdrücken zum Kampfe gegen die Sarazenen auf, von welchen die Christen des Morgenlandes viel zu leiden hatten; doch vergebens: die Reichsangelegenheiten im Occidente waren selbst in zu großer Verwirrung. — Heinrich wagte es, mit seinem Nebenbuhler Rudolph in den Kampf zu gehen, und zeigte hierbei eine Kraft und Entschiedenheit, die man früherhin an ihm nicht gewohnt gewesen war; Rudolph wurde besiegt und verlor Krone und Leben. Nun zog Heinrich in Begleitung des Gegenpapstes Guibert, den aufs Neue erfolgten Bannstrahl Gregor's nicht fürchtend, mit seinen Scharen über die Alpen und hatte sich bald Roms bemeistert, worauf er den Papst in der Engelsburg belagerte. Dieser vertheidigte sich heldenmäßig und war immer der Erste da zugegen, wo die größte Gefahr sich zeigte; doch mußte er endlich dem überlegenen feindlichen Andrange weichen und war nahe daran, Heinrich's Gefangener zu werden, wenn nicht Robert Guiscard, Herzog von Apulien, zu seiner Befreiung herbei geeilt wäre. Heinrich hob nun die Belagerung auf, zog sich nach Deutschland zurück und überließ Italien der Verwirrung. Der Anhang, welchen er sich in Rom gewonnen hatte, und an dessen Spitze Guibert stand, quälte und mißhandelte Gregor'n aber so lange, bis er sich endlich unter Guiscard's

Schutz nach Salerno begab. Nach einem kurzen Aufenthalte
daselbst wurde er von einer schnell um sich greifenden Abneh-
mungskrankheit befallen, und als er sein Ende herannahen
fühlte, bestieg er die Kanzel' der Hauptkirche zu Salerno, ermahnte die anwesende Gemeinde, im alten eucharistischen Glauben zu verharren, und sich durch die berengarischen Irrthümer
nicht abwendig machen zu lassen; nachdem man ihm die Stola
umgehängt hatte, sprach er alle Excommunicirten, außer den
Kaiser Heinrich, den Afterpapst Guibert und ihren Anhang,
vom Kirchenbanne los, und kroch auf den Knieen bis zum
Sacrarium, wo er eigenhändig das Viaticum zu sich nahm.
Hierauf ließ er sich in seine Wohnung bringen, und ermahnte
die um ihn versammelten Cardinäle ernstlich, die oben benannten Excommunicirten ja erst nach strenger, aufrichtig geleisteter Buße in die Kirchengemeinschaft wieder aufzunehmen, und
nachdem er ihnen drei treffliche Männer in Vorschlag gebracht
hatte, aus denen sie seinen Nachfolger wählen sollten, rief er
aus: „Ich habe die Gerechtigkeit geliebet und die Bosheit ge-
hasset, darum sterbe ich in der Verbannung!" worauf er nach
einem kurzen Schlummer in das ewige Leben überging, am
25. Mai des Jahres 1085, im 13. Jahre seiner Regierung
und im 65. seines Alters. Sein Leichnam wurde in der von
ihm eingeweihten Hauptkirche des h. Matthäus zu Salerno
beigesetzt. Nachdem er hier während 500 Jahre beerdigt ge-
legen hatte, wurde er im Jahre 1577 erhoben und noch ganz
unverwesen befunden, wobei der gelehrte Cardinal Baronius
als Zeuge zugegen war. Papst Gregor XIII. ließ im Jahre
1584 seinen Namen in das römische Martyrologium eintra-
gen, und im Jahre 1609 versetzte Papst Paulus V. ihn unter
die Zahl der Seligen. Wir besitzen von Gregorius VII. noch
neun Bücher Briefe von hoher Wichtigkeit, welche diesen
außerordentlichen Mann in seiner ganzen Größe charakterisiren.

Victor III.,

von Benevent, aus dem Hause der Herzoge von Capua, hieß
früher Desiderius, war Cardinal und Benedictiner-Abt. Nach-

dem er sich, seine schwierige Lage überdenkend, lange geweigert hatte, den Stuhl des h. Petrus zu besteigen, doch endlich gleichsam dazu gezwungen wurde, versammelte er zu Benevent im Augustmonate des Jahres 1087 die Bischöfe Apuliens und Calabriens, sprach die Absetzung Guibert's aus, und erneuerte das Decret Gregor's gegen die Investituren. Zu gleicher Zeit nahm er sich eines Kreuzzugs gegen die Sarazenen, welcher glücklich für die Christen ausfiel, sehr lebhaft an; doch noch während der Dauer des Conciliums erkrankte er, und nachdem man ihn, seinem Verlangen gemäß, nach dem Monte-Cassino gebracht hatte, starb er daselbst, angeblich durch Kaiser Heinrich's Anhänger vergiftet, am 16. September desselben Jahres. Er hinterließ mehre Schriften.

Urbanus II.,

aus Chatillon an der Marne, war Cardinal und Benedictiner. Er that mit großem Eifer den Fortschritten der Irrlehren und Mißbräuche Einhalt und legte viel Würde und Klugheit in seinem Betragen gegen den Afterpapst Guibert an Tag. Im Jahre 1095 stand er dem berühmten Concilium von Clermont in der Auvergne vor. Hochbegeistert sprach er sich für die Veranstaltung des ersten großen Kreuzzuges gegen die Sarazenen aus, und verlieh Nachlaß der Kirchenstrafen und Sicherstellung der Besitzungen denjenigen, welche sich an diesen Heereszug, als Erkämpfer des heiligen Grabes, anschließen würden. — Papst Urban starb am 29. Juli des Jahres 1099, vierzehn Tage nach der Eroberung Jerusalems durch die Kreuzfahrer. Wir besitzen von ihm 59 Briefe.

Paschalis II.,

aus dem Toscanischen, ein Benedictiner, sprach gleich nach seinem Antritte des Pontificates den Bann über den Gegenpapst Guibert aus, wies mehre römische Große, welche das Volk mißhandelten, mit Nachdruck in ihre Schranken zurück, und berief mehre Concilien. Wegen des Investitur-Rechtes gerieth er in heftige Streitigkeiten mit Heinrich I., König von

England, und mit Kaiser Heinrich V. Der letztere begab sich im Jahre 1110 nach Italien, um vom Papste die kaiserliche Krone zu erhalten. Dieser wollte sie ihm aber nur unter der Bedingung verleihen, wenn er dem Investitur-Rechte zu entsagen gelobe. Heinrich weigerte sich dessen, beschimpfte den Papst auf die unedelste Weise, nahm ihn endlich gefangen und trieb sein grausames Verfahren so weit, daß er die Welt- und Ordensgeistlichen, welche ehrfurchtsvoll bei seiner Ankunft ihm entgegen gegangen waren, ermorden ließ. Hierauf empörten sich die Römer, und Heinrich sah sich genöthigt, Rom zu verlassen; doch führte er den Papst gefangen mit sich, und gab ihm die Freiheit nicht eher wieder, als bis derselbe ihm alles, was er wünschte, bewilligte. Kaum aber sah Paschalis sich wieder frei, als er in zwei Concilien, welche sich in Rom versammelten, seine Zusage, weil durch Zwang ihm abgenöthigt, für nichtig erklärte. Da im Verlaufe dieser Streitigkeiten außer dem Afterpapste Guibert ihm deren noch drei andere, Albert, Theodorich und Maginulph, entgegengestellt wurden, so wäre er gern vom Stuhle des h. Petrus wieder herabgestiegen; doch behauptete er ihn standhaft, das wahre Heil der Kirche Christi bedenkend. — Er starb im Anfange des Jahres 1118, und hinterließ sehr viele Briefe.

Gelasius II.,

aus Gaeta, Kanzler der römischen Kirche, Cardinal und Benedictiner, war eben von den versammelten Cardinälen zum Papste gewählt, als Cencio, Marquis von Frangipani und Consul Roms, auf Anstiften Heinrich's V., den Degen in der Hand, sich in das Conclave begab, die Cardinäle mit Fußtritten auf die niederträchtigste Weise mißhandelte, den neu erwählten Papst bei der Gurgel faßte, und ihm Schläge und Stöße versetzte. Heinrich selbst ernannte auf der Stelle, ehe sich die Römer noch vom Schrecken über ein solches Verfahren erholen konnten, den Bourbinus, Bischof von Braga, unter dem Namen Gregor VIII., zum Papste. Gelasius flüchtete nach Gaeta, von da nach Capua, wo er den Gegenpapst in den Bann that, und hierauf Frankreich zu gewinnen suchte. Er hielt zu Vienne ein Concilium, und starb nach einjähriger Regierung in der Abtei Cluny, als ein leuchtendes Muster der Geistlichkeit, im Jahre 1119. Unter seiner Regierung wurde zu Jerusalem der Ritterorden der Johanniter vom Spitale errichtet.

Calixtus II.,

Sohn Wilhelm's des Großen, Grafen von Burgund, Benedictiner und Erzbischof von Vienne, war in Kirchengeschäften ergraut, und nahm nur wider seinen Willen die päpstliche Würde an. Sein erstes Augenmerk war dahin gerichtet, der Kirche im Allgemeinen den Frieden wiederzugeben und besonders das Schisma in Deutschland beizulegen. Zu diesem Ende hielt er ein Concilium zu Toulouse gegen Peter von Bruis und dessen Schüler Heinrich, welche die schändlichen Irrlehren und Grundsätze der Manichäer, nur unter einer andern Gestalt, erneuerten. Im Jahre 1123 stand er der neunten allgemeinen Kirchenversammlung vor, welche die erste lateranensische heißt und auf der 15 Erzbischöfe, über 300 Bischöfe und 600 Aebte und andere geistliche Würdner versammelt waren. Hier wurden Beschlüsse gegen die Simonie gefaßt, gegen die Investituren von Seiten der weltlichen Macht, gegen den Angriff auf geistliche Güter, so wie gegen die Unenthaltsamkeit der Geistlichen und gegen diejenigen, welche ihre Beneficien vererben ließen, oder auch für die Ausspendung der Sacramente und für die Begräbnisse einen Entgelt zu erzwingen suchten. Nachdem zuletzt über die Gränzen und Gerechtsamen, so der weltlichen wie der geistlichen Macht, ausführlich abgehandelt worden war, belegte Calixtus den Gegenpapst Bourdinus mit dem Anathem und schickte ihn in ein Kloster, dort unter Bußübungen sein Leben zu beschließen. Kaum hatte der große Papst so sein ganzes Bestreben darauf gerichtet, den Frieden der Kirche und des Staates wieder herzustellen, als er von einem heftigen Fieber

ergriffen wurde, das ihn am Ende des Jahres 1124 der Erde
entraffte. Calirtus verwandte große Summen, sowohl auf die
Erhaltung alter Denkmäler, als auch auf mehre Wasserleitungen der Stadt Rom.

Honorius II.,

aus der Gegend von Bologna, welcher zuvor Lambert hieß und
Bischof von Ostia war, gelangte auf sonderbare Weise zur
päpstlichen Würde. Nach Calirtus' Tode wurde nämlich der
Cardinal Theobald zum Papste erwählt und nannte sich Cölestinus II. Während das Te Deum wegen glücklich beendeter
Papstwahl abgesungen wurde, drang der mächtige Marquis
Robert Frangipani gewaffneter Hand, und von mehren seiner
Anhänger begleitet, in die Kirche und rief den Bischof Lambert
von Ostia zum Papste aus. Cölestinus, gern bereit, eine so
ärgerliche Spaltung in der Kirche zu verhindern, entsagte freiwillig der päpstlichen Würde, worauf der Bischof Lambert sich
den Namen Honorius II. beilegte. Doch kaum eine Woche
nach dieser Begebenheit fühlte er sich wegen des ungerechten
Besitzes des päpstlichen Stuhles in seinem Gewissen beschwert,
und war ebenfalls bereit, abzudanken, als er von den Cardinälen und der übrigen Geistlichkeit Roms als rechtmäßiges
Kirchen-Oberhaupt anerkannt wurde. Hierauf bestätigte er den
Lothar als Kaiser, und entsetzte die Aebte von Cluny und
Monte-Cassino, die sich schwerer Vergehen schuldig gemacht
hatten, ihrer Würde. Bei seinen Feindseligkeiten mit dem
Könige von Sicilien zog er den Kürzern, und mußte sich zuletzt zu seinem bedeutenden Nachtheile mit seinem Gegner ver-
gleichen. — Er starb im Anfange des Jahres 1130. Seine
hinterlassenen Briefe sind nicht von Bedeutung.

Innocentius II.

hieß zuvor Gregor Paperesci, war ein geborner Römer und
Cardinal. Da er nur von einem Theile der Cardinäle erwählt
worden war, so wurde ihm von den übrigen Wählern der
Enkel eines Juden, Peter von Leon, unter dem Namen Ana-

cletus II. entgegengestellt, welcher Wahl auch die Könige von Schottland und Sicilien ihren Beifall gaben; das übrige Europa hingegen erkannte den Innocens als Papst an. Da er jedoch in Rom sehr bedrängt wurde, so flüchtete er nach Frankreich, wo er zu Clermont, Rheims und an andern Orten Concilien hielt. Nach dem Tode Anaclet's kehrte er nach Rom zurück, und nach der, besonders durch den Einfluß des h. Bernhard bewirkten, Abdankung Victor's IV., des eingedrungenen Nachfolgers Ana- clet's, berief er die zehnte allgemeine Kirchenversammlung, die zweite des Laterans, welcher nahe an tausend Bischöfe bei- wohnten. Hier wurden die obwaltenden Spaltungen beigelegt, die gesunkene Kirchen-Disciplin wieder hergestellt und die Irr- lehren Peter's von Bruis und des Arnold von Brescia, eines ehemaligen Schülers Abailard's, verworfen. Nach beendetem Concilium zog der Papst, vom Kaiser Lothar unterstützt, gegen Roger, König von Sicilien, zu Felde, welcher fast ganz Apu- lien sich angeeignet hatte. Roger verlor fast alle seine Besitzun- gen auf dem festen Lande und mußte nach Sicilien flüchten.— Innocens starb im Jahre 1144.

Cölestinus II.

hieß zuvor Guido di Castello, war Cardinal und stand der Kirche Christi nur fünf Monate und dreizehn Tage lang vor. Ihm folgte

Lucius II.,

aus Bologna gebürtig. Er hieß Gerhard von Cacianemici, war Bibliothecar, Kanzler und Cardinal der römischen Kirche und hatte bei mehren Gesandtschaften durch ein geistreiches und ge- wandtes Benehmen sich ausgezeichnet. Bei einem Volksauflaufe, angestiftet durch die Sectirer des Arnold von Brescia, welche die alte republicanische Regierung in Rom wieder einführen wollten, wurde er durch einen Steinwurf verwundet, woran er im Jahre 1145 starb. Er hinterließ zehn Briefe.

Eugenius III.,

aus Pisa, Schüler des h. Bernhard und Abt zu St. Anastasius. Die Grundsätze des Arnold von Brescia, nach welchen unter andern dem Papste weltliche Besitzung und Herrschaft nicht zugestanden wurden, hatten auch in Rom ihre zahlreichen Anhänger gefunden. Diese versuchten aufs Neue Rom in eine Republik umzuwandeln, und als der Papst sich hierzu nicht verstehen wollte, fand er es auch für gut, Rom zu verlassen. Nachdem er hierauf einige kleine Nachbarstaaten gegen die Römer gewonnen hatte, kehrte er mit gewaffneter Hand nach Rom zurück; doch vermochte er nicht, das Feuer der Empörung zu löschen, verließ aufs Neue Rom, begab sich nach Pisa und von da im Jahre 1147 nach Paris. Zu Rheims und Trier versammelte er Concilien und besuchte die Abtei zu Clairvaux, wo er sich früherhin als einfacher Mönch befunden hatte. Sein Lehrer, der h. Bernhard, gab ihm beim Antritte des höchsten Pontificates sehr ernste Weisungen und deckte ihm unverholen, und nicht ohne Bitterkeit, die Gebrechen der Kirche auf. — Papst Eugenius starb im Jahre 1153 zu Tivoli, auf dem Wege nach Rom begriffen. Er hinterließ mehre Schriften.

Anastasius IV.,

ein Römer, besaß ausgezeichnete Tugenden, war sehr erfahren in den Geschäften des apostolischen Stuhles, und erwies sich als Vater des Volkes bei einer großen Hungersnoth, starb aber schon am Ende des Jahres 1154.

Hadrianus IV.,

ein geborner Engländer, irrte als Knabe lange bettelnd umher, bis ihn endlich in Frankreich die Chorherren des h. Rufus als Klosterdiener, und nachher als Ordensglied aufnahmen. Durch die Liebenswürdigkeit seines Umgangs und seine hervorstechenden Geistesgaben stieg er von Stufe zu Stufe, bis er endlich von den Cisterciensern zum Ordens-General ernannt wurde. Nach und nach zog ihm diese Erhebung dennoch Neider und zuletzt offenbare Feinde zu, und so wurde er mehrer Verbrechen und Laster angeklagt. Er rechtfertigte sich aber dergestalt vor dem Papste Eugen III., daß dieser ihn, seinen Feinden zur Schmach, zum Cardinal und Bischof von Albano ernannte und als Legaten nach Dänemark und Norwegen schickte. Gleich nach dem Todestage des P. Anastasius wählten die sämmtlichen Cardinäle ihn zum Papste. Da die durch Arnold von Brescia und seinen mächtigen Anhang in Rom schon so oft wiederholten Unruhen noch immer nicht nachließen, so belegte P. Hadrian die Römer selbst so lange mit dem Kirchenbanne, bis sie endlich das Todesurtheil über den hartnäckigen und verstockten Irrlehrer und Unruhestifter Arnold verhängten; eben so sprach er den Kirchenbann gegen den König Wilhelm von Sicilien aus, der mehre Kirchengüter unrechtmäßig an sich gezogen hatte; doch konnte er so wenig in diesem Falle als in seinen Streitigkeiten mit Kaiser Friedrich I. den weltlichen Gerechtsamen der Kirche den Sieg verschaffen. Wie sehr dieser wachsame und durchaus wahrheitliebende Papst nun auch darauf bedacht war, die Rechte des apostolischen Sitzes zu schützen und sich in dieser Hinsicht nichts zu vergeben, so lebte er für seine Person doch in Armuth, unterstützte die Seinigen nicht und empfahl sterbend seine arme Mutter dem Erzbischofe von Canterbury. — Er starb 1159, nachdem er fast fünf Jahre lang der Kirche Gottes vorgestanden.

Dritte Abtheilung.

Alexander III.,

aus Siena, war Cardinal und Kanzler der römischen Kirche und wurde von den sämmtlichen Cardinälen, mit Ausnahme dreier, zum Papste erwählt; zwei von diesen dreien aber riefen ihren dritten Genossen unter dem Namen Victor IV. zum Papste aus, welcher so niederträchtig war, dem rechtmäßigen Nachfolger Petri den päpstlichen Mantel von den Schultern zu reißen, um sich damit zu bekleiden. Friedrich der Rothbart versammelte einige Bischöfe zu Pavia, welche er dahin stimmte, die Wahl Victor's zu bestätigen. Alexander aber begab sich nach Anagni und that den Kaiser in den Bann. Bald darauf flüchtete er, vom Kaiser verfolgt, nach Frankreich. Unterdessen starb der Gegenpapst, und Friedrich wählte an dessen Stelle Paschalis III., den er nöthigte, Carl den Großen unter die Zahl der Heiligen zu versetzen. Nachdem Papst Alexander bei Ludwig dem Jungen eine gute Aufnahme in Frankreich gefunden hatte, ging er wieder nach Italien zurück, die Venetianer gegen den Kaiser zu bewaffnen. Dieser aber, der fortwähren= den Unruhen und Verwirrungen müde, schlug eine Zusammen= kunft mit dem Papste in Venedig vor, welche auch zu Stande kam. Die Reise Alexander's nach Venedig glich einem Triumph= zuge. In prächtigen Gondeln von dem Dogen und den Nobili eingeholt, betrat er die St. Marcus=Kirche, wo er das Hochamt hielt und bei Ueberreichung einer geweihten goldenen Rose die

Venetianer mit der Herrschaft des Meeres beschenkte, von welcher Zeit die Feierlichkeit der Vermählung Venedigs mit dem Meere herrühren soll. Nach achtzehnjähriger Trennung ging nun die Versöhnung zwischen Papst und Kaiser vor sich. Friedrich küßte dem Papste den Fuß *), und dieser eilte, ihn zu umarmen. Daß der Papst dem Kaiser bei dieser Gelegenheit auf den Hals getreten habe, erklärt selbst der Protestant und große Geschichtschreiber Johannes v. Müller für ein Mährchen und eine grobe Lüge. Nachdem nun auch die auf Paschalis folgenden Gegenpäpste Calirtus III. und Innocentius III. durch Abdankung dem Schisma ein Ende gemacht hatten, berief Alexander im Jahre 1179 das dritte lateranensische allgemeine Concilium, auf welchem 302 Bischöfe zugegen waren; hier wurden die Anordnungen der Gegenpäpste für nichtig erklärt, die Irrlehren der Waldenser verworfen und mehre durchgreifende Beschlüsse für die Wiederherstellung der Kirchenzucht und Sittenverbesserung gefaßt. Auf einem zwölf Jahre früher zu Rom gehaltenen Concilium erklärte Papst Alexander im Namen desselben, „daß alle Gläubigen an Christum von der Leibeigenschaft befreit werden müßten", und ging selbst mit dem Beispiele vor, da er dieselbe im Kirchenstaat abschaffte. Den König von England, Heinrich II., verpflichtete er wegen des Antheils, den derselbe am Morde des h. Thomas von Canterbury gehabt hatte, zu äußerst demüthigenden Bußübungen; auch war er der erste Papst, welcher die Heiligsprechungen ausschließlich für eine päpstliche Gerechtsame erklärte, um allem dabei hin und wieder obwaltenden leichtsinnigen, menschengefälligen oder gar gewinnsüchtigen Verfahren vorzubeugen. — Er starb in der Mitte des Jahres 1181, nachdem er fast 22 Jahre lang regiert hatte. Das in Apulien gelegene Alexandrien ist nach ihm benannt.

---

*) Der Fußkuß ist eine altübliche Begrüßungsweise der Großen des Morgenlandes, und ging allmählich auf die Päpste über, in so fern diese gleichsam die Schirmherren der Besitzungen der morgenländischen Kaiser in Italien waren. Diesen Gebrauch aber in etwa zulässiger zu modisiciren, ließen die Päpste ein Kreuz auf die Sandalien sticken.

Lucius III.,

aus Lucca, hieß Humbald Allincigoli. Trotz dem Tode Arnold's von Brescia war dessen Anhang, bekannt unter dem
Namen der Waldenser, in Rom doch noch immer mächtig geblieben, und bei einem von demselben erregten Volksaufstande
mußte Lucius Rom verlassen und nach Verona fliehen. Als er
bald nachher durch Hülfe einiger italienischen Fürsten wieder
in seine Hauptstadt zurückgekehrt war, ließ er ein strenges Gericht über die Empörer ergehen. Doch war die Ruhe noch nicht
hergestellt: die Waldenser zettelten eine neue Verschwörung gegen den Papst an, welcher sich genöthigt sah, zum zweiten Male
nach Verona zu flüchten. Hier berief er im Jahre 1184 ein
Concilium, welchem auch Kaiser Friedrich I. beiwohnte und
auf dem bei gemeinschaftlicher Berathung der Geistlichen und
weltlichen Macht eine Constitution zur Ausrottung der Ketze-
reien zu Stande kam, nach welcher die Bischöfe sich persönlich
oder durch zuverlässige Bevollmächtigte nach denjenigen Ge-
meindegliedern erkundigen sollten, die der Ketzerei verdächtig
seien; und nachdem man gegen dieselben die geistlichen Strafen
verhängt habe, solle man sie, im Falle ihre Irrthümer auch
staatsgefährlich wären, der weltlichen Macht übergeben. In
diesen Verfügungen sind die, in spätern Zeiten als Gräuel der
Menschheit verrufenen, Inquisitionen als in ihrem ersten Keime
nicht zu verkennen, obgleich sie eben in diesem ihrem Anfange
doch nichts Anderes waren, als die dem Bischofe obliegende
Wachsamkeit über seine Herde. — Papst Lucius starb zu Verona im Jahr 1185; er hinterließ drei Briefe.

Urbanus III.,

ein Mailänder, mit Namen Crevelli, gerieth mit Friedrich dem
Rothbart über die Nachlassenschaft der Gräfinn Mathilde an die
römische Kirche in heftige Streitigkeiten, mußte Rom verlassen,
floh nach Verona und von da nach Ferrara, wo er am Ende des J.
1187 starb. Sein Tod wurde unstreitig durch das heftige Schmerz-
gefühl beschleunigt, mit welchem er die Trauerbotschaft von der
Einnahme Jerusalems durch den Sultan Saladdin vernahm.

Gregorius VIII.,

aus Benevent, war Benedictiner und Cardinal. Er versöhnte die beiden Republiken Pisa und Genua, welche sich lange feind-selig gegenüber gestanden hatten, forderte die Fürsten zu einem neuen Kreuzzuge auf, ordnete für die Völker zu demselben Zwecke Gebete und Fasten an, und starb plötzlich zu Pisa nach einer kaum zweimonatlichen Regierung.

Clemens III.,

ein Römer, Bischof von Preneste, vermittelte den Frieden zwischen England und Frankreich, um den Adel dieser beiden Länder desto sicherer zu einem neuen Kreuzzuge zu bewegen, was ihm auch gelang, wenn auch das ganze Unternehmen nicht den gewünschten Ausgang nahm. Dagegen war in Rom die Ruhe wieder hergestellt, und der Papst konnte ungestört in seiner Hauptstadt verbleiben. — Er starb schon im Anfange des Jahres 1191.

Cölestinus III.,

ein Römer, krönte den Kaiser Heinrich VI. nebst seiner Ge-mahlinn Constantia, gerieth aber bald wegen Siciliens mit ihm in Streitigkeit und that ihn in den Kirchenbann. Er predigte einen neuen Kreuzzug, nahm sich des Richard Löwenherz, Kö-nigs von England, gegen dessen zahlreiche Feinde lebhaft an und starb im Jahre 1198; wir besitzen von ihm noch siebenzehn Briefe. Zur Charakteristik des damaligen Zeitgeistes möge die Erzählung dienen, daß der Papst, welcher vom Könige von England einen französischen Bischof, der, vollständig gerüstet, in die Hände der Engländer gefallen war, mit den Worten: „Gib mir meinen Sohn zurück!" wieder forderte, vom Könige, der den Harnisch jenes Bischofs nach Rom schickte, die Bibel-stelle zur Antwort erhielt: „Siehe, ob dieses der Rock deines Sohnes sei!"

Innocentius III.

hieß zuvor Lothar Conty, Graf von Segni, aus Anagnia, und erhielt wegen seiner ausgezeichneten Gelehrsamkeit die Cardi-nalswürde. Seine erste Sorge als Papst ging dahin, die christ-

lichen Fürsten zur Wiedereroberung des gelobten Landes anzufeuern und sie zu strengen Maßregeln gegen die ketzerischen Albigenser, welche mordend und sengend umherzogen, anzuhalten.
Wegen des Ehebruchs, den Philipp August von Frankreich sich
hatte zu Schulden kommen lassen, belegte er dieses Land mit
dem Interdicte, sprach über den Herzog Hans ohne Land, der
sich der Herrschaft Englands bemeistern wollte, den rechtmäßigen Erben ermordet hatte und ein wüthender Verfolger der
Geistlichkeit war, das Anathema aus; eben so that er den
Kaiser Otto IV. in den Bann, weil er geistliche Güter an sich
gerissen hatte. Die weltlichen Besitzungen des römischen Stuhles vergrößerten sich beträchtlich unter Innocens durch die Er-
werbung der Romagna, Umbriens, der Mark Ancona und der
Landschaften Orbitello und Viterbo; auch erhielt von dieser
Zeit an der Präfect Roms seine Bestallung nicht mehr vom
Kaiser, sondern unmittelbar vom Papste. Im Jahre 1215 berief Innocens die vierte allgemeine lateranensische Kirchenversammlung, welche besonders in kirchlich-disciplinarer Hinsicht
sehr wichtig ist; auch entstanden unter seiner Regierung die
beiden berühmten Orden des h. Dominicus und des h. Franciscus
von Assis: jener durch fleißigeres Predigen der wahren und
reinen Kirchenlehre ein Gegenmittel gegen die Irrlehren jener
Zeit, dieser durch die strenge Lebensweise und Selbstentäußerung
einen Gegensatz gegen den üppigen und herrschsüchtigen Zeitgeist bildend. — Innocens starb im Jahre 1216 und hinterließ
den Ruhm, einer der gottesfürchtigsten, geistreichsten und größten
Nachfolger Petri gewesen zu sein, wenn er auch, dem damaligen Zeitgeiste gemäß, nicht immer ganz genau die Gränze geistlicher und weltlicher Macht im Auge behielt. Er hinterließ
drei Bücher von der Verachtung der Welt oder von der Hin-
fälligkeit menschlicher Dinge, eine große Anzahl Briefe und
mehre Kirchenhymnen, unter andern das veni Sancte Spiritus
und das ave, mundi spes, Maria; ob das stabat mater ebenfalls von ihm herrühre, ist zweifelhaft. Merkwürdig ist noch,
daß er in Rom öffentliche Gerichtsbarkeit einführte.

Honorius III.,

ein Römer, war für seine Zeit ein ausgezeichneter Gelehrter und hinterließ mehre Werke; er bestätigte die neu aufgekommenen Orden der Dominicaner und Franciscaner, forderte, doch ohne besondern Erfolg, zur Wiedereroberung Palästina's auf, und starb im Jahre 1227.

Gregorius IX.,

ein Graf Segni aus Anagnia, war Cardinal-Bischof von Ostia. Als Kaiser Friedrich II. sein gegebenes Versprechen, die Ausführung eines neuen Kreuzzuges, zu erfüllen zauderte, that der Papst ihn in den Bann, und bei dem schimpflichen und durchaus nicht nothgedrungenen Frieden, welchen er mit dem Sultan von Babylon schloß, wurde das Anathem gegen ihn erneuert. Zwar kam i. J. 1230 eine Versöhnung zwischen Papst und Kaiser zu Stande; doch dauerte sie kaum sechs Jahre lang, da Friedrich sich des Kirchenraubes und anderer Gewaltthätigkeiten schuldig gemacht hatte. Nun sprach Gregorius aufs Neue den Kirchenbann aus und trug sogar die Reichskrone dem Grafen Robert von Artois, Bruder des h. Ludwig, an, worauf dieser aber erwiderte: „Wie darf der Papst einen Fürsten absetzen, der jener Gräuelthaten, deren man ihn beschuldigt, durchaus noch nicht überwiesen ist? Hat er verdient, abgesetzt zu werden, so kann dies nur durch ein allgemeines Concilium geschehen." Der Kaiser, welcher sich in Italien einen zahlreichen Anhang gewonnen hatte, brannte vor Eifer, sich am Papste zu rächen, als er dessen Tod erfuhr, der in der Mitte des Jahres 1241 erfolgte. Gregorius gab sich viele Mühe zur Wiedervereinigung der griechischen Kirche mit der lateinischen, und ließ sich die Bekehrung der Mahomedaner zum Christenthume sehr angelegen sein. Er hinterließ mehre Briefe.

Cölestinus IV.,

Graf Castiglioni, ein Mailänder, starb achtzehn Tage nach seiner Erhebung auf den päpstlichen Stuhl; ihm folgte, nachdem der Sitz des h. Petrus zwanzig Monate lang ledig geblieben war,

Innocentius IV.,

ein Graf Fiesco aus Genua, Cardinal und Kanzler der römischen Kirche. Noch als Cardinal war er mit Kaiser Friedrich II. sehr befreundet; doch als er Papst geworden war, trug sein Pflichtgefühl über die Freundschaft den Sieg davon. Der Partei des Kaisers ausweichend, zog er sich nach Lyon zurück, wo er ein allgemeines Concilium berief, auf welchem Friedrich in den Bann gethan und abgesetzt wurde. Der heilige Ludwig, König von Frankreich, mißbilligte dieses Verfahren sehr und versuchte, jedoch vergebens, Papst und Kaiser mit einander auszusöhnen. Innocens schrieb einen Kreuzzug gegen den Kaiser aus und verlieh den Theilnehmern dieselben geistlichen Vortheile, wie den Kreuzfahrern gegen die Sarazenen. Friedrich drohte, mit seinem Heere nach Lyon aufzubrechen und seine Sache persönlich vor dem Papste zu vertheidigen. Dieser war wie ein Gefangener in Lyon eingeschlossen, und als mehre Anschläge auf sein Leben mißlungen waren, zog er sich, Tag und Nacht von Wachen umgeben, in seinen Pallast zurück. Ganz Deutschland war gegen Innocens in Aufruhr, und Marcellinus, Bischof von Arezzo — welchen er zu seinem Generalissimus ernannt hatte —, wurde, nachdem er gefangen genommen worden war, auf Befehl des Kaisers erhängt. Der Tod Friedrich's machte i. J. 1250 diesen jammervollen Streitigkeiten noch immer kein Ende, da Konrad, Sohn und Nachfolger Friedrich's, den Krieg mit dem Papste fortsetzte. Nun kehrte Innocens, nach einem Aufenthalte von sechs Jahren und vier Monaten in Lyon, nach Italien zurück. Auch wegen der versuchten Eroberung Neapels kam er ins Gedränge, und seine Truppen wurden gänzlich geschlagen; diese Niederlage beschleunigte unstreitig seinen Tod, welcher im Jahre 1254 zu Neapel selbst erfolgte. — Innocens war ein großer Rechtsgelehrter, und seine Zeitgenossen nannten ihn Vater der Rechtsgelehrſamkeit. Er hinterließ einen Apparatus super decretales, der viele Auflagen erlebt hat; auch ſoll er zuerſt den Carbinä= len den rothen Hut verliehen haben. Die Erzbiſchöfe von Köln ernannte er zu gebornen Legaten des römiſchen Stuhles, nachdem bereits i. J. 1062 der Erzbiſchof Gebhard, weil er der Partei Heinrich's IV. entſagte, zum Legaten des römiſchen Stuhles in Deutſchland erhoben worden war. Unter ſeiner Ver= mittelung wurde auch im Jahre 1249 ein Vergleich zwiſchen den Deutſch=Ordensrittern und den unterjochten und bekehrten Preußen abgeſchloſſen, wodurch den letztern gegen die Ober= gewalt des Ordens große Freiheiten geſichert blieben.

Alexander IV.,

aus dem Hauſe der Segni, Biſchof von Oſtia, widerſetzte ſich dem Manfred, einem natürlichen Sohne des Kaiſers Friedrich, welcher Neapel und Sicilien für ſich behaupten wollte, wo= von die letztern Päpſte ſich die Belehnung zuſchrieben. In Folge deſſen verlieh Papſt Alexander das Königreich Sicilien dem Edmund, einem Sohne des Königs von England. Der Orden der Dominicaner fand eine große Stütze an dieſem Papſt:, der auch, auf die ausdrückliche Anfrage des h. Lud= wig, demſelben von Rom aus Inquiſitoren gegen die damals in Frankreich ſich immer mehr anhäufenden Irrgläubigen zuſandte. Viele Mühe gab ſich Alexander zur Wiedervereinigung der Griechen mit den Lateinern, ſo wie zur Bekämpfung der Maho= medaner anzufeuern. Auch ſprach er das Verwerfungs=Urtheil über das Buch des Wilhelm a. s. amore „von den Gefahren in den letzten Tagen" und über das „ewige Evangelium" der Franciscaner aus, welche höchſt abenteuerliche Schriften angeb= liche Offenbarungen enthielten. — Dieſer äußerſt thätige Papſt ſtarb zu Viterbo, wohin er ſich, nachdem ſeine Truppen von dem kaiſerlichen Feldherrn Ezelino de Romano gänzlich geſchla= gen worden waren, geflüchtet hatte, im Jahre 1261.

Urbanus IV.,

der Sohn eines Schuhflickers aus Troyes in der Champagne, stieg durch seine Verdienste von Stufe zu Stufe, wurde Erz Diakon der Kirche zu Lüttich, dann Bischof von Verdun und zuletzt Patriarch von Jerusalem. Kaum hatte er den päpstlichen Stuhl bestiegen, als er einen Kreuzzug gegen Manfred unternahm, der sich Siciliens bemeistert und die Sarazenen auf die kirchlichen Besitzungen geführt hatte; diese wurden besiegt und Sicilien dem Herzoge Carl von Anjou, einem Bruder des h. Ludwig, zu Theil. Um den Anhängern des alten katholischen und apostolischen Glaubens gegen die berengarischen, waldensischen, albigensischen und andere Irrthümer, die damals auch besonders über die wesentliche Gegenwart Jesu Christi im allerheiligsten Altars-Sacramente in Umlauf waren, zu einem öffentlichen, ausdrücklichen Glaubensbekenntnisse Gelegenheit zu geben, setzte Papst Urbanus im Jahre 1263 das Fest des Frohnleichnams unsers Herrn Jesu Christi ein und trug dem h. Thomas von Aquino auf, die Gebete und Kirchenlieder zu dieser Festbegehung anzufertigen; es sind dies dieselben, deren wir uns noch heutzutage bei dieser hohen Festlichkeit bedienen. Das Fest selbst wurde im darauf folgenden Jahre, dem Todesjahre Urban's, am Donnerstage nach der h. Pfingst-Octav, zum ersten Male gefeiert. — Papst Urbanus IV. starb zu Perugia, wohin er, dem Anhange Manfred's in Rom zu entgehen, geflüchtet war, im Jahre 1265. Er hinterließ eine Umschreibung des Psalms Miserere, nebst einundsechzig Briefen, die sowohl in Bezug auf die damalige Kirchen= als auch Profan=Geschichte merkwürdig sind.

Clemens IV.

hieß Guido Foulques und war zu St. Gilles an der Rhone geboren. Nachdem er eine Zeit lang im Kriegsdienste gelebt hatte, widmete er sich der Rechtskunde und wurde Geheimschreiber des h. Ludwig, Königs von Frankreich. Nach dem Tode seiner Gattinn, mit welcher er zwei Töchter gezeugt hatte,

ergriff er den geistlichen Stand, wurde Erzbischof von Narbonne, Cardinal-Bischof von Sabina und Legat in England.
Es kostete dem Cardinal-Collegium viele Mühe, ehe er sich bewegen ließ, die päpstliche Würde anzunehmen. Als der h. Ludwig wünschte, sich an der Spitze eines neuen Kreuzzuges zu
sehen, mißrieth der Papst ihm dieses, und stellte ihm mit klu-
ger Besorgniß den unglücklichen Ausgang vor, dem die frühern
Unternehmungen dieser Art unterlegen waren; als aber der
König darauf bestand, schrieb er zwar den Kreuzzug aus, doch
indem er lebhaft seine Mißbilligung äußerte. Papst Clemens
verfuhr nach seiner Erhebung auf den apostolischen Stuhl sehr
streng gegen seine Verwandten; sie durften sich ohne seine
ausdrückliche Erlaubniß der Stadt Rom nicht nähern, noch
auch groß thun auf seine Verwandtschaft, oder vornehmere
Heirathsanträge annehmen, als es ihr Familienstand mit sich
brachte, vor Allem aber ihm Niemanden zu Beförderungen
u. dgl. empfehlen. Da er seinen beiden Töchtern nur eine sehr
mäßige Aussteuer gestattete, so zogen dieselben vor, in ein Kloster zu gehen. Man hat diesem Papste den Vorwurf gemacht,
daß er dem Könige von Sicilien, Carl von Frankreich, nachdem dieser seinen Gegner Manfred in einer entscheidenden Schlacht
besiegt hatte, auf dessen Anfrage, was er mit dem jungen Konradin, seinem Gefangenen und Nebenbuhler, machen solle, den
grausamen Rath gegeben habe, ihn tödten zu lassen. Da es
nun, nach den strengsten chronologischen Untersuchungen, noch
nicht evident hat ermittelt werden können, ob Konradin vor
oder erst nach dem Tode des Papstes Clemens gefangen genommen und enthauptet worden, im Gegentheile nach der Chro-
nologie des Wilhelm von Pui-Laurent und des Montfort und
den Aufstellungen des Jacob Spon dieses Ereigniß im Jahre
1269 sich zutrug, hingegen Papst Clemens schon ein Jahr zuvor zu Viterbo starb: so kann von einer nothwendigen Vertheidigung dieses sonst so einsichtsvollen und demüthigen Papstes
gegen eine solche Beschuldigung keine Rede sein. Um diese Zeit
war es auch, daß sich zu Rom die erste Bruderschaft zur be-

sondern Verehrung der seligsten Jungfrau Maria bildete, und die Ertheilung von Ablässen eine immer verbreitetere Aufnahme fand. — Papst Clemens hinterließ einige Werke und Briefe. Nachdem der päpstliche Stuhl fast während dreier Jahre unbesetzt geblieben war, folgte

Gregorius X.

auf denselben. Er hieß Theobald Visconti und war zu Piacenza geboren. Als Archidiakonus der Kirche von Lüttich trat er gegen den Fürstbischof Heinrich von Geldern auf, welcher durch seinen unsittlichen Lebenswandel dem Volke großes Aergerniß gab; da er aber von diesem, nachdem er ihm in voller Capitelsitzung mit dem größten Freimuthe seine Unthaten vorgeworfen hatte, gemißhandelt wurde, so begab er sich nach dem Oriente, den Kreuzfahrern hülfreich zu sein und sie zur Beharrlichkeit aufzumuntern. Er befand sich daselbst eben in der Umgebung Eduard's, Königs von England, als ihn die Nachricht traf, daß er zum Papste erwählt worden sei (i. J. 1271). Sogleich kündigte er die Zusammenberufung eines allgemeinen Conciliums an, welches i. J. 1274 in Lyon zu Stande kam. Hier waren, außer dem Papste Gregor, welcher dem Concilium persönlich vorstand, die Patriarchen von Antiochien und Constantinopel, 15 Cardinäle, 500 Bischöfe, 70 Aebte und an 1000 Doctoren der Theologie vereinigt, um das Schisma mit der griechischen Kirche wegen der Processio spiritus sancti ex patre filioque aufzuheben, sich wegen des schlimmen Zustandes, worin die Kreuzfahrer sich befanden, zu berathschlagen, und endlich dem überhand nehmenden Sittenverderbniß und den sich immer mehr häufenden Irrlehren entgegen zu wirken. Der griechische Kaiser Michael Paläologus schien sich die Vereinigung der griechischen Kirche mit der lateinischen sehr angelegen sein zu lassen, und nach den einleitenden Arbeiten konnte man ein günstiges Ergebniß erwarten. Auch wurde das „filioque" zu Lyon dem Symbolum von Constantinopel beigefügt; doch ließ

die hartnäckige und treulose Gesinnung der Morgenländer keine
aufrichtige und dauerhafte Vereinigung zu Stande kommen.
Die Vorschläge zu einem neuen Kreuzzuge fanden fast gar keinen Eingang, da die anfängliche Begeisterung für diese Unternehmungen erloschen war. Auch für die Verbesserung der Kirchenzucht wurde weniger geleistet, als es der feurige Wunsch des
Papstes war. — Gregor starb bald nach Beendigung des Conciliums, am 10. Januar 1265, zu Arezzo. Um den Sedevacanzen
des obersten Hirtenamtes, welche in der letzten Zeit schon wiederholt eingetreten waren, für die Folge vorzubeugen, verordnete Gregor X., daß die Cardinäle bei den Papstwahlen das
Conclave nicht eher verlassen sollten, als bis die Wahl er-
folgt wäre.

Innocentius V.,

aus Tarentasia, war Dominicaner, wurde Erzbischof von Lyon
und Cardinal. Am 21. Febr. 1276 zum Papste erwählt, starb
er schon am 22. Junius desselben Jahres. Er hinterließ Bemerkungen zu den Briefen des h. Paulus und einen Commentar über das Buch der Sprüche. Da er sich hin und wieder
ganz eigenthümlich ausgedrückt hatte, so wollten seine Feinde
ihm Irrthümer Schuld geben, wogegen ihn aber der h. Thomas von Aquino, sein Ordensgenosse, rechtfertigte.

Hadrianus V.,

ein Graf Fiesco aus Genua, starb schon einen Monat nach
seiner Erhebung auf den päpstlichen Stuhl. Ihm folgte

Johannes XXI.,

ein Portugiese. Derselbe hieß zuvor Peter Julian, war der
Sohn eines Arztes, und auch selbst Arzt. Nachdem er sich dem
geistlichen Stande gewidmet hatte, stieg er schnell von Würde
zu Würde, ward Bischof von Tusculum und Cardinal. Als
Papst schickte er Gesandte an Michael Paläologus, um die
auf dem lyoner Concilium unter Gregor X. angeknüpften Verhandlungen wegen Vereinigung der griechischen Kirche mit der
lateinischen fortzusetzen und wo möglich zu beendigen; auch

wiederholte und bestätigte er das Decret Gregor's X. vom
Verfahren bei den Papstwahlen. — Eben in voller Manneskraft
und oft gegen seine Freunde sich äußernd: er verspreche sich ein
langes Leben, wurde er durch den Einsturz eines Gebäudes,
welches er in Viterbo hatte aufführen lassen, tödlich verwundet und starb schon am 16. Mai 1277. Er war Zeitgenosse des Kaisers Rudolph von Habsburg, von dessen schlich-
ter Kraft und Entschiedenheit, welche ihm die Herzen der Völker
zuwandte, eingeschüchtert, er es nicht wagte, den Kaiser zu
gewissen Dienstleistungen anzuhalten, die seine unmittelbaren
Vorgänger auf dem h. Stuhle gefordert hatten. Papst Johannes hinterließ philosophische, medicinische und theologische
Schriften.

Nicolaus III.,

aus dem berühmten Geschlechte der Ursini, gehörte dem Orden der Cistercienser an. Er setzte die Unterhandlungen mit
dem griechischen Kaiser fort und schickte Missionare in die Tar-
tarei. Ueber die Frage, welche durch die Spitzfindigkeit des
Scholastikers Wilhelm Occam aufgekommen war: „ob der Mi-
noriten-Orden an seiner Consumtion des Brodes und Weines
nur Nutznießung oder auch Eigenthumsrecht habe, oder ob
letzteres der römischen Kirche zukomme," entschied er zum Vortheil der Kirche. Den König von Sicilien, Carl von Anjou,
nöthigte er, sich der Stelle eines Statthalters von Rom zu
begeben. Bei vielen herrlichen Vorzügen befleckte Papst Nicolaus seinen Ruhm durch zu große Anhänglichkeit an seine Verwandten, oder vielmehr durch die Ungerechtigkeiten, die er
nicht scheute, um dieselben zu bereichern; hingegen verschönerte er Rom durch prachtvolle Bauten und Gartenanlagen und
belohnte reichlich diejenigen, welche sich in Künsten und Wissenschaften auszeichneten. — Er starb in der Nähe von Viterbo, vom Schlage gerührt, am 22. August 1280.

Martinus IV.,

ein Franzose, hieß Simon von Brion, war Canonicus und
Schatzmeister der Kirche des h. Martinus zu Tours, wurde

Groß-Siegelbewahrer des h. Ludwig, Königs in Frankreich, und Cardinal. Bei seiner Erhebung auf den päpstlichen Stuhl mußte man ihm die Kleider mit Gewalt vom Leibe reißen, weil er sich den päpstlichen Mantel nicht wollte umhängen lassen. Schon im Jahre 1277, unter Papst Nicolaus III., hatte Michael Paläologus die Vereinigungs-Acte unterzeichnet, und zwar zum größten Unwillen der Griechen. Papst Martin hielt, aus was immer für Gründen, das Betragen des Kaisers für Heuchelei und ihn selbst für einen Beschützer des Schisma, und that ihn i. J. 1281 in den Bann. Da bei dem, im darauf folgenden Jahre eintretenden, Ableben des Kaisers die Griechen der Leiche desselben das kirchliche Begräbniß vorent-hielten, und zwar aus dem Grunde, weil er ihre Kirche mit der lateinischen wieder zu vereinigen gestrebt habe und in die-sem Vorhaben bis zu seinem Tode verharret sei: so scheint sich Papst Martin bei der Aussprechung des Kirchenbannes gegen den Kaiser Michael übereilt zu haben, wenn auch sonst eben dieser Kaiser durch mehre Grausamkeiten sein Andenken ge-brandmarkt hatte. Eben so sprach Martin das Anathem gegen Peter III., König von Aragonien, der sich Siciliens bemeistert hatte und der Anstifter der sicilianischen Vesper (am Oster-tage 1282) war, und gegen alle diejenigen aus, die an dieser meuchelmörderischen That Theil genommen hatten. Doch ging er noch weiter: er erklärte den König nicht allein Siciliens, sondern auch seines eigenthümlichen Königreichs Aragonien für verlustig und gab es dem Könige von Frankreich, Philipp dem Kühnen, für einen seiner Söhne. Dieser zauderte nicht, das Geschenk anzunehmen und seine Besitznahme durch ein Kriegs-heer zu bewerkstelligen; er war also entweder eben so ungerecht, als Martinus, oder er gestand dem Papste, nach der damali-gen irrthümlichen Ansicht, das Recht zu, die Könige abzusetzen und ihre Besitzthümer zu verschenken. Philipp's Unternehmen hatte jedoch nicht den erwünschten Ausgang, und er selbst starb an einer pestartigen Krankheit, von welcher auch der größte Theil seines Heeres hingerafft wurde, im Jahre 1285. In demselben Jahre starb auch Papst Martin IV. zu Perugia, nachdem er vier Jahre und einige Wochen lang regiert hatte.

Honorius IV.,

ein Römer, vertheidigte muthig die Rechte der römischen Kirche, und ging mit dem Gedanken um, einen Kreuzzug zur Wieder-eroberung Palästina's zu bewerkstelligen. Besonders ließ er es sich angelegen sein, dem Sohne des entthronten Carl von Anjou wieder zum Besitze der Länder seines Vaters zu verhel-fen. Der junge Prätendent war aber in der Gewalt Peter's III., und es wartete seiner das Schicksal des unglücklichen Konradin. Honorius ließ hierauf in Italien und Frankreich öffentliche Gebete zur Erhaltung des Lebens des jungen Prin-zen anordnen. Diesem wurde zwar das Leben geschenkt, aber er blieb in Peter's Gefangenschaft. Eben so hatte der Papst vor, mehre nützliche Anordnungen zur Belebung des wissen-schaftlichen Strebens zu treffen, welches damals sehr einge-schlummert war, und vor Allem gedachte er in Paris eine Schule zur Erlernung der morgenländischen Sprachen zu grün-den; doch hinderte ihn an allem diesem sein früher Tod, der schon im Jahre 1287 erfolgte. Obgleich er von Gichtschmerzen sehr viel zu leiden hatte, so regierte er doch mit großer Cha-rakterfestigkeit, weßhalb er auch selbst zu sagen pflegte: „Meine Glieder sind zwar krank und schwach, mein Geist aber ist kerngesund." Als der Kirchenstaat um jene Zeit von häufigem Raubgesindel durchzogen und sehr unsicher gemacht wurde, er-warb sich Papst Honorius ebenfalls das Verdienst um Be-kämpfung und Ausrottung desselben.

Nicolaus IV.,

geboren zu Ascoli in der Mark Ancona, wurde Bruder Hiero-nymus genannt und war General des Franciscaner-Ordens. Da er sich zweimal weigerte, die päpstliche Würde anzunehmen, so blieb der Stuhl des h. Petrus nach dem Tode des Papstes Honorius fast ein Jahr lang unbesetzt. Gleich im Anfange seines Pontificates schickte der Tartaren-Chan Argon eine Ge-

fandtſchaft an ihn, durch welche er Miſſionare verlangte, indem er das Chriſtenthum annehmen wolle, und ſich anheiſchig
machte, Jeruſalem wieder zu erobern; doch blieb dieſes Vorhaben ohne allen weitern Erfolg. Die Muſelmänner wütheten
unterdeſſen in] Paläſtina; Acre wurde genommen und geplündert, und Tyrus ohne Widerſtand übergeben; kurz, die Abendländer verloren alles, was ſie hin und wieder im gelobten
Lande noch beſeſſen hatten. Papſt Nicolaus gab ſich alle Mühe,
den geſunkenen Muth der Abendländer wieder zu heben: er
ſchrieb einen neuen Kreuzzug aus, berief mehre Concilien, ver-
ſöhnte die mit einander verfeindeten chriſtlichen Fürſten, und
ſchlichtete die Steitigkeiten wegen Siciliens und Arragoniens,
indem er die Freilaſſung des jungen Anjou erwirkte und ſogar
die Freude hatte, dieſen im Beſitze von Neapel zu ſehen, nachdem er auf die übrigen Beſitzungen eidlich verzichtet hatte. Der
junge Fürſt aber brach dieſen Eid, vom Papſte ſelbſt davon los-
geſprochen, und gerieth mit ſeinem Feinde in neue Streitigkeiten. Alle Verſuche des Papſtes, den ausgeſchriebenen Kreuzzug
zu bewerkſtelligen, blieben fruchtlos. — Im Jahre 1289 errichtete
er die Univerſität von Montpellier und ſtarb 1292, nachdem
er etwas über vier Jahre lang regiert hatte. Papſt Nicolaus
war ein eben ſo ausgezeichneter Philoſoph als Theologe und
hinterließ einen Commentar über die h. Schrift und den Ma-
giſter sententiarum. Es dauerte nach ſeinem Tode faſt zwei
Jahre lang, ehe die Cardinäle über den neu zu erwählenden
Papſt einig werden konnten. Endlich kamen ſie darin überein,
den Stifter des Cöleſtiner-Ordens zu wählen, welcher denn
auch als

Cöleſtinus V.

den päpſtlichen Thron beſtieg. Er hieß früher Peter von Mur-
rone und war aus Bernia in der Landſchaft Apulien, und
zwar von ſehr geringem Herkommen. Schon in ſeinem 17.
Lebensjahre hatte er ſich in die Einſamkeit begeben, welche er
aber verließ, um nach Rom zu gehen, wo er zum Prieſter ge-

weiht wurde und in den Benedictiner-Orden trat. Bald darauf aber stiftete er selbst den Orden der Cölestiner, welchen Papst Gregor X. bestätigte. Als Vorsteher des neuen Ordens schloß er sich dergestalt in seine Zelle ein, daß man nur durchs Fenster ihn sehen, sprechen und ihm Nahrung reichen konnte. Als die abgesandten Cardinäle ihn im Jahre 1294 aufsuchten, fanden sie an dem neu erwählten Papste einen achtzigjährigen Greis, bleich und hager, mit verworrenem Barthaare und aufgeschwollenen, verweinten Augen. Kaum hatten sie ihm den päpstlichen Thron angeboten, als er seine Zelle verließ, einen Esel bestieg und, in Aquila angekommen, seine Consecrirung veranstaltete. Doch schon hier sahen sich die Cardinäle in ihrer Erwartung betrogen, und ihre Wahl gereute sie. Nicht lange danach, als Cölestinus mehre höchst auffallende Mißgriffe that, wurde die Unzufriedenheit über den neuen Papst allgemein; dieser aber merkte es und dankte nach einer fünfmonatlichen Regierung ab. Weil er aber doch ein gar wunderlicher Mann war und, wie es scheint, nicht frei von Anfällen der Blödsinnigkeit, auch seine auffallende Frömmigkeitsweise, welche leicht den Pöbel besticht, ihm noch immer einen Anhang erhalten konnte: so fürchtete sein Nachfolger, er möge sich noch einmal als Papst geltend machen wollen, und ließ ihn deßhalb in das Schloß Fumone in Campanien einsperren. Der hochgealterte Ordensmann erachtete dieses Verfahren ganz erwünscht und sagte: „Ich habe ja immer eine Zelle gewollt; nun hab' ich eine." — Er starb i. J. 1296 und wurde vom Papste Clemens V. i. J. 1313 unter die Zahl der Heiligen versetzt; auch hinterließ er mehre kleine Schriften, die man in der Bibliotheca patrum findet.

Bonifacius VIII.

hieß Benedict Cajetan, aus Anagnia gebürtig, war Beisitzer des geistlichen Gerichtes, apostolischer Protonotar und Canonicus zu Lüttich und Paris. P. Martinus IV. wählte ihn zum Cardinal. Das Haus der Colonna, welches damals zu den mächtigsten Roms gehörte, war von je her der Partei der Kaifer zugethan und widerſetzte ſich nun der Wahl des Cardinals Cajetan zum Papſte. Bonifaz that die Colonna ſeinerſeits in den Kirchenbann und ſchrieb einen Kreuzzug gegen ſie aus, worauf ſie ſich zum Frieden bereitwillig fanden. Eben ſo gelang es dem Papſte, die beiden Königshäuſer Frankreich und Aragonien wieder mit einander auszuſöhnen; als er aber auch den Verſuch dazu mit Frankreich und England machte, weigerte ſich deß Philipp der Schöne von Frankreich und wollte ſich auf keine Weiſe dazu verſtehen; da verbot ihm der Papſt ausdrücklich, Krieg zu führen, und belegte endlich das ganze Reich ſelbſt mit dem Interdicte. Philipp berief ſich auf ein künftiges Concilium, das zu Lyon gehalten werden ſollte. Der Papſt, welcher früher mit Albrecht verfeindet war, da er ihn nicht als Kaiſer anerkennen wollte, nachher aber ſich wieder mit ihm verſtändigte, ſuchte dieſen nun gegen Philipp von Frankreich zu gewinnen. Der König vernahm dieſes Vorhaben, und ſandte, anſcheinlich um die Unterhandlungen zur Anordnung des Conciliums einzuleiten, doch eigentlich um ſich der Perſon des Papſtes zu verſichern, Nogaret, den Kanzler Frankreichs, nach Italien. Dieſer traf den Papſt in deſſen Geburtsſtadt Anagnia, und in Gemeinſchaft mit Sciarra Colonna, der dem Papſte mit dem Panzerhandſchuh einen Backenſtreich gab, dachte er ihn, von Wachen unterſtützt, nach Lyon gefangen führen zu können. Die Mitbürger des Papſtes geriethen aber über dieſe Gewaltthätigkeiten in Aufruhr und befreiten den Oberhirten der Kirche. Nach Rom zurückgekehrt, ſtarb Papſt Bonifacius einen Monat nach dieſem Ereigniſſe, im Jahre 1303, vom Grame über eine ſo ſchimpfliche Behandlung überwältigt. Er verſetzte Ludwig IX., König von Frankreich, unter die Zahl der Heiligen, ordnete i. J. 1300 ein Jubiläum an, welches alle hundert Jahre wiederkehren ſollte, fügte der päpſtlichen Mitra, um welche ſich eine Krone, in Geſtalt eines einfachen Ringes, wand, noch einen ähnlichen Ring hinzu und veranſtaltete die Sammlung des ſechſten Buches der Decretale. Faſt allgemein wird Papſt Bonifacius VIII. auch für den Urheber der Bulle „in cœna

Domini" gehalten; sollte sie nun auch ursprünglich von ihm herrühren, so finden sich in derselben doch auch unverkennbare Merkmale späterer Zusätze. Im Uebrigen ist der wesentliche Inhalt dieser berüchtigten Bulle folgender: Mit dem Kirchenbanne sind zu belegen diejenigen, welche von den Verfügungen der Päpste an ein allgemeines Concilium appelliren, sammt denen, die den Appellanten anhängig und behülflich sind; ferner die Fürsten, welche die geistliche Gerichtsbarkeit einschränken und verkümmern wollen, die Gerechtsamen der Geistlichkeit beeinträchtigen *), ihren Unterthanen neue unerschwingliche Abgaben auflegen und Waffenlieferungen an die Muselmänner, zur Bekämpfung der Christen, bewerkstelligen. Diese Bulle wurde vor dem Pontificate Pius' V. († 1572) jährlich am Grünen-Donnerstage zu Rom öffentlich verlesen; seit der Regierung dieses h. Papstes aber wurde diese öffentliche Bekanntmachung auf die ganze katholische Kirche ausgedehnt, bis Papst Clemens XIV. († 1774) diesen Gebrauch einstellte, was auch Papst Pius VI. († 1799) gut hieß; und seit der Zeit wird die Bulle in coena als nicht da gewesen betrachtet, obgleich mehren der neuesten Reiseberichte zufolge in Rom selbst deren Verlesung noch jährlich am ersten h. Ostertage Statt findet!

Benedictus XI.

hieß Nicolaus Boccasini, war General des Dominicaner-Ordens und angeblich eines Schäfers oder Gerichtschreibers Sohn aus Treviso. Um den unter dem vorigen Papste vielfältig gestörten Frieden zwischen dem römischen Stuhle und den Fürsten der Christenheit wieder herzustellen, erklärte er die Bullen seines Vorgängers gegen Philipp den Schönen von Frankreich für unkräftig, und setzte die in mancher Hinsicht beeinträchtigten Colonna wieder in alle ihre Rechte ein. —

*) Papst Bonifaz erklärte sich hier nur gegen die willkürliche Besteuerung der geistlichen Güter von Seiten der weltlichen Fürsten; würde der Beitrag zu Staatsbedürfnissen aber als nothwendig nachgewiesen sein, so erlaubte er den Bischöfen sogar, im äußersten Falle die heiligen Gefäße zu verkaufen oder zu verpfänden.

Nach gleichzeitigen Schriftstellern wurde er im Jahre 1304 durch einige mißvergnügte Cardinäle vergiftet. Als seine Mutter ihn besuchte, wollte er dieselbe nicht eher vor sich kommen lassen, als bis sie ihren stattlichen Anzug abgelegt und nur ihrem frühern Stande gemäß sich gekleidet hatte. Im Jahre 1733 wurde Papst Benedict selig gesprochen. Wir besitzen von ihm einen Commentar über einige Bücher der h. Schrift. Lange waren die Cardinäle nach dem Tode dieses Papstes über die zu treffende neue Wahl unschlüssig, bis sie endlich, nach einer Sedevacanz von fast einem Jahre,

Clemens V.

erwählten. Dieser, ein besonderer Günstling des Königs Philipp, dem er sich auch, auf den päpstlichen Stuhl erhoben, fast knechtisch dankbar erzeigte, hieß Bernhard de South, auch Gotto genannt, war zu Villandrau in der Gascogne gebürtig und Erzbischof von Bordeaur. Zum Papste erwählt, hieß er die Cardinäle nach Lyon kommen, wo er am 14. September 1305 gekrönt wurde. Bei dieser Gelegenheit sagte der Dechant des Cardinal-Collegiums, Matthäus Rosso, aus dem Geschlechte der Ursini, daß das Kirchenregiment so bald nicht wieder nach Italien kommen werde, denn er kenne die Gasconier; und der alte Cardinal hatte sich nicht getäuscht: Papst Clemens versetzte den römischen Hof an die Ufer der Rhone, und vom Jahre 1309 an errichtete er den apostolischen Stuhl zu Avignon. Deß waren die Römer sehr unzufrieden, und da Papst Clemens in seinem Privatleben viele sehr tadelnswerthe und verwerfliche Blößen gab, so äußerte sich diese Unzufriedenheit nur um so lauter, und eben diese Schwächen wurden um desto angelegentlicher bekannt gemacht und vielleicht auch willkürlich vergrößert; wozu besonders seine fast närrische Verliebtheit in die Gräfinn von Perigort, Tochter des Grafen von Foir, die er überall mit sich herum führte, sehr Vieles beitrug; eben so warf man ihm einen schändlichen Handel mit Kirchengeldern und Gütern vor. — Papst Clemens verband sich ziemlich eng

mit Philipp dem Schönen, und das erste Ergebniß dieser Ver=
bindung war die Uebereinkunft zur Aufhebung des Templer=Or=
dens. Der erste Angriff gegen denselben geschah auf dem fünf=
zehnten allgemeinen Concilium, welches im Jahre 1311 zu
Vienne in Frankreich gehalten wurde, wo der Papst, die Pa=
triarchen von Antiochien und Alexandrien, 300 Bischöfe und
die Könige Philipp IV. (der Schöne) von Frankreich, Eduard II.
von England und Jacob II. von Aragonien zugegen waren.
Darin stimmen alle Geschichtschreiber überein, daß die Templer
Anfangs fast alle Verbrechen eingestanden, deren man sie be=
schuldigte, obgleich mehre nach gefälltem Urtheile ihr Einge=
ständniß widerriefen, wobei aber auch nicht übersehen werden
darf, daß der Papst sowohl als der König von Frankreich in
dieser Rechtssache sich große Versehen habe zu Schulden kom=
men lassen. Jacob von Molay, der letzte Großmeister des Or=
dens, wurde mit mehren Würdnern und Rittern zum Scheiter=
haufen verurtheilt. Hier, von den emporlodernden Flammen
umgeben, betheuerte Molay laut und standhaft seine Unschuld
und forderte den Papst Clemens und den König Philipp im
Verlaufe des Jahres 1314 vor den Richterstuhl Gottes. Der
Papst starb am 20. April, der König am 29. November des=
selben Jahres. Auch nach dem Tode dieses Papstes dauerte es
fast zwei Jahre lang, ehe eine neue Papstwahl zu Stande
kam. Man sagt, daß die Cardinäle endlich ihrem Genossen
Jacob Euse oder Esne den Wahlausspruch überlassen hätten,
welcher dann denselben mit den Worten: Ego sum Papa, auf
sich selbst angewandt und so unter dem Namen

Johannes XXII.

den päpstlichen Thron bestiegen habe. Er war aus Cahors in
Frankreich gebürtig und, nach fast allgemeiner Annahme, der
Sohn eines Schusters. Mit großem Erfolg widmete er sich den
Wissenschaften und besonders der Arzneikunde. Carl II., König
von Neapel, machte ihn zum Lehrer seines Sohnes, und so stieg
er von Würde zu Würde bis zum Oberhirten=Amt der Kirche

Chrifti. In seinem Vaterlande Frankreich verdanken ihm viele
Erzbisthümer ihre Errichtung. Als der Bürgerkrieg zwischen
Friedrich von Oestreich und Ludwig dem Baier ausbrach und
der Ausgang zum Vortheile des letztern entschied, untersagte
ihm Papst Johannes die Regierung, weil er ein Schirmherr
der Ketzer und Feinde des apostolischen Stuhles sei, und erklärte den Thron des römischen Reiches für erledigt. Ludwig
berief sich „von dem irrig belehrten Papste auf den besser belehrten" und zuletzt auf ein allgemeines Concilium. Als die
Excommunication gegen ihn ausgesprochen war, brach er mit
seinem Heere nach Italien auf, verjagte die Bischöfe von ihren
Sitzen und ordnete eigenmächtig neue an, ließ sich in Rom
zum Kaiser krönen, erhob einen gewissen Peter von Corbario,
unter dem Namen Nicolaus V., auf den päpstlichen Stuhl, und
verurtheilte den Papst Johannes nebst dem Könige Carl II. von
Neapel, seinem Anhänger, lebendig verbrannt zu werden. Hierauf empörten die Römer sich gegen Ludwig; der König von
Neapel erschien mit einem Heere vor Rom, und der Kaiser
sowohl als der Gegenpapst ergriff die Flucht. Der letztere warf
sich dem rechtmäßigen Papste zu Füßen und flehete, einen
Strick um den Hals, um Vergebung, die ihm auch gewährt
wurde. Einen neuen Kampf hatte Papst Johannes fast um
dieselbe Zeit gegen den Orden der Franciscaner zu bestehen,
als von demselben wieder mit großem Eifer die spitzfindige
Frage angeregt und zu einem Gegenstande von höchster Wichtigkeit gemacht wurde, die schon unter dem Papst Nicolaus III.
zur Sprache gekommen und von demselben entschieden worden
war. Als eine eben so wichtige Angelegenheit betrachteten die
Vorsteher des Ordens die Frage über Farbe und Schnitt des
Ordenskleides, und ob die Capuze rund oder spitz sein müsse,
alles aus dem Drange, dem Stifter des Ordens, so viel nur
immer möglich, auch im Aeußern ähnlich zu sehen. Ohne den
Ausspruch des Papstes hierüber abzuwarten, hielt der Orden
zu Perugia ein General=Capitel und entschied selbst über alle
diese Fragen. Hierüber aufgebracht, erklärte der Papst diese

Beschlüsse für nichtig. Nun trat der ganze, äußerst zahlreiche Franciscaner-Orden auf die Seite des Kaisers, erklärte den Papst für einen Ketzer, und schrieb Bücher auf Bücher voll fanatischer Wuth gegen denselben. Der Papst ließ seinerseits ein strenges Gericht über die Rädelsführer ergehen und verurtheilte sie zum Scheiterhaufen; er würde unstreitig den ganzen Orden aufgehoben haben, wenn er von den großen Diensten hätte absehen dürfen, die derselbe der Kirche Gottes bis um jene Zeit schon geleistet hatte. Zu einem dritten Kampfe mußte sich endlich Papst Johannes durch eine von ihm am Allerheiligen-Tage des Jahres 1331 gehaltene Predigt rüsten, in welcher er — sich bildlicher Ausdrücke, die mißverstanden wurden, bedienend, — erklärt hatte, daß die Seligkeit der Seligen nach der Auferstehung noch erhöhet werde. Diesem Mißverständniß abzuhelfen und den schlimmen Folgen desselben vorzubeugen, sah der Papst sich genöthigt, ein Consistorium zu berufen, auf welchem er zur Zufriedenheit aller Beisitzer jene Ausdrücke rechtfertigte und bald darauf, 90 Jahre alt, im Jahr 1334, zu Avignon starb. Schade, daß dieser Papst, der einen so großen Scharfsinn und unermüdliche Liebe für die Wissenschaften besaß, und der dem großartigsten Wirkungskreise gewachsen war, sich so oftmals vom Jähzorne bemeistern ließ und von einem fast schmutzigen Geize nicht ganz frei zu sprechen ist. Er hinterließ mehre Briefe und schätzbare Schriften und unter diesen besonders medicinische: ein Receptbuch unter dem Titel Thesaurus pauperum, eine Abhandlung über Augenkrankheiten, über die Bildung des Fötus, über die Gicht und endlich Rathschläge zur Erhaltung der Gesundheit; zweifelhaft wird ihm auch das alchymistische Werk De arte transmutatoria metallorum zugeschrieben. Die berüchtigte Bulla sabbathina, welche mehre dem Carmeliter-Orden und seinen Anhängern verliehene Ablässe enthält und ebenfalls dem Papste Johannes zugeschrieben wird, ist als durchaus falsch und erdichtet erwiesen.

Benedictus XII.,

vorher Jacob de Nouveau, mit dem Beinamen Fournier, geboren zu Saverdun in der Grafschaft Foir, angeblich der Sohn eines Bäckers, war Doctor der Theologie zu Paris und Cardinal-Priester, insgemein der weiße Cardinal genannt, weil er Cistercienser war und immer das Kleid seines Ordens trug. Er ließ das Anathema, welches sein Vorgänger gegen Ludwig von Baiern ausgesprochen hatte, in aller seiner Kraft bestehen, indem er offenherzig erklärte, daß er für seine Person gern dazu erbötig wäre, den Bann aufzuheben, dieses aber aus Rücksicht auf den König von Frankreich, welcher sich dagegen ausgesprochen hatte, nicht wagen möchte; ein Geständniß, welches nur zu deutlich zeigt, wie nachtheilig eine politische Abhängigkeit für das Oberhaupt der Kirche ist. Die Fraticelli, mit welcher Benennung man in Italien die daselbst sich aufhaltenden Waldenser belegte, wurden excommunicirt. Auch den Cistercienser-Orden unterwarf der Papst einer Reform, und erklärte sich besonders gegen den Aufwand, welchen die Aebte desselben machten. Alle außerordentlichen Befugnisse, die durch seine Vorgänger ertheilt worden waren, hob Papst Benedict auf, und ließ nur die der Patriarchen und Cardinäle bestehen; auch war er nicht weniger bemüht, manches Mißverhältniß zu beseitigen, das durch die Habsucht des vorigen Papstes herbeigeführt worden war. — Er starb, nachdem er sieben Jahre, vier Monate und einige Tage regiert hatte, zu Avignon i. J. 1342, und galt für einen der ausgezeichnetsten Theologen und Rechtsgelehrten seiner Zeit. Auch soll er dem päpstlichen Hauptschmucke das dritte Diadem hinzugefügt haben.

Clemens VI.,

aus der Landschaft Limoges, hieß Peter Roger, war Benedictiner, Doctor zu Paris, Erzbischof von Rouen und Cardinal. Er eröffnete sein Pontificat mit der Bekanntmachung einer Bulle, nach welcher allen armen Clerikern, die sich im Verlaufe von zwei Monaten bei ihm melden würden, Gnadenbezeigun-

gen versprochen wurden. Bald sah sich Avignon und die Umgegend von fast 100,000 armen Geistlichen angefüllt, und der
Papst wußte sich nicht anders aus dieser Verlegenheit heraus-
zuziehen, als daß er die freien Capitel-Wahlen der Abteien und
Stifter in großer Menge mit Einschränkungen aller Art be-
einträchtigte. Im Jahre 1343 beraumte er das hundertjährige
Jubiläum des Papstes Bonifaz VIII. auf jedes fünfzigste Jahr
an, und deutete hierbei auf das Jubeljahr der Juden hin; dieses zog i. J. 1350 fast an 1,200,000 Pilger nach Rom. Da
kurz vor der Kundmachung der Jubiläums-Bulle die Römer sich
vergebens an den Papst mit der Bitte gewandt hatten, er möge
den päpstlichen Hof doch wieder nach Rom verlegen, so sollte
ihnen dieses Zusammenströmen der Pilger von allen Seiten der
Christenheit her ein Ersatz für jene Entziehung sein, wie dies
auch unverkennbar deutlich in der Bulle selbst ausgesprochen
ist. Rom war in jener Zeit der größten Verwirrung und Em-
pörungen aller Art Preis gegeben; die Orsini und Colonna stritten mit wechselndem Glücke um die Oberherrschaft. Da versuchte
Cola (Nicolaus) Rienzi die Befreiung Roms und hatte den
Plan, durch anfänglichen Erfolg aufgemuntert, ganz Italien
in eine Republik zu verwandeln. Doch vermochte er nicht, sich
zu behaupten, gerieth in Weichlichkeit und Wohlleben, liebte
äußere Pracht und mißfiel so dem Volke und dem Adel. Bei
einer Empörung sah Cola sich genöthigt, zu fliehen; er kehrte
zurück und war ein Opfer seiner Verwegenheit. Anfänglich
hatte Papst Clemens selbst diesen Abenteurer in Schutz genommen, indem er durch die Aufregung des Bürgerstandes die
Barone zu demüthigen hoffte; Cola nahm auch zuerst die Maske
an, als wenn er im Namen des Papstes handle, zeigte aber
bald, als der Erfolg sich günstig erwies, daß er nur für eigene
Rechnung handle. Das Anathem gegen den Kaiser Ludwig
wiederholte auch Papst Clemens i. J. 1346 und stimmte den
fünf Kurfürsten bei, welche den Carl von Luremburg an Ludwig's Stelle erwählten; so ging der Bürgerkrieg aufs Neue an,
bis im darauf folgenden Jahre Kaiser Ludwig nach einem

Sturz mit dem Pferde oder, wie Andere wollen, vergiftet, starb. Auch that Papst Clemens manchen Schritt zur Wiedervereinigung der Griechen und Armenier mit der katholischen Kirche, doch ohne Erfolg. Petrarca, sein Zeitgenosse, rühmt seine ausgezeichnete Gelehrsamkeit und Milde. Er war einer der vorzüglichsten geistlichen Redner seiner Zeit, und hinterließ in diesem Fache mehre schätzbare Arbeiten. — Bei seinem Tode, welcher im Jahre 1352 erfolgte, erbaute er alle, die sein Sterbebett umstanden.

Innocentius VI.,

Stephan d'Albert, wurde bei Pompadour im Bisthume von Limoges geboren, war Cardinal-Bischof von Ostia und Groß-Pönitentiar. Er verringerte um Vieles die Ausgaben des römischen Hofes, hieß die Beneficiaren an ihrem Beneficial-Orte wohnen, erließ eine Verordnung gegen die Kloster-Pfründen der Weltgeistlichen, und arbeitete mit großem Eifer an der Versöhnung der Könige von Frankreich und England. Dieser ausgezeichnete Papst, an welchem wahre Kunst und Wissenschaft immer einen warmen Freund und Beschützer fanden, ist von Nepotismus (übermäßiger Bevortheilung seiner nähern und entfernten Anverwandten) nicht ganz frei zu sprechen. — Er starb i. J. 1362 und hinterließ einige Briefe.

Urbanus V.,

Wilhelm Grimoald, war zu Grisac von adeligen Eltern geboren, wurde Benedictiner und zuletzt Abt seines Ordens zu Auxerre und zu Marseille. Im fünften Jahre seiner Regierung, zu welcher er, ohne vorher Cardinal gewesen zu sein, gelangt war, (1367) versetzte er den apostolischen Stuhl wieder nach Rom, wo er mit unbeschreiblichem Jubel empfangen wurde. Ihn selbst aber nöthigte zu diesem Schritte der Umstand, daß die päpstlichen Besitzungen von allen Seiten angefallen wurden, und sogar ein kaiserliches Heer, das gegen die Rebellen abgesandt war, durch den Aufzug verdeckter Schleusen in die größte Gefahr kam. Da riß sich der Papst von Frankreich los, obwohl nicht ohne große Hindernisse, und rettete so seine Besitzungen.

Hierauf erbaute er mehre Kirchen und gründete verschiedene
Stifter. Er setzte alle seine Kraft daran, den Ränken, dem
Wucher und der Sittenlosigkeit der Geistlichen Einhalt zu thun,
die Simonie zu unterdrücken und den gleichzeitigen Genuß mehrer Beneficien abzustellen. Während der ganzen Dauer seines
Pontificates unterhielt er tausend Studirende auf verschiedenen Universitäten, und versah sie sogar mit den ihnen nothwendigen Büchern; zu Montpellier gründete er ein Collegium
für zwölf Studenten der Arzneikunde. Im Jahre 1370 verließ
Papst Urban die Stadt Rom, um sich nach Avignon zu begeben, mit dem Vorsatze, wieder nach Rom zurückzukehren. Er
kam am 24. September zu Avignon an, wurde aber gleich
von einer heftigen Krankheit ergriffen und starb am 19. December desselben Jahres. — Seine Leiche wurde in der Abtei
St. Victor zu Marseille beigesetzt, und mehre wunderbare Hei-
lungen, die auf seine Fürbitte an seinem Grabe sollen Statt
gefunden haben, bewirkten, daß er von mehreren Kirchen als ein
Heiliger verehrt wurde. Zu Avignon begeht man sein Andenken
feierlich am 19. December.

Gregorius XI.,

aus der Familie Roger, wurde auf dem Schlosse Maumont
im Bisthume Limoges geboren. Gelehrsamkeit und Gewandtheit
in geistlichen Geschäften brachten ihn auf den apostolischen
Stuhl. Seine erste Sorge ging dahin, den Frieden unter den
christlichen Fürsten wieder herzustellen, den Armeniern Hülfs-
völker gegen die Türken zu schicken und die Mißbräuche,
welche sich in die geistlichen Orden eingeschlichen hatten, abzu-
schaffen. Da die meisten Städte des Kirchenstaates in Aufruhr
waren, und die Florentiner bis vor die Thore Roms streiften,
so verfügte sich Papst Gregor, diesem Mißstande abzuhelfen,
nach Italien und hielt i. J. 1377 seinen Einzug in Rom, seit
welcher Zeit her der apostolische Sitz denn auch bis auf den
heutigen Tag in Rom verblieben ist. Da der Aufenthalt der
Päpste in Avignon an die 70 Jahre lang gedauert hatte, so

nannten die Römer dies die babylonische Gefangenschaft der römischen Kirche. — Papst Gregor starb schon im darauf folgenden Jahre, und obzwar sehr unzufrieden mit den Römern und nach Avignon sich zurückwünschend, konnte er sich doch nicht verheimlichen, welch einen großen Dienst er 'der Kirche Gottes durch seine Rückkehr nach Rom erwiesen habe. Er war ein ausgezeichneter Rechtsgelehrter. Unter seinem Pontificate wurden zuerst die Irrlehren Wiklef's verworfen.

Urbanus VI.,

Bartholomäus Prignano, aus Neapel, Erzbischof von Bari, wurde am 9. April 1387 zum Papste erwählt. Doch schon am 21. September desselben Jahres sagten sich fünfzehn Cardinäle, die ihn selbst erwählt und bis dahin als Papst anerkannt hatten, angeblich wegen seiner übermäßigen Strenge, von ihm los, und wählten zu Forli den Robert, Grafen von Genf, welcher den Namen Clemens VII. annahm und seinen Sitz in Avignon aufschlug. Frankreich, Spanien, Schottland, Sicilien und die Insel Cypern erkannten diesen als rechtmäßigen Papst an; die ganze übrige Christenheit aber verwarf ihn als einen Gegenpapst. Im Jahre 1383 ließ Papst Urban einen Kreuzzug gegen Frankreich und den Grafen von Genf predigen; doch hatte dieses Unternehmen keinen besondern Erfolg. Mittlerweile entdeckte er auch unter den ihm treu gebliebenen Cardinälen eine Verschwörung, nach welcher er abgesetzt und als Ketzer zum Feuertode verurtheilt werden sollte. Er ließ fünf derselben hinrichten, und nur der Cardinal-Bischof von London, welcher ebenfalls der Theilnahme am Complotte überwiesen war, entkam der Strafe auf die Fürbitte des Königs von England. Urban verordnete, daß die Jubiläumszeit nach jedem 33. Jahre wiederkehren solle, zum Andenken, daß Jesus Christus, wie man gewöhnlich dafür hält, 33 Lebensjahre auf Erden zugebracht habe; auch setzte er den Festtag Mariä Heimsuchung ein; der Universität zu Köln ertheilte er die Privilegien von Paris, und starb, nach einem Sturz vom Pferde, i. J. 1389.

Bonifacius IX.,

aus Reapel, von einer vornehmen, aber ganz verarmten Familie. Seine, obwohl fast fünfzehn Jahre lange, Regierung bot wenig Erhebliches dar, und er selbst machte sich durch Nepotismus verhaßt. Er starb i. J. 1404. Unterdessen war auch im
Jahre 1394 der Gegenpapst Clemens VII., vom Schlage gerührt, zu Avignon gestorben, und die Schismatiker daselbst
hatten einen gewissen Peter de Luna, einen Spanier, der sich
früher dem Kriegsdienste und der Rechtskunde abwechsend gewidmet hatte, zum Papste erwählt. Als Geistlicher und Professor der Rechtskunde an der Universität zu Montpellier erhielt
er den Cardinalshut von dem Papst Gregor XI.; der Gegenpapst Clemens schickte ihn als Legaten nach Spanien, und als
er in die Fußstapfen seines Beschützers getreten war, nahm er
den Namen Benedict XIII. an. Vor der Wahl hatte er, so
wie die übrigen schismatischen Cardinäle, die Zusage gegeben,
daß er, im Falle er zum Papste gewählt werde, dieser Würde
entsagen wolle, wenn er dadurch zur Beendigung des Schisma
beitragen könne; als aber die Wahl auf ihn fiel, blieb er seiner gegebenen Zusage nicht eingedenk. Unter ähnlicher Bedingung wurde von den römischen Cardinälen nach Bonifacius'
Tode (1404) der Bischof von Bologna, Cosmus Meliorato,
zum Papste erwählt und nannte sich

Innocentius VII.

Kaum aber sah er sich auf dem Stuhle des h. Petrus unge-
fährdet, als die Cardinäle sich in ihrer Erwartung getäuscht
fanden, indem er von gar keiner Vermittelung zur Beilegung
der traurigen Kirchenspaltung wissen wollte. Auf das Ersuchen
des Königs von Frankreich verfügten sich zwölf der angesehensten Männer Roms zum Papste, um ihn zu einer Wiedervereinigung zu bewegen; doch blieb er eben so unbiegsam, wie sein
Gegner de Luna; sein Bruder Ludwig Meliorato besaß sogar
die Verwegenheit, diese Abgesandten gefangen nehmen und
mehre derselben auf das grausamste hinrichten zu lassen. Hier-

auf empörten sich die Römer, und Innocentius mußte nach Viterbo flüchten, kehrte aber bald wieder nach Rom zurück und starb schon i. J. 1406, bekannt als einer der ausgezeichnetsten Rechtsgelehrten seiner Zeit.

Gregorius XII.

hieß Angelus Corario, war aus Venedig und Cardinal seit dem Pontificate Innocentius' VII. Da er als Legat so häufig den Geist der Versöhnlichkeit mit Erfolg an Tag gelegt hatte, so wurde er i. J. 1406 zum Papste erwählt. Auch er unterzeichnete, nachdem ihm der Wahlbeschluß der Cardinäle bekannt gemacht worden war, die Zusage, die päpstliche Krone niederzulegen, wenn sein Gegner sich zu demselben Schritte verstehen wolle, um doch endlich das Schisma aufzuheben. Papst und Gegenpapst leisteten gegenseitig alle möglichen Versprechen. Gregor schrieb es, und Benedict (Peter de Luna) sagte es unaufhörlich; doch meinte es Keiner von Beiden aufrichtig. Die Cardinäle von Rom sowohl als die von Avignon, durch diese Umtriebe endlich ermüdet, beriefen i. J. 1409 ein allgemeines Concilium nach Pisa, welches beide Päpste absetzte und den Franciscaner Peter Philargi, von der Insel Candia, erwählte, der sich den Namen

Alexander V.

beilegte. Dieser stammte von ganz armen Eltern ab, die er nie gekannt hatte. Ein Franciscaner war auf den armen Knaben, der das Brod von Thür zu Thür erbetteln mußte, aufmerksam geworden, hatte ihn mit in sein Kloster genommen, und so wurde er diesem Orden anhängig. Seine schnellen und ausgezeichneten Fortschritte in den Wissenschaften führten ihn auf die Katheder der Universitäten von Orford und Paris; der Herzog von Mailand machte ihn zum Lehrer und Erzieher seines Sohnes, worauf er Bischof von Vicenza, dann von Navarra, Erzbischof von Mailand und endlich Cardinal und päpstlicher Legat in der Lombardei wurde. Papst Alexander bestätigte das Concilium von Pisa und starb, wie Einige wollen, an Gift, nach-

dem er kaum ein Jahr lang mit dem höchsten Pontificate bekleidet gewesen war, i. J. 1410. Der durch das Concilium von
Pisa abgesetzte Gregor berief seinerseits ein Concilium nach
Udine im Friaul; da er aber fürchten mußte, hier ergriffen
zu werden, so floh er nach Gaeta, wo ihn Ladislaus, König von
Neapel, schützte. Peter de Luna hingegen war schon vor seiner
Absetzung durch die pisanische Kirchenversammlung aus Avignon,
wo ihn Carl VI. von Frankreich wegen mannigfaltiger Täu-
schungen, die der verschmitzte Afterpapst gegen den König sich
hatte zu Schulden kommen lassen, gefangen hielt, entflohen,
und hatte sich nach Chateau-Renard zurückgezogen, von wo aus
er einen Bannfluch gegen das Concilium von Pisa ergehen ließ.
Nach dem Tode Alexander's wurde der Neapolitaner Balthasar
Cossa, römischer Kämmerer und Cardinal-Legat von Bologna,
zum Papste erwählt und nannte sich

Johannes XXIII.

Er versprach, dem Pontificate zu entsagen, wenn Gregor und
Peter de Luna ebenfalls dazu bereitwillig sein würden. Auf
dem allgemeinen Concilium zu Constanz, welches i. J. 1414
zusammen kam, sollte er dieses Versprechen schriftlich bestätigen.
Als er auf der Reise der Stadt Constanz von fern ansichtig
wurde, äußerte er gegen seine Umgebung: „Dort liegt die Fall-
grube, worin man die Füchse fängt." Dennoch unterzeichnete er
seine gegebene Zusage am 2. März 1415, was ihn aber bald
gereute. Nun dachte er zu entfliehen; dieses gelang ihm auch,
als Stallknecht verkleidet, bei einem Turniere, das zu diesem
Ende der Herzog von Oestreich veranstaltet hatte. Doch wurde
er zu Freiburg ergriffen und auf ein benachbartes Schloß gebracht. Das Concilium machte ihm den Proceß und entsetzte ihn
am 29. Mai 1415 der päpstlichen Würde, worauf ihm im
Schlosse zu Heidelberg ein Gefängniß angewiesen wurde. Gregor, von welchem unterdessen der König von Neapel seinen be-
schützenden Arm zurückgezogen hatte, war nach Rimini entflohen,
von wo aus er an das constanzer Concilium im Jahre 1415

seine Abdankung einsandte. Dieses ernannte ihn nun, aus dank=
barer Anerkennung seiner Unterwürfigkeit, zum Dechant des
Cardinal=Collegiums und lebenslänglichen Legaten in der Mark
Ancona. Er starb zu Recanati im Jahre 1417, in einem Alter
von 92 Jahren, durchdrungen von der Erkenntniß, daß alle
menschliche Größe nichtig sei. Peter de Luna, auch, so wie
Gregor vor seiner Abdankung, von dem constanzer Concilium mit
dem Anathem belegt, wollte sich noch immer als Benedict XIII.
geltend machen, und sprach, nachdem er sich mit zwei ihm treu
gebliebenen Cardinälen nach Peniscola, einem höchst unbedeu=
tenden Städtchen des Königreichs Valencia, zurückgezogen hatte,
den Bannfluch gegen die zu Constanz versammelten Väter aus,
und wiederholte denselben aus seiner Winkel=Residenz nach und
nach gegen fast alle Fürsten und Reiche der Christenheit. Nach
der Gefangennehmung des Johannes blieb der apostolische
Stuhl fast während zweier Jahre unbesetzt; doch dauerte das
constanzer Concilium unterdessen fort. Endlich fiel im Jahre
1417 die Wahl auf den Cardinal=Diakon Otto Colonna, wel=
cher unter dem Namen

Martinus V.

den päpstlichen Thron bestieg. Nachdem er zum Priester und
Bischofe ordinirt worden war, wurde er als Oberhaupt der
katholischen Kirche inthronisirt. Nie war eine solche Feier
glänzender gewesen. Der neu gewählte Papst begab sich auf
einem blendend weißen, reich geschmückten Pferde sitzend, dessen
Zügel der Kaiser Sigismund und der Kurfürst von der Pfalz,
zur Seite gehend, hielten, zur Krönungskirche; das Concilium,
bestehend aus 4 Patriarchen, 47 Erzbischöfen, 160 Bischöfen
und 564 Aebten und Doctoren der h. Schrift, nebst einer
Menge Fürsten aus fast allen Ländern der Christenheit, bildete
den Zug. Unbeschreiblich groß war der Jubel wegen des be=
endigten Schisma; alle Blicke waren auf den neuen Papst
gewandt, und so empfing er, sichtbar ergriffen, die dreifache
Krone. Noch bis zum Anfange des Jahres 1418 blieb er zu

Constanz, um welche Zeit das Concilium beendigt wurde. Die versammelten Väter verwarfen die Irrlehren Wiklef's und des Johannes Huß. Letzterer hatte, wie er es selbst in seinen Anschlagzetteln bekannt machte, von dem Kaiser nur unter der Bedingung freies Geleit zugesagt erhalten, wenn er, nach versuchter Rechtfertigung vor dem Concilium, sich demselben unterwerfen wolle, sobald seine Lehre als irrgläubig anerkannt sein würde. Da er aber, so wie auch sein Schüler Hieronymus von Prag, welcher ungerufen nach Constanz gekommen war, seinen Lehrer zu vertheidigen, sich dem Ausspruche des Conciliums nicht fügen wollte, sondern hartnäckig in seinem Irrthum beharrete, sprachen die Väter gegen ihn, seine Lehre und Anhänger, das Anathema aus, setzten ihm, dem damaligen Zeitgeiste gemäß ihn verhöhnend, die mit Teufeln bemalte Ketzerhaube auf, und übergaben ihn nebst seinem Schüler Hieronymus dem Stadt-Magristrate von Constanz, der beide zum Feuertode verurtheilte. Papst Martin bestätigte das Concilium in allen seinen unmittelbaren Beziehungen zur Glaubens- und Sittenlehre der Kirche Jesu Christi, worauf er sich nach Rom begab, wo bei seinem Einzuge der Jubel noch größer war, als bei seiner Krönung zu Constanz. Unterdessen schmachtete der abgesetzte Papst Johannes noch in seinem Gefängnisse zu Heidelberg und suchte sich diesen traurigen Aufenthalt durch das Studium der Rechtskunde, welches er in seiner Jugend mit glänzendem Erfolge auf der Universität von Bologna getrieben hatte, und durch Verfertigung mehrer sehr gelungenen Dichtungen, so gut als möglich zu versüßen. Die Florentiner gingen den Papst Martin mit der Bitte an, er möge sich um die Freilassung des vornehmen Gefangenen bei dem Kurfürsten von der Pfalz verwenden. Dies geschah, und Balthasar Cossa, ehemals Papst Johannes XXIII., wurde im Jahre 1419 seiner Haft entlassen. Sogleich begab er sich nach Florenz, woselbst sich damals Papst Martin aufhielt, fiel demselben zu Füßen und erkannte ihn als das sichtbare Oberhaupt der Kirche Christi an. Der Papst hob ihn freundlich auf, ernannte

ihn zum Dechant des Cardinal-Collegiums und wies ihm
einen besonderen, erhöheten Sitz bei öffentlichen Verhandlungen an. Cossa starb aber schon sechs Monate nach seiner
Wiederversöhnung mit der Kirche und ihrem Oberhaupte. Nun
war nach der beendigten Kirchenspaltung noch der einzige Gegenpapst Peter de Luna übrig geblieben, und spielte, von aller
Welt bemitleidet und verhöhnt, noch immer zu Peniscola die
Rolle des Pontifex Maximus der katholischen Kirche. Und in
dieser Hartnäckigkeit verharrete der unbiegsame Aragonier bis
an sein Lebensende, welches im Jahre 1424, nachdem er 90
Jahre alt geworden war, erfolgte. Kurz vor seinem Tode verpflichtete er die beiden ihm anhänglich gebliebenen Cardinäle,
nach seinem Hinscheiden ihm einen Nachfolger zu wählen. Diese
kamen auch wirklich seinem Auftrage nach, und wählten den
Aegidius von Mugnos, einen spanischen Canonicus, welcher
unter dem Namen Clemens VIII. sich für das Oberhaupt der
katholischen Kirche hielt. Doch entsagte er schon im Jahre
1429 dieser erträumten Würde, und Papst Martin gab ihm
zum Ersatze das Bisthum von Majorca. So war denn die
letzte Spur der großen Kirchenspaltung, welche im Jahre 1378
begonnen und somit ein halbes Jahrhundert lang gedauert
hatte, verschwunden. Nun wurde Papst Martin von den christlichen Fürsten unaufhörlich angegangen, den Gebrechen der
Kirche abzuhelfen. Er berief zu dem Ende ein Concilium nach
Pavia, das späterhin nach Siena verlegt wurde und sich auf-
löste, ohne daß etwas Erhebliches beschlossen worden war.
Hierauf kündigte der Papst ein Concilium an, welches erst
nach sieben Jahren zu Basel gehalten, in dieser Zwischenzeit aber
jede nothwendige Vorbereitung ins Werk gestellt werden sollte.
Er starb aber selbst schon vor dem Ablaufe dieser Frist, an
den Folgen eines Schlagflusses, im Jahre 1431, 63 Jahr alt.
Er hinterließ einige Schriften und soll, bei seinen vielen vorzüglichen Eigenschaften, doch auch in etwa habsüchtig gewesen sein. Sehr weise war dagegen die für alle künftige Zeit von
ihm ausgegangene Verordnung, daß die Bedienung des h.

Grabes zu Jerusalem nur Ordensgeistlichen, die das Gelübde
der Armuth abgelegt haben, somit **kein persönliches Eigenthum besitzen**, nie aber Weltgeistlichen übergeben werde.

Eugenius IV.

war von bürgerlichem Herkommen, aus Venedig, und hieß
Gabriel Condolmero. Nachdem er einige Jahre lang Regular-
Canonicus der Congregation des h. Gregorius in alga gewesen war, wurde er Bischof zu Siena und zuletzt Cardinal.
Nach dem Tode des Papstes Martin V., eben als das baseler
Concilium eröffnet werden sollte, wurde er im Jahre 1431 zum
Papste erwählt. Schon gleich im Beginne des baseler Concils
war eine Spannung zwischen dem Papste und den Vätern unverkennbar, und artete bald in gegenseitige Widersetzlichkeit
aus. Kaiser Sigismund brachte die streitenden Parteien wieder zur Einigkeit zurück; doch sein bald darauf erfolgter Tod
zerriß dieses Band aufs Neue. Der Papst verließ Basel, erklärte das dortige Concil für aufgelöst, welches sich aber nichts
desto weniger seinerseits für andauernd erklärte, und begab sich
nach Ferrara, wohin er eine neue Kirchenversammlung zusammen berief, die am 10. Februar 1438 auch wirklich eröffnet
wurde. Zu den 150 Bischöfen des Abendlandes gesellte sich
noch der Patriarch Johannes von Constantinopel nebst 21
morgenländischen Bischöfen; selbst der Kaiser Johannes Paläologus war mit einem überaus zahlreichen Gefolge zugegen;
denn von den Türken hart bedrängt, hoffte er auf Hülfe von
den abendländischen Fürsten, wenn eine Vereinigung zwischen
den beiden Kirchen endlich zu Stande gekommen wäre. Von
Ferrara, wo eine verheerende Krankheit ausgebrochen war,
wurde das Concil nach Florenz verlegt. Nachdem mit den
Griechen die streitigen Fragen über das Hervorgehen des h.
Geistes aus dem Vater und dem Sohne, über das Fegfeuer
und die Anerkennung des allgemeinen Kirchen-Oberhauptes in
dem römischen Papste abgethan waren, kam die so lang' er-
sehnte Vereinigung der griechischen und der lateinischen Kirche
endlich in der sechsten und letzten Sitzung des florenzer Conci-

liums zu Stande, am 6. Julius 1439. Die betreffende Acte wurde, griechisch und lateinisch abgefaßt, von beiden Theilen unterzeichnet. Doch kaum war der Kaiser damit in Constantinopel angekommen und hatte sie der versammelten Geistlichkeit vorgewiesen, als diese sich dagegen erklärte und in ihrem Hasse gegen die römische Kirche nichts von dieser Vereinigung wissen wollte, welche allerdings schon dadurch den Keim ihres Unbestandes in sich trug, daß sie bloß aus eigensüchtigen, politischen Gründen gewünscht worden war. Dennoch besteht seit jener Zeit, besonders in den westlichen Ländern, eine mit der römischen Kirche vereinigte Partei der griechischen, unter dem Namen der **unirten Griechen**. Da auf diesem Concilium auch die Lehre von den sieben h. Sacramenten zur Sprache kam, verfaßte Papst Eugenius eine vortreffliche Darstellung derselben hinsichtlich der sieben Hauptfälle im Leben des Menschen, wo dieser einer besondern übernatürlichen Gnade zu seiner Heilswirkung bedürftig ist *). Unterdessen hatte sich das Concilium zu Basel von Tag zu Tage verringert, und die noch wenigen übrig gebliebenen Bischöfe entsetzten den Papst Eugen als einen Friedensstörer, Schismatiker und Ketzer, als der Simonie und des Meineides schuldig, der päpstlichen Würde, und bekleideten mit derselben Amadeus VIII., Herzog von Savoyen, welcher den Namen Felir V. erhielt. Der Kaiser und alle Fürsten des Reichs, die Könige von Frankreich und England äußerten laut ihren Abscheu gegen ein solches Unternehmen, wenngleich Amadeus selbst einer der vortrefflichsten und liebenswürdigsten Männer seiner Zeit war, der den Beinamen des Friedfertigen und des Salomo seines Jahrhunderts führte und der nur durch Unkenntniß von der wahren Lage der Dinge getäuscht seine vielgeliebte Einsamkeit zu Ripaille am Genfersee, wo er i. J. 1434 den weltlichen Ritterorden de l'Annonciada gestiftet hatte, verließ, um die ihm von Basel aus angebotene päpstliche Krone anzunehmen. Papst

---

*) Göthe hat bekanntlich, doch ohne die Quelle anzugeben, diese Darstellung in seiner Auto=Biographie auszugsweise benutzt.

Eugen, noch immer in Florenz, belegte die zu Basel versammelten Bischöfe und den Gegenpapst mit dem Kirchenbanne, begab sich hierauf im Jahre 1442 nach Rom und starb fünf Jahre danach. Seine letzten Lebenstage wurden noch sehr durch die traurige Nachricht von den großen Fortschritten, welche die Türken in Europa machten, verbittert. Als er seinen Tod herannahen fühlte, rief er aus: „O Gabriel, Gabriel! besser wäre dir's gewesen, nie Papst, noch Cardinal, noch Bischof geworden zu sein! Hättest du doch deine Tage beschließen können, wie du begonnen hattest, als einfacher Geistlicher, in deinem Kloster verborgen und nach der Regel desselben lebend!" — In denjenigen erstern Sitzungen des basler Conciliums, in welchen dasselbe als ein allgemeines anerkannt wird, wurde unter Anderm den Böhmen der Genuß des Kelches im h. Abendmahle unter der Bedingung zugestanden, daß sie diejenigen nicht als irrgläubig tadeln würden, die nur unter Einer Gestalt communicirten.

Nicolaus V.

hieß Thomas Lucanus von Sarzane, war Cardinal und Bischof von Bologna. Nur sehr ungern bestieg er nach Eugenius' Tode den päpstlichen Stuhl. Nun aber war seine erste eifrige Sorge, der Kirche und Italien den Frieden zu verschaffen, was ihm auch gelang. Der Gegenpapst Felix unterwarf sich dem rechtmäßigen Oberhaupte und wurde zum Dechant der Cardinäle ernannt, welche Würde er bis zum Jahre 1451 bekleidete, wo er starb. Papst Nicolaus, gewiß einer der ausgezeichnetsten und verdienstvollsten Nachfolger des h. Petrus, hatte sich bis zum Jahre 1450 einer überaus glücklichen Regierung zu erfreuen; doch die Verschwörung eines gewissen Stephan Porcario gegen ihn und das Cardinal-Collegium, so wie die im Jahre 1453 erfolgte Eroberung Constantinopels durch die Türken, verbitterte ihm seine Tage und beschleunigte seinen Tod. Unaufhörlich hatte er, aber vergebens, die Fürsten und Völker des Abendlandes aufgefordert, den Griechen zu Hülfe zu eilen, und ungemein groß ist der Antheil, welchen

Papst Nicolaus am Wiederaufleben der Wissenschaften hatte.
Er selbst war sehr wissenschaftlich gebildet und belohnte reichlich diejenigen, die den Wissenschaften mit ausgezeichnetem Erfolge oblagen; so war er es auch, welcher (1448) dem Nicolaus Cusanus (geb. zu Cusa, einem Dorfe an der Mosel) den
Cardinalshut und das Bisthum von Brixen verlieh. Von
allen Enden her bereicherte er seine Bibliothek durch griechische
und lateinische Manuscripte, die er um jeden Preis erstand.
Er kann als der eigentliche Stifter der vaticanischen Bibliothek
angesehen werden. Die griechischen Classiker ließ er ins Lateinische übersetzen, und verwandte große Summen auf die Uebersetzung und Entdeckung alter Werke. Dem Philelphus schenkte er
für eine Uebersetzung Homer's ein Haus und Landgut und ließ
ihm noch dazu eine große Summe Geldes auszahlen; 5000
Ducaten soll er demjenigen zugesagt haben, der ihm das Evangelium des h. Matthäus im hebräischen Urterte bringen würde.
In Rom und anderwärts ließ er ansehnliche Bauten zu ge-
meinnützigen Zwecken, Palläste, Kirchen, Brücken- und Festungs-
werke aufführen; die nach Italien geflüchteten Griechen, unter
denen sich viele ausgezeichnete Gelehrte befanden, wurden väterlich von ihm aufgenommen und reichlich unterstützt; er ver-
gab Beneficien und Aemter nur an die Wohlverdienten und
Tugendhaften; aber verarmten Töchtern adeliger und bürger-
licher Familien verlieh er eine anständige Aussteuer *). Mit
der deutschen Nation schloß Papst Nicolaus die bekannten Con-
corbate ab und starb, nach einer achtjährigen Regierung, im
Jahre 1455.

Calixtus III.

hieß Alphons von Borgio, aus Rativa in Spanien, war Cardinal und Bischof von Valencia. Obgleich er in einem schon
sehr vorgerückten Alter den apostolischen Sitz bestieg, so hatte
er doch nichts von seiner jugendlichen Rüstigkeit verloren, und

---

*) So that dieser ausgezeichnete Papst in Wirklichkeit, was eine unzu-
verlässige Legende seinem Namenspatron, dem heiligen Nicolaus von
Myra, zuschreibt und woher bei den Katholiken der Gebrauch rührt,
am Gedächtnißtage dieses Heiligen die Kinder zu beschenken.

feine große Uneigennützigkeit war unter den Geiſtlichen ſeiner Zeit faſt zum Sprüchworte geworden. Von ihm rührt der Gebrauch her, zur Erinnerung an die Menſchwerdung des Sohnes Gottes, als an den Anfang des Erlöſungswerkes, täglich um Mittag die Glocken zu ziehen und den engliſchen Gruß zu beten. Im Jahre 1455 ließ er die Reviſion des Proceſſes der Jungfrau von Orleans wiederholen; der Proceß wurde für ungerecht und nichtig, die Retterinn Frankreichs aber für unſchuldig erklärt und eine Martyrinn genannt. Als der König von Aragonien, in deſſen Staatsdienſte er früher geſtanden hatte, nach ſeiner Erhebung auf den Stuhl des h. Petrus ihn fragen ließ, auf welchem Fuße er nun mit ihm zu leben gedächte, antwortete Papſt Calixtus den Geſandten des Königs: „Es regiere der König ſeine Staaten, und laſſe mich die Kirche regieren.“ — Er ſtarb, eben damit beſchäftigt, Schiffe auszurüſten und die chriſtlichen Fürſten zu einem Kreuzzuge gegen die immer weiter vordringenden Türken zu ermuntern, am 6. Auguſt 1458.

Pius II.

hieß Aeneas Sylvius Piccolomini, war im Jahre 1405 zu Corſini geboren und machte ſeine Studien zu Siena. Schon in ſeinem 26. Jahre wohnte er als Geheimſchreiber des Cardinals von Ferno dem baſeler Concilium bei, und erhielt bei dieſer Gelegenheit manchen wichtigen und ehrenvollen Auftrag. Hierauf wurde er Geheimſchreiber des Kaiſers Friedrich III., der ihn mit der Dichterkrone zierte und als Geſandten nach Rom, Mailand, Neapel, Böhmen und anderwärts hinſchickte. Unter Papſt Nicolaus wurde er Biſchof von Trieſt und dann von Siena, und nachdem er ſich bei verſchiedenen Nunciaturen äußerſt vortheilhaft erwieſen hatte, bekleidete ihn Papſt Calixtus mit dem Purpur der Cardinalswürde; dieſem folgte er bald ins höchſte Pontificat nach und nannte ſich als Papſt Pius II. Als er noch als Geheimſchreiber dem Concilium von Baſel beiwohnte, vertheidigte er lebhaft die Berufung vom Papſte auf

eine allgemeine Kirchenversammlung; doch im zweiten Jahre
seiner Regierung verwarf er diese Berufung in einer Bulle,
worin es unter Anderm heißt: „Indem man an ein Tribunal
appellirt, welches noch nicht besteht und vielleicht in langer
Zeit noch nicht bestehen wird, legt man sich selbst die volle
Freiheit bei, im Verkehrten zu verharren." Dennoch berief
sich der General-Procurator des pariser Parlamentes auf ein
Concilium zur Aufrechthaltung der pragmatischen Sanction,
welche König Carl VII. von Frankreich am 7. Julius 1438,
im Einverständnisse mit dem baseler Concil, nachdem Eugenius
dasselbe für aufgelös't erklärt, hatte bekannt machen lassen, und
gegen welche Papst Pius sich fortwährend auflehnte. Diese
Mißachtung seiner Bulle erbitterte ihn gegen Frankreich und
stimmte ihn nur noch ungünstiger dagegen, als er, die christlichen Fürsten zum Kampfe gegen die Türken, welche die schönsten Provinzen Europa's an sich rissen, aufmunternd, von Seiten Frankreichs weder für das Eine noch das Andere eine Zusage erhalten konnte, während die Uebrigen Geld und Truppen
versprachen. Ludwig XI., der im Jahre 1471 an die Regierung
kam, erklärte, um diese Spannung mit dem Kirchen-Oberhaupte
aufzuheben, die pragmatische Sanction für kraftlos, wenngleich
zum größten Mißvergnügen des Parlamentes und des größten
Theiles der Geistlichkeit, welche dennoch fortfuhren, sich nur
willkürlich danach zu richten. Im darauf folgenden Jahre erhob sich, dem ausgearteten scholastischen Geiste jener Zeit gemäß, unter den Franciscanern und Dominicanern ein lebhafter
Streit über die spitzfindige Frage: ob, während Christus im
Grabe lag, das von seinem Leibe getrennte Blut auch von seiner Gottheit getrennt gewesen sei. Die Erstern bejahten diese
Frage, die Letztern verneinten sie. Als endlich die Wuth der
Kämpfenden so weit ging, daß sie sich gegenseitig, zum Aergernisse der Christenheit, um einer solchen Frage willen des Irr-
glaubens beschuldigten, wo von keinem Glaubenspunkte die
Rede sein konnte, verbot Papst Pius durch eine Bulle beiden
Theilen, hierüber noch ein Wort zu verlieren, mit dem Bemer-

ken, daß solche nichtige und spitzfindige Erörterungen nicht Statt finden könnten, ohne nicht auch dem Glauben selbst seine großartige Einfalt und majestätische Würde zu verkümmern. Ein Jahr danach (1463) widerrief der Papst in einer Bulle alles, was er als Geheimschreiber beim baseler Concil in Betreff der Superiorität des Concils über den Papst hatte laut werden lassen, und begegnete gleich selbst dem Einwurfe, den man ihm machen könnte: daß er als Papst die Dinge in einem ganz andern Licht anschaue, als da er noch Privatmann gewesen, indem man von der Höhe herab besser alle Verhältnisse erkennen und würdigen könne, in der Ebene hingegen nur immer einen sehr beschränkten Gesichtskreis vor sich habe. Unterdessen machten die Türken immer größere Fortschritte, und auch die Lage der abendländischen Christenheit schien in dieser Hinsicht bedenklich zu werden. Papst Pius forderte aufs Neue zum Kampfe gegen dieselben auf, doch leider nur vergebens. Da entschloß sich denn der muthige Papst selbst, mit einer auf Kosten des Kirchenstaates ausgerüsteten Flotte dem Feinde der Christenheit entgegen zu gehen, um, wo möglich, durch dieses Beispiel die Fürsten zu beschämen und zur Nachfolge zu bewegen. Schon war er in Ancona angelangt, um sich einzuschiffen, als er, von den Beschwerden der Reise angegriffen, daselbst erkrankte und, im 59. Jahre seines Alters, im 6. seiner Regierung, am 16. August 1464 starb. Er war unstreitig einer der wissenschaftlichsten Männer seiner Zeit und hinterließ sehr viele Schriften, unter welchen die vorzüglichsten sind: 1) Denkwürdigkeiten über das baseler Concil; 2) Geschichte der Böhmen, von ihrem Ursprunge bis zum Jahre 1458; 3) eine Kosmographie; 4) Geschichte von Europa während der Regierung Kaiser Friedrich's III.; 5) von Erziehung der Jugend; 6) das Leiden Jesu Christi, geistl. Epos; 7) Auto-Biographie; 8) allgemeine Weltgeschichte; 9) seine gesammelten Briefe, 432 an der Zahl; 10) Euriale und Lucretia; eine Jugendarbeit, worüber er sich als über einen nicht ganz lautern Roman im 409. Briefe selbst sehr bittere Vorwürfe macht.

Paulus II.,

aus einer adeligen Familie Reapels, hieß Peter Barbo und war Neffe des Papstes Eugen IV. Der neue Papst mußte den Cardinälen mehre Gesetze beschwören, welche diese während der Dauer des Conclave festgestellt hatten. Sie bestanden darin, den Krieg gegen die Türken fortzusetzen, die alte Disciplin am römischen Hofe wieder herzustellen, binnen acht Jahren ein allgemeines Concilium zu berufen und die Anzahl der Cardinäle auf 44 zu bestimmen. Papst Paulus ging diese Bedingungen ein, erfüllte aber nur die einzige, welche den Krieg gegen die Türken anging. Dagegen erlaubte er den Cardinälen manche neue Präeminenz in ihrer festlichen Kleidung und beschwichtigte sie so, indem er ihrer Eitelkeit schmeichelte. Als Podiebrac, König von Böhmen, die Hussiten in seinen Schutz nahm und gegen die Katholiken bevortheilte, wurde er von dem Papste in den Bann gethan, und als er hierauf die Katholiken offenbar verfolgte, empörten sich diese gegen ihn und boten dem Matthias Corvinus die Krone Böhmens an, welches aber eben so wenig von Erfolg für sie war, als der Kreuzzug, den hierauf der Papst gegen Podiebrac anordnete. Besser gelang es ihm, die Einigkeit unter den italienischen Fürsten, welche sich gegenseitig anfeindeten, wieder herzustellen. Ein Jahr vor seinem Tode setzte er die Wiederkehr des Jubiläums auf jedes 25. Jahr an. — Er starb, 54 Jahre alt, im Jahre 1471, nach einer fast siebenjährigen Regierung, indem er sich an einer Melone durch Uebermaß den Tod holte. Papst Paul war nichts weniger, als ein Beschützer der Wissenschaften, und die sich denselben widmeten, konnten auf seine Unterstützung durchaus nicht rechnen; er scheint im Gegentheile einen Widerwillen gegen sie gehabt zu haben; doch verschönerte er Rom durch Errichtung prachtvoller Gebäude. Im Allgemeinen weichen die Geschichtschreiber in Beurtheilung dieses Papstes sehr von einander ab, und so schwankt denn, wie der Dichter sagt, sein Charakterbild in der Geschichte.

Sixtus IV.

hieß Franz de la Rovere; er war der Sohn eines Fischers in
der Nähe von Savona, im genuesischen Gebiete, und Zögling des
gelehrten Bessarion. Er wurde Franciscaner, studirte Theologie zu Padua und auf den berühmtesten Universitäten Italiens,
und wurde General seines Ordens. Nachdem ihm Papst Paulus die Cardinalswürde verliehen hatte, folgte er diesem bald
darauf ins höchste Pontificat nach. Eine seiner ersten Sorgen
war, daß er Legaten an die christlichen Fürsten sandte, um sie
zum Kampfe gegen die Türken zu bewegen; doch trugen seine Bemühungen wenig Früchte. Da sandte er denn selbst im Jahre
1472 den Cardinal Caraffa an der Spitze einer Flotte von
29 Galeeren, welche sich an die der Venetianer und Neapolitaner anschloß, gegen die Türken. Diese vereinigte Seemacht bemeisterte sich der Stadt Attalia in Pamphilien und zwang die
türkische Armee, sich unverrichteter Dinge zurückzuziehen. Der
Cardinal nahm hierauf, von den Venetianern unterstützt,
Smyrna weg und machte große Beute. Alsdann hielt er im
Triumphe seinen Einzug in Rom. Im Jahre 1476 erließ Papst
Sixtus eine Bulle, worin er denjenigen, welche das Fest der
unbefleckten (erbsündlosen) Empfängniß der seligsten Jungfrau
Maria mit Andacht begehen würden, denselben Ablaß ertheilte,
den seine Vorfahren für die Festesfeier des allerheiligsten Al-
tars-Sacramentes verliehen hatten. Da nun diese beiden Beziehungen durchaus von einander verschieden sind, so war voraus zu sehen, eine solche Gleichstellung werde Einspruch zu
leiden haben, der denn auch nicht ausblieb. Einige Lehrer erhoben sich daher und hießen diejenigen Todsünder und Ketzer,
welche an die unbefleckte Empfängniß glaubten; andere hingegen predigten das Gegentheil. Der Papst, welcher seinen be-
gangenen Fehler einsah, gab daher im Jahre 1483 eine neue
Bulle heraus, um diesen Ausbrüchen der Leidenschaftlichkeit
über eine Sache Einhalt zu thun, die schon ihrer Natur nach
sich nicht zu einer dogmatischen Entscheidung eignet, und nur
in so fern — als kirchlich gefeiert zu werden — eine Ver-

theidigung leidet, als schon die Empfängniß Mariä an sich, nach Bellarmin's und Gotti's Bemerkung, ein zur Festesfeier genugsam wichtiges Ereigniß ist, und die Erbsündlosig- keit derselben allerdings auch zu denjenigen frommen Meinun- gen der Gläubigen gehört, von denen ein sehr hohes Alter kann nachgewiesen werden, indem schon Mahomed, welcher be- kanntlich in seinen Coran jüdische und christliche Ideen mit aufnahm, in der dritten Sura von der unbefleckten Empfäng- niß der Mutter Jesu redet. So wie in diesem Streite Fran- ciscaner und Dominicaner sich feindlich gegenüber standen, so feindeten sie sich auch noch wegen einer neuen Streitfrage an: ob nur der h. Franciscus ausschließlich oder auch die h. Ca- tharina von Siena mit den Wundmalen Jesu Christi sei begna- digt worden. Der Papst, dem erstern Orden angehörend, ent- schied auch für denselben. Endlich stritten sich die Regular- Canonici des h. Augustinns mit den Eremiten desselben Na- mens, weil auch diese sich Kinder des großen Kirchenlehrers nannten. Der Streit wurde zum Aerger des christlichen Volkes so heftig, daß der Papst ihm eben ein Ende machen wollte, als er im Jahre 1484, 71 Jahre alt, starb. — Papst Sirtus war überaus gefällig und freigebig, und da er Niemanden ein Begehren abschlagen konnte, so geschah es wohl, daß er meh- ren Personen dieselbe Zusage machte; um sich endlich vor die- ser Verlegenheit zu bewahren, in welche er schon oft gekommen war, trug er einem seiner Beamten auf, daß er ein genaues Verzeichniß von den bei ihm eingereichten Bittschriften mache. Rom verdankt diesem Papste manche Verschönerung; die Brücke, welche er über die Tiber führen ließ, trägt noch heute seinen Namen, und wie Künstler und Gelehrte das Andenken seines Vorgängers schmähten, so belegten sie das seinige mit Segen und Dankbarkeit. Schade, daß sein allzu leidenschaftlicher Ne- potismus, so wie auch seine Abneigung gegen das Haus der Medicis und die Venetianer sein ruhmvolles Andenken nicht ohne Flecken lassen. Er redigirte im Anfange seiner Regierung die Regulae cancellariae romanae, schrieb ein Werk vom Blute

Christi, eines von Gottes Allmacht, und eine Abhandlung von den Ablässen.

Innocentius VIII.

hieß Johannes Baptista Cibo, war griechischen Ursprungs und wurde zu Genua geboren. Mit Rücksicht auf verschiedene wichtige Legationen, welche er mit großer Geschicklichkeit beendigt hatte, wurde er zum Papste gewählt. Sogleich erließ er an die Fürsten der Christenheit einen Aufruf, die Türken zu bekämpfen, ertheilte dem muthigen Besieger derselben, Peter von Aubusson, Großmeister des Johanniter-Ordens, die Titel: Schild der Kirche und Befreier der Christenheit, und als dieser ihm den Zizim, Bruder Bajazet's II., zusandte, schmückte er ihn mit dem Cardinalshute. Mit dem Könige von Neapel hatte P. Innocens heftige Streitigkeiten wegen Verleihung von Beneficien; zuletzt zwang er aber den König, in alle Forderungen einzugehen, die er ihm auferlegte. Dem Könige von Spanien, Ferdinand V., verlieh er den Ehrentitel eines katholischen Königs. Ehe er den Stuhl des h. Petrus bestieg, war sein Privatleben nicht eben sehr erbaulich; zwei Töchter, welche er erzielt hatte, ließ er als Papst anständig erziehen, gab aber auch nun noch nicht das beste Beispiel. Der Anfall eines Schlagflusses, woran er im Jahre 1492 starb, führte ihn zur Erkenntniß, und so äußerte er in seinen letzten Lebensmomenten einen lebhaften Widerwillen gegen die Eitelkeiten dieser Welt.

Alexander VI.,

aus Valencia in Spanien, hieß Rodrigo Lenzuoli; seine Mutter war aus dem vornehmen Hause der Borgia, und als sein Oheim von mütterlicher Seite (Calirtus III.) Papst wurde, führte er von dieser Zeit an den Familiennamen seiner Mutter. Durch diesen Oheim wurde er im Jahre 1455 Cardinal, dann Erzbischof von Valencia und zuletzt Vicekanzler der römischen Kirche. Sirtus IV. schickte ihn als Legaten nach Spanien, wo er große Geschäftskenntniß bewies, zugleich aber auch einen höchst ausschweifenden Lebenswandel führte. In Rom

selbst lebte er in verbotenem Umgange mit einer Dame, Na=
mens Vanozia, und zeugte mit derselben vier Söhne und eine
Tochter, die alle ihres Vaters würdig waren. Seine beiden
ältesten Söhne buhlten unter den Augen des Vaters um die
blutschänderische Gunst ihrer Schwester, und Cäsar, der zweite
derselben, ein Ungeheuer von Grausamkeit und Ausschweifung,
tödtete den ältern Bruder und warf ihn in die Tiber. Der
Vater, dessen Abgott er trotz aller seiner Laster war, ließ nichts
unversucht, ihn zu befördern, und in dieser Beziehung gibt es
fast kein Verbrechen, dessen P. Alexander nicht wäre beschul=
digt worden: Todtschlag, Meuchelmord, Vergiftung, Simonie
werden ihm zur Last gelegt. So verschrieen nun auch dieser
Papst wegen seiner Verbrechen und Laster war, so wußte er doch
mit allen Fürsten seiner Zeit in Verbindung zu treten, wenngleich
er sie auch alle hinters Licht führte. Er beredete Carl VIII.,
König von Frankreich, zur Eroberung von Neapel und leistete
ihm dabei allen möglichen Vorschub; kaum aber hatte sich Carl
Neapels bemeistert, als der Papst sich mit dem Kaiser Maxi=
milian I. und den Venetianern verband, ihm seine Eroberung
wieder zu entreißen. Ludwig XII., Carl's Nachfolger, mit dem
Beinamen: Vater des Volkes, suchte mit Alexander in Verbin=
dung zu treten, weil er dann sicherer die kirchliche Trennung
von der Königinn Johanna, mit welcher er bereits dreiund=
zwanzig Jahre lang verehelicht war, durchzusetzen hoffte. Der
Papst ging auf die nichtssagenden Gründe des Königs ein,
und bestätigte drei Jahre später (1501) den Annunciaten=Or=
den, den die verstoßene Königinn unterdessen zu Bourges ge=
stiftet hatte. Zur selbigen Zeit hatte auch Ludwig XII. die
Eroberung Neapels versucht, welche ihm gelang, und ohne daß
der Papst ihm ein Hinderniß in den Weg gelegt hätte. Gleich
darauf aber verband Alexander sich mit Ferdinand dem Katho=
lischen und entriß den Franzosen wiederholt ihre Eroberung.
Diesem Könige von Spanien sagte er die Anerkennung der Be=
sitzungen in dem neuen Welttheile (America) zu, so weit derselbe
bereits entdeckt sei und durch den König noch entdeckt werden

würde, mit der ausdrücklichen Verpflichtung für diesen, daß er für die Einführung des Christenthums daselbst Sorge trage. Seinen Sohn Cäsar überhäufte er unterdessen mit immer neuen Zeichen seiner Gunst, warb ihm sogar ein Heer an und ließ ihn die Romagna erobern, ärntete aber von dem ungerathenen Sohne nur Undank ein. — Der gleichzeitige italienische Geschicht-schreiber Guicciardini erzählt den Tod dieses Papstes im All-gemeinen auf folgende Weise: „Im Jahre 1503 mischte Papst Alexander in Gemeinschaft mit seinem Sohne Cäsar Gift, welches einigen Cardinälen gegeben werden sollte, die dann der Papst zu beerben gedachte. Aus Unvorsichtigkeit aber nah-men Beide selbst davon, worauf der Papst starb und sein Sohn sich nur dadurch das Leben rettete, daß er sich in den Bauch einer Mauleselinn legen ließ." — Da es bekannt ist, daß die-ser Geschichtschreiber nicht immer ohne Leidenschaftlichkeit da verfährt, wo die Rede von den Päpsten ist, so mag es wohl nicht uninteressant sein, zu vernehmen, wie sich hierüber Vol-taire, der doch gewiß auch kein Parteigänger der Päpste ist, in seiner Abhandlung über den Tod Heinrich's IV. äußert; er sagt: „Ich darf dem Guicciardini erwidern: Europa ward durch dich und du durch deine Leidenschaftlichkeit betrogen; du warst dem Papste feind und ließest dich durch deinen Haß und die übrigen Laster des Papstes bestechen. Er hatte aller-dings grausame und niederträchtige Rache an seinen Feinden geübt, die eben so grausam und niederträchtig waren, als er. Und daraus willst du schließen, daß ein vierundsiebenzigjähriger Papst nicht eines natürlichen Todes gestorben sei; auf unbe-stimmte Aussagen gibst du vor, daß ein ergrauter Fürst, dessen Schatzkammer damals mit einer Million Ducaten in Gold an-gefüllt war, einige Cardinäle habe vergiften wollen, um sich ihres Hausgeräthes zu bemeistern! War denn dasselbe so gar beträchtlich? Es wurde ja meistens schon von der Dienerschaft geplündert, ehe die Päpste noch einige Trümmer davon zu Ge-sichte bekamen. Wie kannst du glauben, daß ein übrigens ge-schliffener Kopf eine solche gottlose That um so geringen Gewinnſtes willen habe wagen mögen, eine That, die, indem ſie Mitſchuldige nothwendig machte, früher oder ſpäter entdeckt werden mußte? Soll ich nicht eher dem Tagebuche von der Krankheit des Papſtes Glauben beimeſſen, als einer Volksſage? Dieſes Tagebuch erklärt ausdrücklich, er ſei an einem ſechstägigen Fieber geſtorben: und ſo iſt nicht die mindeſte Spur vorhanden, daß jene Anſchwärzung ſeines Andenkens könnte bewieſen werden. Der Umſtand, daß ſein Sohn Borgia während derſelben Zeit erkrankte, iſt die einzige Veranlaſſung zu der Vergiftungsgeſchichte."

Pius III.

hieß Franz Todeschini und war Neffe Pius' II., der ihm erlaubte, ſeinen Familiennamen Piccolomini zu führen. So laſterhaft P. Alexander geweſen war, um ſo tugendhafter war Pius bis zu ſeiner Erhebung auf den apoſtoliſchen Stuhl; man ſchöpfte daher die beſten Hoffnungen für die Verbeſſerung der Kirchenzucht und die Abſtellung ſchreiender Mißbräuche, als er ſchon einundzwanzig Tage nach ſeiner Erwählung ſtarb, ehe noch die nöthigen Feierlichkeiten zu ſeiner Inthroniſirung vollzogen werden konnten.

Julius II.

hieß Julian de la Rovere, wurde i. J. 1453 in der Nähe von Savona geboren, und nach und nach den Bisthümern Carpentras, Albano, Oſtia, Bologna und Avignon vorgeſetzt. Sirtus IV., ſein Verwandter, bekleidete ihn i. J. 1471 mit dem Purpur des Cardinalats und ſtellte ihn an die Spitze ſeiner Truppen, das empörte Umbrien zum Gehorſame zurückzuführen. Kriegeriſchen Geiſtes, wie er war, brachte er bald die Rebellen zur Ruhe. Durch dieſe und andere kriegeriſche Unternehmungen wuchs ſein Anſehen und ſein Einfluß in Rom. Nach Alexander's Tode gab er ſich alle mögliche Mühe, daß nicht der Cardinal von Amboiſe, Staatsminiſter Ludwig's XII., auf den apoſtoliſchen Stuhl gelange, und nach der nur drei Wochen langen Regierung Pius' III. wurde er selbst mit dem höchsten Pontificate bekleidet. P. Julius besaß, wie Oderich Rainaldi ihn sehr treu schildert, einen unstäten Charakter, welcher ihm nicht zuließ, von Unternehmungen auszuruhen, und Verwegenheit hieß ihn das Schwierigere wählen. Als die erste Zeit seiner Regierung keine Veranlassung darbot, die seinem kriegerischen Geiste zusagte, trug er dem berühmten Bramante von Urbino, welchen Alexander zum päpstlichen Architekten erhoben hatte, die Vereinigung des Belvedere mit dem Vatican-Pallaste auf. Bramante benutzte diese unternehmende Thätigkeit des Papstes und machte ihm den Vorschlag, die alte, von Constantin dem Großen erbaute, St. Peterskirche niederreißen und an ihrer Stelle eine neue erbauen zu lassen, welche, wo möglich, ihres Gleichen auf der Erde nicht haben sollte. Sogleich gab P. Julius seine Einwilligung dazu und legte den ersten Stein zu diesem neuen Weltwunder am 18. April 1506. Unterdessen erwachte in ihm wieder der alte kriegerische Geist, und er beschloß, die Franzosen aus Italien zu verjagen; vorerst aber begehrte er, daß die Venetianer diejenigen Städte herausgäben, die sie sich seit Papst Alexander's Tode zugeeignet hatten. Die stolzen Republicaner versagten ihm dies, und nun brachte Julius ganz Europa gegen sie auf; diese Allianz, bekannt unter dem Namen der Ligue von Cambray, wurde von dem Papste, dem Kaiser Maximilian, dem Könige Ludwig XII. von Frankreich und von Ferdinand dem Katholischen, Könige von Aragonien, i. J. 1508 unterzeichnet. Die Venetianer, so in die Enge getrieben, baten um Gnade, die ihnen auch, doch nur unter harten Bedingungen, gewährt wurde. Ein Theil der Romagna fiel dem Papste anheim. Dieser, als er nun der Franzosen nicht mehr bedurfte, auch sonst gegen dieselben aufgebracht war weil sie seine Erhebung auf den päpstlichen Thron zu hintertreiben gesucht hatten und durch ihre stets erneuerten Eroberungsversuche die Kriege in Italien nicht enden wollten, verband sich noch in demselben Jahre mit den Schweizern, dem Könige Aragoniens und dem Könige von England — Heinrich VIII — ge-

gen fie, und forderte Ludwig XII. auf, mehre Städte Italiens
herauszugeben, auf welche der h. Stuhl zu Rom gerechte An=
sprüche habe. Der König weigerte sich dessen, und Julius sprach
den Kirchenbann gegen ihn aus. Die Streitigkeiten begannen
gegen Bologna und Ferrara. Der Papst, seine Truppen anzu=
feuern, belagerte in eigener Person Mirandola. In Helm und
Panzer ritt dieser siebenzigjährige Greis durch die aufgewor=
fenen Verschanzungen, ermunterte die Arbeiter und hielt durch
die erzwungene Bresche am 20. Januar 1511 triumphirend
seinen Einzug. Kaum ein Jahr zuvor, leider um jene Zeit, wo
der Papst sich zum Kriege rüstete und wo solche Bestrebungen
mehr oder weniger schädlich auf den schon sehr gesunkenen
geistlichen Sinn des höhern und niedern Clerus wirken mußten,
kam Martin Luther, damals noch Magister und ordentlicher
Lehrer der Weltweisheit an der neu errichteten Hochschule zu
Wittenberg, wegen der schon unter Sixtus IV. angeregten
Streitigkeiten zwischen den Canonicis und den Mönchen des
h. Augustinus, nach Rom, um für diese, so wie Jacob Wim=
phelingen von Heidelberg für jene, das Wort zu führen. Be=
kanntlich trugen die Eindrücke, welche Luther hier besonders
durch den üppigen Lebenswandel der höhern Geistlichkeit erhielt,
in der Folge Vieles dazu bei, seiner leidenschaftlichen Einbil=
dungskraft nur noch mehr den Zügel schießen zu lassen. Das
Waffenglück war unterdessen dem Papste Julius untreu ge=
worden: der französische Generalissimus Trivulce hatte sich Bo=
logna's bemeistert und die päpstlich-venetianische Armee in die
Flucht geschlagen. P. Julius zog sich nach Rom zurück und
gewahrte in Rimini zu seinem größten Verdrusse die öffent=
lichen Anschlagzettel, in welchen von Seiten einiger Cardinäle
ein Concilium nach Pisa anberaumt war, auf welches der excom=
municirte Ludwig von Frankreich sich nun berief. Als der Papst
nach mehrmals wiederholten Aufforderungen auf dem Conci=
lium nicht erschien, wurde er in der achten Sitzung am 21.
April 1512 in seiner Amtsführung als Oberhaupt der Kirche
suspendirt. Nun setzte sich Julius über jede Rücksicht hinaus

und belegte ganz Frankreich mit dem Interdicte; Ludwig ließ ihn seinerseits von den zu Pisa versammelten Cardinälen mit dem Anathem belegen und schlug eine Münze mit der Umschrift: PERDAM BABYLONIS NOMEN, durch welchen Ausdruck, dürfte er im moralischen Sinne genommen werden, er sich als einen offenbaren Feind der Kirche erklärte. Um diesem traurigen Zwiste endlich für alle Theile eine rechtliche und, wo möglich, günstige Wendung zu geben, kündigte P. Julius ein allgemeines Concilium an, welches das fünfte lateranensische heißt und am 3. Mai 1512 eröffnet wurde. Papst Julius führte den Vorsitz; fünfzehn Cardinäle und achtzig Erzbischöfe und Bischöfe waren gegenwärtig. Die Gegenstände, welche auf diesem Concilium abgehandelt werden sollten, waren: 1) einer drohenden Kirchenspaltung vorzubeugen, 2) die Feindseligkeiten zwischen dem Papste und dem Könige Ludwig von Frankreich beizulegen, 3) den kirchlichen Mißbräuchen und dem unsittlichen Lebenswandel der Geistlichkeit abzuhelfen, und 4) einen Heereszug gegen die Türken zu bewerkstelligen. Dieses Concilium dauerte fünf Jahre lang, und so erlebte P. Julius, der schon am 21. Februar 1513 an einem schleichenden Fieber starb, nur den Anfang desselben. „Als Julian de la Rovere", sagte der sterbende Papst, „vergebe ich den schismatischen Cardinälen; als Papst Julius aber erachte ich, daß die Gerechtigkeit muß gehandhabt werden," und schloß sie, doch auch ihnen vergebend, vom Antheile an der bevorstehenden neuen Papstwahl aus. Papst Julius war unstreitig einer der größten Beschützer der Künste und Wissenschaften; seine gute Meinung, die er von dem Einflusse der letztern hatte, war in einer gewissen Hinsicht fast rücksichtslos und in dieser Ausdehnung kaum zu billigen; von den Künsten aber kann man ohne Uebertreibung sagen, daß er es war, der durch die großsinnige Liebe, mit welcher er sie hegte und pflegte, jene classische Herrschaft derselben herbeiführte, die ihre siegende Kraft zur Erweckung und Belebung des Gefühls für das wahrhaft Schöne und Erhabene nimmermehr wird verlieren können. Die Bramante, Sangallo,

Michel Angelo und Raphael wetteiferten, ihre unsterblichen Meisterwerke im wohlthätigen Strahle seiner Gunst zu entwickeln. Papst Julius ließ sich das Barthaar nicht abscheeren, indem er diesen Gebrauch für thöricht und weichlich hielt. Franz I. von Frankreich, Kaiser Carl V. und die übrigen Fürsten folgten diesem Beispiele, worin sie zuerst von ihren Hofleuten und zuletzt auch vom Volke, geistlichen und weltlichen Standes, nachgeahmt wurden.

Leo X.

hieß Johannes und war ein Sohn des Lorenzo von Medicis, der den Beinamen des Großen und eines Vaters der Wissenschaften führte. Der junge Johannes entwickelte von seiner frühesten Jugend an ausgezeichnete Anlagen, welche zur Reife zu bringen er eine Erziehung genoß, wie sie in jener Familie nicht ausbleiben konnte, nach welcher das damalige Jahrhundert, um ihres großen Einflusses auf Künste und Wissenschaften willen, seinen Namen erhielt. Unter mehren andern berühmten Gelehrten jener Zeit waren auch der Canonicus Angelus Politianus, der Franciscaner Urbanus Bolzanus und Demetrius Chalcondylas die Lehrer des jungen Medicis, der einst den apostolischen Stuhl besitzen sollte. Schon in seinem 14. Jahre verlieh ihm Innocens VIII. die Cardinalswürde, und Julius II. ernannte ihn zu seinem Legaten. In dieser Eigenschaft gerieth er bei der Schlacht von Ravenna (1512) in die Gefangenschaft der Franzosen. Die Krieger, welche sich seiner bemeistert hatten, wurden von seiner überaus einnehmenden Gesichtsbildung und holdseligen Beredsamkeit so sonderbar ergriffen, daß sie demüthig um Verzeihung baten, ihn festgehalten zu haben. Im darauf folgenden Jahre, erst 36 Jahre alt, gelangte er auf den Stuhl des h. Petrus, nannte sich Leo X. und hielt an demselben Tage (11. April) seinen Einzug in Rom, an welchem er im Jahre zuvor war gefangen genommen worden, und auf demselben Pferde, welches er damals ritt. Ludwig XII. von Frankreich war unterdessen (im Januar 1515)

gestorben, und sein Nachfolger, Franz I., benutzte den glücklichen
Ausgang des italienischen Krieges für die Franzosen; er nahm
nebst dem königlichen Titel von Frankreich auch den eines
Herzogs von Mailand an und stellte sich an die Spitze eines
furchtbaren Heeres, diesen Titel nachdrücklich geltend zu machen.
Der Erfolg krönte seine Wünsche, und Mailand fiel ihm anheim. Da erklärte sich auch Genua für die Franzosen, und
nun glaubte auch Papst Leo der Politik seiner Vorfahren sich
anschließen zu müssen, um dem überwiegenden Bestreben Frankreichs, dem unverkennbaren Hinneigen desselben zur Erlangung
der Universalmonarchie, wie dasselbe schon damals und in der
Folge nur immer deutlicher hervortrat, entgegen zu arbeiten.
Der König Franz befand sich damals in Bologna; Papst Leo
begab sich dorthin, und seine unwiderstehliche Beredsamkeit erwirkte den Frieden. Noch mehr: der König erklärte die pragmatische Sanction in aller ihrer Ausdehnung für ganz und
gar aufgehoben, und am 14. December 1515 kam ein Concordat zu Stande, worin der Papst sehr wohl bedacht war, doch
auch einigen seiner Rechte zu Gunsten des Königs entsagte.
Erst nach langwierigem Widerstande nahmen die Universitäten
und Parlamente das Concordat an. Im Jahre 1517 schloß
Papst Leo das lateranensische Concilium, wenngleich nicht viel
mehr auf demselben ausgemacht wurde, als die Schlichtung
der bisheran Statt gefundenen Streitigkeiten zwischen dem
päpstlichen und dem französischen Hofe. Da er um dieselbe Zeit
einem Neffen seines Vorgängers das Herzogthum Urbino weg-
genommen hatte, so entspann sich gegen ihn eine Verschwörung,
an deren Spitze die Cardinäle Petrucci und Soli sich befanden. Diese hatten einen Wundarzt bestochen, der, indem er dem
Papste ein Geschwür verbände, ihn ermorden sollte. Die Nachricht vom Tode des Papstes sollte das Zeichen zum Aufruhr
in mehren Städten der päpstlichen Besitzungen sein. Die Verschwörung wurde entdeckt, und einige der Theilnehmer büßten
mit dem Tode. Petrucci wurde im Gefängnisse erhängt; Soli er-
kaufte sich das Leben durch seine Schätze. Um die schimpfliche

Hinrichtung Petrucci's vergessen zu machen, ernannte Leo auf
der Stelle dreizehn neue Cardinäle. — Schon vom Beginne seiner Regierung an schwebten zwei große Unternehmungen vor
dem Geiste Leo's, und er beschloß nun, sie auszuführen. Es
war dies die Bewaffnung der christlichen Fürsten zur Bekämpfung der Türken, welche sich um jene Zeit unter Selim II.
furchtbarer als je zuvor erwiesen, und dann die Verschönerung
Roms, vor Allem aber die Beendigung des Baues der St.
Peterskirche. Durch den verschwenderischen Geldaufwand, den
sich Leo, wenn auch zur Beförderung der Künste und Wissenschaften, nicht selten aber auch, um selbst einem üppigen und
genußreichen Leben zu fröhnen, zu Schulden kommen ließ, war
die öffentliche Schatzkammer erschöpft, die Privatbesitzungen
des Papstes waren verschuldet und seine Unterthanen hart mit
Abgaben bedrückt, also von dieser Seite her keine günstige
Aussicht zur Ausführung seines Vorhabens. Der Bau der Peterskirche hatte schon bis zum Tode Bramante's (1514) ungeheure Summen gekostet; sein Schüler Sangallo, der nach ihm
diesem Baue vorstand, verfertigte von diesem herrlichen Tempel ein Model in Holz, welches allein 4184 römische Thaler
kostete; Michel Angelo endlich nahm in diesem Plane große
Veränderungen vor und beschloß, das Pantheon der Römer,
bekanntlich dem christlichen Gottesdienste unter dem Namen
Maria (rotunda) ad Martyres geweiht, als Kuppel der St.
Peterskirche gleichsam in die Wolken zu stellen, welcher Gedanke eben um seiner Kühnheit willen dem Papste um desto
willkommner war. Den schweren Kostenbetrag sowohl für das
Eine als das Andere herbeizuschaffen, gedachte nun Papst Leo,
wie dieses auch schon von Seiten seines Vorgängers Julius
geschehen war, einen vollkommnen Ablaß in der ganzen Christenheit verkündigen zu lassen, und zwar so, daß diejenigen,
die desselben theilhaftig werden wollten, außer der dazu im
Allgemeinen gehörigen Gemüthsverfassung, auch noch einen Beitrag in Geld zu liefern hätten, um hiedurch die Bewerkstelli-
gung des Türkenkrieges und den Ausbau der Peterskirche mög-

lich zu machen, und so zugleich einen thätlichen Beweis ihrer
Gesinnung für den Schutz der Christenheit gegen den schädlichen
Einfluß des Mahomedanismus und für die dem Menschen so
nöthige in die Sinne fallende kirchliche Verherrlichung Got=
tes an Tag zu legen. Es war um das Jahr 1517, wo dieser
Ablaß in der bezeichneten Weise, woran, so wie die Sache an
und für sich da lag, wohl nichts zu tadeln sein mochte, ver=
kündigt werden sollte. Nicht lange zuvor war der den Theil=
nehmern an den Kriegen gegen die Moskoviten verliehene Ab=
laß, aus Auftrag der Deutschordens=Ritter, durch den Domi=
nicaner Johann Tezel, zur würdigen Gewinnung desselben, ge=
predigt worden. Da der eifrige und beredte Mönch sich dieses
Auftrages zur allgemeinen Erbauung und Zufriedenheit entle=
digt hatte, so glaubte Albert, Kurfürst und Erzbischof von
Mainz, welchem der Papst, diesen Ablaß zu verkündigen und
das Geld einsammeln zu lassen, in der Weise eines Pachtver=
trages für Sachsen und einige andere deutsche Provinzen auf=
getragen hatte, dieses Geschäft in keine bessere Hände nieder=
legen zu können, als in die des Dominicaners Tezel. Dieser
aber, wenn auch nicht ohne wissenschaftliche theologische Bil=
dung, doch anscheinlich zu denjenigen Theologen gehörend, welche
von manchen Dingen tausendmal mehr gepredigt und geglaubt
wissen wollen, als was die Kirche nur darüber lehrt und ge=
glaubt wissen will, ging wohl in Erklärung und Anpreisung
des Ablasses durchaus zu weit, und wähnend, daß des Guten
nie zu viel geschehen könne, mochte er sich auch bei dem Kur=
fürsten und durch diesen bei dem Papste durch baldige Ueber=
sendung einer recht vollen Kasse haben empfehlen wollen. Wenn
man auch die Anklage Luther's gegen Tezel unberücksichtigt
lassen wollte, so erklärte doch selbst der sächsische Kämmerer
Miltitz, welchen Papst Leo als Legaten an den Kurfürsten von
Sachsen abgesandt hatte, daß Tezel zum Theil an dem Un=
sterne, der damals Deutschland traf, Schuld sei, welche Rede
dieser sich so zu Herzen nahm, daß er aus Gram darüber schon
i. J. 1519 starb; und Papst Benedict XIV. († 1758) sagt in

seinem vortrefflichen Werke „De synodo diœcesana“ (B. III. S. 18) ausdrücklich: man könne behaupten, daß die Ablaß-Prediger und die Almosen-Sammler die Ursache der Streitig-keiten gewesen seien, welche die Kirche der Ablässe wegen er-fahren hat. — Es war am 31. October 1517, als Luther, der schon gegen die Ablaß-Verkündigung Tezel's gepredigt, auch deßhalb schon an mehre Bischöfe und an den Erzbischof von Mainz geschrieben hatte, dieselbe in den bekannten 95 Thesen angriff, die er öffentlich an die Schloßkirche zu Wittenberg anschlug, wobei er aber weder den Nutzen des Ablasses an sich, noch auch die Gewalt der Kirche, denselben ertheilen zu können, bestritt. Tezel ließ durch den gelehrten Wimpina, Professor der Theologie zu Frankfurt a. d. O., darauf antworten. Diese Gegenschrift war mehr darauf eingerichtet, Tezel'n zu recht-fertigen, als sich auf Luther's Sätze einzulassen, und als Te-zel diese öffentlich verbrannte, kauften die wittenberger Stu-denten 800 Exemplare der wimpina'schen Schrift auf und ver-fuhren damit unter ungestümen Auftritten nach derselben Weise. Luther selbst billigte diesen Schritt nicht. Die ganze Sache hatte aber dadurch schon eine gewisse Oeffentlichkeit er-halten, wobei der Geist der Parteiung, Wiedervergeltung und Losgebundenheit nicht unthätig gewesen war; hierzu gesellte sich noch der unbestreitbare Einfluß, den die Irrlehren Wiklef's und Huß'ens seit ihrem Entstehen auf die Gemüther gewonnen hat-ten, und noch vor der Ablaß-Verkündigung durch Tezel hatte selbst Luther, für seinen Theil, davon unverkennbare Proben in seinen Vorlesungen zu Wittenberg abgelegt, wie es gewich-tige Männer seines Anhanges, unter andern Seckendorf, be-wiesen haben. Der Dominicaner-Orden, welcher sich in der Person Tezel's durch Luther angegriffen glaubte, ließ durch zwei gelehrte Männer aus seiner Mitte, Sylvester Prierias und Jacob Hoogstraten, Tezel's Sache vertheidigen; Johann Eck, ein Freund der Dominicaner und Theologen zu Ingolstadt, schloß sich an dieselben an, und so kam nun, leider! zu den schon vorhandenen Elementen der Gährung noch dieses hinzu, daß

der Streit als eine Ehrensache der Dominicaner gegen den
Augustiner Luther betrachtet wurde; wenn man auch jene An=
gabe des Cochläus: die Augustiner seien den Dominicanern
wegen der Concession der Ablaß=Verkündigung neidisch gewesen,
eben weil sie nicht genugsam erwiesen ist, nicht berücksichtigen
will. So viel Gutes nun auch die Schriften der Gegner Lu=
ther's enthielten, und dieser besonders in dem D. Eck einen
rüstigen und gründlichen Widersacher fand, so ist doch nicht
zu läugnen, daß sie auch zu viel darauf hinarbeiteten, Tezel'n
da zu vertheidigen, wo er nicht zu vertheidigen war. So wurde
schon gleich Anfangs, wenn man auch noch alles oben Ange=
deutete hinzuzieht, der rechte Gesichtspunkt der ganzen Ange=
legenheit verschoben, und sie selbst ging nur immer mehr der
Verwirrung entgegen, als sich im Verlaufe immer mehr neues
Frembartiges dazu gesellte. Luther selbst schien aber auch schon
von Anfang an nicht ganz einig mit sich selbst gewesen zu sein,
und war daher um desto mehr denjenigen Eindrücken ausgesetzt,
die gerade mit dieser oder jener vorherrschenden Neigung in
ihm zusammen trafen. So schrieb er am Sonntage vor Exaudi
1518 an den Bischof Scultetus, in dessen Diözese Wittenberg
lag: „Eure väterliche Ehrwürden wollen Feder und Dinte neh=
men und auslöschen Ihres Gefallens, was Sie will, oder gar
ins Feuer werfen und verbrennen, es soll mir nichts zu schaf=
fen geben, ich weiß wohl, daß Christus meiner Arbeit und
Dienste nicht bedarf." Obgleich nun Luther in seinen Thesen
die reine Kirchenlehre noch nicht angegriffen, sogar in dem
Briefe an Scultetus jene dem unbedingten Urtheile des
Bischofs unterworfen hatte, so erhellet doch auch aus seinen
Paradoxen, wie er sie nannte, die er in demselben Jahre 1518,
und zwar vom Bischofe von Würzburg dazu aufgemuntert, auf
einem General=Convente der Augustiner zu Heidelberg verthei=
digte, daß er nahe daran war, auch dem Wesentlichen des al=
ten Kirchenglaubens zu nahe zu treten, und daß die Eitelkeit,
die zum Hochmuthe führt, nicht wenig über ihn vermochte. Diese
erhielt schon gleich Anfangs dadurch eine sich tief einsaugende

Nährung, daß Luther, durch das Betragen seiner unmittelbaren Ordens-Vorgesetzten gegen ihn bei seinem ersten reformiren-
den Auftreten ermuntert, auf deren Anstiften und Zureden nicht
wenig dazu mag bewegt worden sein, die Rolle eines Reforma-
tors zu übernehmen. So standen die Sachen, als Kaiser Maximilian I., der schon längst einer Kirchenverbesserung entgegen-
gesehen, und sich durch die zuletzt gehaltenen Concilien noch
immer in seiner Hoffnung getäuscht gefunden hatte, den ganzen
Hergang dem Papste Leo meldete. Dieser ahnte kaum die Wichtigkeit des Vorfalles; noch weniger gedachte er der wichtigen
Folgen, die derselbe nach sich ziehen könne; er betrachtete das
Ganze als das vorlaute Geschwätz eines deutschen Mönches
und begnügte sich damit, den Kurfürsten von Sachsen, Friedrich
den Weisen, der Luther'n beistand, zu ersuchen, es bei Luther
wo möglich dahin zu bringen, daß er nach Rom kommen möge,
wo alsdann seine Angelegenheit geschlichtet werden könne. Der
Kurfürst bestand aber darauf, daß dieses, den Rechten deutscher Nation gemäß, in Deutschland selbst geschehen müsse. Der
Papst war deß gerne willfährig und sandte den Cardinal Cajetan nach Deutschland, der sich mit Luther besprechen, ihn
zum Widerruf anhalten und im Falle, daß dieser sich deß weigerte, sich seiner Person versichern sollte. Luther hatte hierauf
auf dem augsburger Reichstage im Monat October 1518 drei
Unterredungen mit dem päpstlichen Legaten. Dieser war schroff
und unzugänglich, Luther feurig, hochfahrend und eigensinnig;
für den Ausgang war nicht viel Erfreuliches zu hoffen. Luther
widerrief nicht, erklärte jedoch, daß er die römische Kirche als seine
Lehrmeisterinn anerkenne, und berief sich von dem falsch unterrichteten Papste auf den besser unterrichteten. Als der Cardinal Luther's habhaft zu werden suchte, war er schon in Sicherheit gebracht.
Ohne nun die fernern Maßregeln abzuwarten, die das Kirchen-
Oberhaupt, auf welches er sich berufen, ergreifen würde, fuhr Luther fort, Schriften auf Schriften herauszugeben, worin er einen
Glaubenssatz nach dem andern angriff, und, wie es ganz deutlich hervorleuchtete, nur die h. Schrift als die Erkenntnißquelle

des göttlich geoffenbarten Christenthums gelten lassen wollte.
Da versuchte es im darauf folgenden Jahre der sächsische Kämmerer Miltiß, als päpstlicher Legat an den Kurfürsten von
Sachsen geschickt, aus Auftrag des Papstes, Luther'n zur Um-
kehr zu bewegen, doch ohne Erfolg. Luther äußerte sich mit
der unverschämtesten Losgebundenheit über den Papst. Als
Miltiß in ihn drang, er möge dem Papste in einem Briefe
seine Uebereilung und Heftigkeit eingestehen, war er hinwiederum
auch dazu bereit, verfaßte, mit seinen frühern mündlichen und
schriftlichen Aeußerungen im Widerspruche, ein Schreiben an
Papst Leo in Ausdrücken der Unterwürfigkeit, Ehrfurcht und
sogar der liebevollsten Gesinnung gegen denselben, wobei dennoch in feinem, ironischem Tone die entschiedenste Widersetzlichkeit und höhnende Aeffung an Tag gelegt waren; zudem erklärte er in diesem Briefe, daß die Gewalt der römischen Kirche
über Alles erhaben und ihr nichts vorzuziehen, auch, daß es
ihm nie beigekommen sei, die Gewalt des Papstes auch nur
im Entferntesten anzutasten. Auf den Vorschlag Miltiß'ens, einen Dritten, etwa den unparteiischen Kurfürsten von Trier,
zum Schiedsrichter in seiner Sache anzunehmen, brachte Luther
eine Menge nichtssagender Ausflüchte zum Vorschein, unter
andern, daß er Alles von dem zu Coblenz residirenden päpstlichen Legaten zu fürchten habe, welcher nicht einmal ein
Christ zu nennen sei. Endlich übernahm es D. Eck, wenngleich
nur aus eigener Autorität, Luther'n nach Leipzig zu einer Disputation einzuladen, welche dieser auch annahm. Als Schiedsrichter über die gegenseitig vorgebrachten Sätze erkannten beide
Theile die Universitäten von Paris und Erfurt an. Es wurde
hin und wieder gestritten; und als Luther nur aus der heil.
Schrift Beweise annehmen wollte und, den zuvor festgesetzten
und bei dieser Disputation zu beobachtenden Regeln zuwider,
die Aussprüche allgemeiner Concilien verwarf, hörte die Un-
terredung ohne entscheidenden Erfolg von selbst auf; die pariser
Theologen verwarfen Luther's Behauptungen als ketzerisch, und
die erfurter, deren Zögling Luther gewesen war, hielten aus-

weichend mit ihrem Ausspruche zurück. Unterdessen ging Luther auf seinem eingeschlagenen Wege fort, so daß der Papst sich endlich genöthigt sah, ihm mit der Strenge geistlicher Waffen zu begegnen, indem er einundvierzig Lehrsätze Luther's mit dem Bannfluch belegte. Da berief Luther sich auf eine allgemeine Kirchenversammlung, und weil seine Schriften zu Rom, Löwen, Köln und Mainz öffentlich verbrannt worden waren, so verbrannte auch er zu Wittenberg, unter großem Zulaufe des Volkes und der Studenten, die Bannbulle des Papstes und die päpstlichen Decretale. Nun kannte seine Wuth gegen das Oberhaupt der Kirche keine Gränzen mehr, und seine Schriften aus diesem Zeitraume übersteigen eben in dieser Beziehung alles, was man der niedrigsten und zügellosesten Leidenschaftlichkeit beimessen mag. Als er aber auch fortfuhr, zu seinen frühern Irrlehren noch immer neue hinzuzufügen, so erfolgte von Seiten des Papstes ein neuer Bannfluch.

Maximilian war unterdessen gestorben, und Carl V. folgte ihm auf den kaiserlichen Thron. Papst Leo ersuchte den Kaiser, daß er einen Reichstag ausschreiben und auf demselben die Religions-Streitigkeiten zur Sprache bringen möge. Dem Begehren des Papstes gemäß wurde der Reichstag, und zwar nach Worms, ausgeschrieben, und Luther, unter Zusage kaiserlichen Sicherheitsgeleites, dahin beschieden. Er erschien; vor dem Kaiser und den versammelten Fürsten und Ständen des Reichs zum Widerrufe angehalten, beharrte er hartnäckig auf dem Verlangen, daß man ihn, der die h. Schrift als einzige Erkenntnißquelle christlicher Lehren annahm, aus derselben des Irrthums überführen solle. Als man ihm die Autorität der allgemeinen Concilien, weil er sich doch selbst auf ein solches, noch zu haltendes, berufen hatte, entgegensetzte, erklärte er nun auch die allgemeinen Concilien für fehlbar in Glaubenssachen. Alle hierauf noch gemachten Versuche blieben ebenfalls fruchtlos, und Luther widerrief nicht. Da sprach ihm der Kaiser das ihm verliehene Sicherheitsgeleit noch auf zwanzig Tage zu, nach welcher Frist er aber als ein Erzketzer mit der Reichsacht belegt werden sollte.

Luther verließ Worms und wurde im thüringer Walde auf
Anstiften seines Beschützers, des Kurfürsten Friedrich des Weisen von Sachsen, ergriffen und auf die Wartburg in Sicherheit gebracht. Um dieselbe Zeit (1520—21), wo die Irrlehren
Luther's und seiner Anhänger alle Gemüther auf eine Weise
in Bewegung setzten, die wenig Segen sowohl für die Kirche
als für den Staat versprach, war auch der Krieg zwischen
Franz I. von Frankreich und dem Kaiser Carl V. ausgebrochen.
Beide Theile hatten sich um die Freundschaft des Papstes be-
worben, und dieser schwankte lange, als wessen Beschützer er
sich erweisen solle. Fast zu gleicher Zeit schloß er mit Beiden
einen Vertrag ab: im Jahre 1520 mit dem Könige von Frankreich, dem er Neapel zusicherte und sich selbst Gayetta vorbe-
hielt; im Jahre 1521 mit dem Kaiser, daß dieser die Franzosen aus Italien vertreiben solle, um Mailand dem Franz
Sforza und Ferrara für den apostolischen Stuhl zu gewinnen.
Frankreich war in diesem Kriege unglücklich, und die Geschichtschreiber stimmen darin überein, daß eben die Unfälle, von
welchen Frankreich betroffen wurde, dem Papste Leo so viele
Freude verursachten, daß er davon in eine fiebermäßige Er-
hitzung verfiel, die ihm am 1. December 1521 den Tod zuzog,
da er erst vierundvierzig Jahre alt war. — Leo war ein
großer Beförderer der Künste und Wissenschaften. Seine
geistlichen Räthe und Geheimschreiber wählte er unter den
geistreichsten Männern Italiens; so verdrängte unter Anderm die klare und gefällige Beredsamkeit der Cardinäle Bembo
und Sadolet den barbarischen Styl der Datarie. Die Bibliotheken wurden auf sein Geheiß durchsucht und manche wichtige, vergrabene Handschrift ans Licht gezogen; kritisch an-
gefertigte Ausgaben der besten alten Classiker kamen durch
ihn zu Stande, und besonders erfreuten gute Dichter sich
seiner Gunst; er selbst dichtete nicht ohne Erfolg. Schade ist
es daher gewiß, daß der Glanz, den diese Pflege der Künste
und Wissenschaften über seine Regierung verbreitete, durch den
überwiegenden Hang zu Aufwand und Vergnügungen, durch

die unrechtlichen Mittel, deren er sich zur Erhebung seiner Anverwandten bediente, und endlich durch sein rachgieriges Gemüth auf eine so höchst unvortheilhafte Weise verdunkelt wurde. — Unter seiner Regierung wurden in America zuerst bestimmte bischöfliche Sitze errichtet.

Vierte Abtheilung.

Von Hadrianus VI. bis Gregorius XVI.

1522—1831 nach Christi Geburt.

Hadrianus VI.

hieß Adrian Florens Boyens, gebürtig aus Utrecht, war nach
Einigen eines Webers, nach Andern eines Schiffsknechtes Sohn.
Durch Stipendien unterstützt, machte er zu Löwen seine Studien und wurde in der Folge Professor der Theologie, Dechant
zu St. Peter und Kanzler der Universität eben daselbst. Mari-
milian machte ihn zum Lehrer und Erzieher seines Enkels, des
Erzherzogs Carl, und Ferdinand, König von Spanien, bei dem
er als Gesandter gewesen war, gab ihm das Bisthum von
Tortosa. Nach dessen Tode theilte er die Regierung Spaniens
mit dem Cardinal Fimenes, und blieb alleiniger Vicekönig unter Carl V.; P. Leo X. verlieh ihm die Cardinalswürde. Sobald
er den apostolischen Stuhl bestiegen hatte, erklärte er sich laut
dahin, daß er, um den immer mehr um sich greifenden Irrlehren der Reformatoren Einhalt zu thun, die Geistlichkeit und
den römischen Hof ihrer Unsittlichkeit und Ueppigkeit entwöh-
nen, die Mißbräuche abschaffen und ein allgemeines Concilium
berufen wolle. Dieses Vorhaben gefiel Niemanden weniger,
als der römischen Geistlichkeit, die denn auch mit ihrer offenbaren Abneigung gegen ihn nicht zurückhielt. Sparsam, nüch-
tern und mäßig, wie er war, bildete er ihr einen gar zu schrof-
fen Gegensatz gegen den üppigen und verschwenderischen Leo,
dessen glänzende Hofhaltung sie nicht vergessen konnte; zudem
war Hadrian auch als Ausländer ein Gräuel in ihren Augen.

Er starb leider schon im Jahre 1523; einige Fanatiker schrieben über die Thür seines Arztes: „Dem Befreier des Vaterlandes." Als er noch Professor zu Löwen war, verfaßte er einen Commentar über das vierte Buch der Sentenzen, welcher auch während seines Pontificates wieder aufgelegt wurde, ohne daß er den darin aufgestellten Grundsatz zurücknahm: Der Papst kann irren, selbst in Glaubenssachen. Auch besitzen wir von ihm noch eine Sammlung Abhandlungen vermischten Inhalts.

Clemens VII.,

Julius, ein natürlicher Sohn des Lorenzo von Medicis, war zuvor Johanniter und Cardinal. Durch den Legaten Laurenz Compegius drang er gleich nach seiner Erhebung zur päpstlichen Würde darauf hin, daß das wormser Edict gegen Luther in Erfüllung gesetzt werde. Der Kaiser und die Fürsten versprachen es, verlangten aber auch nach einer allgemeinen Kirchenversammlung, und verschoben das Weitere darüber bis auf den nächsten speierer Reichstag. Der Papst fürchtete unterdessen des Kaisers Macht in Italien und erklärte sich in dem Kriege desselben gegen den König Franz I. von Frankreich für neutral; nachdem dieser den Kürzern gezogen hatte, verband Clemens sich aber mit Venedig, Florenz, Mailand, und zuletzt mit dem Könige Franz selbst, gegen den Kaiser, welches Bündniß den Namen der heiligen Ligue erhielt, eben weil der Papst an der Spitze desselben stand. Dennoch siegte Carl V., eroberte im Jahre 1527 die Stadt Rom und ließ sie durch seine Soldaten unter zügelloser Ausschweifung plündern und verheeren. Den Papst belagerte er in der Engelsburg, welcher, endlich gefangen genommen, seine Freiheit für 400,000 Ducaten erkaufen mußte. Der im Jahre zuvor in Speier gehaltene Reichstag entschied, besonders bei dem obwaltenden Kriege, wenig in Bezug auf die Religions-Streitigkeiten. Eine im Jahre 1529 nach derselben Stadt ausgeschriebene Reichsversammlung war für die Anhänger der Reformation durch ausdrückliche Vindicirung des wormser Edictes sehr unvortheilhaft, weßhalb sie

gegen die daselbst gefaßten Beschlüsse protestirten, und sich
auf ein künftiges Concilium beriefen. Sie schickten hierauf,
Freiheit für ihren Gottesdienst erbittend, Gesandte an den Kaiser nach Piacenza; diese wurden aber gefänglich eingezogen
und erhielten, ohne Bewilligung ihrer Bitte, die Freiheit erst
bei der Reise des Kaisers nach Bologna wieder, wo derselbe
sich vom Papste wollte krönen lassen. Hier war es auch, wo
der Papst eine stattliche Gesandtschaft David's, des Königs
von Abyssinien, aufnahm, welcher ihn um Missionare ersuchte
und ihn als geistliches Oberhaupt anerkannte. Auf dem Reichstage zu Augsburg (1530) legten die Anhänger der Reformation
ihr Glaubensbekenntniß (augsburgische Confession), welches
Luther in seinen Grundzügen entworfen, Melanchthon aber
ausführlich entwickelt hatte, dem Kaiser und den Ständen des
Reichs zur Genehmigung vor; doch sowohl dieses als auch die
Apologie desselben, blieb für sie ohne den erwünschten Erfolg.
Dies veranlaßte das schmalkalden'sche Schutz- und Trutzbünd-
niß unter ihnen, welchem zufolge der Kaiser, hiedurch und
durch die feindlichen Einfälle der Türken hart bedrängt, auf
dem nürnberger Reichstage (1532) den Anhängern der Reformation, die seit ihrer Protestation gegen die Beschlüsse des
zweiten speierer Reichstages Protestanten genannt wurden,
unter leicht erfüllbaren Bedingungen, bis zur Anberaumung eines allgemeinen Conciliums, Glaubensfreiheit gestattete. Der
Papst wurde zugleich um Beschleunigung der zugesagten Kirchenversammlung dringend angegangen, welche er denn auch endlich nach Mantua oder Piacenza ausschrieb. Die Protestanten
aber verlangten, daß das Concilium in Deutschland abgehalten
werde, und so wurde diese Angelegenheit wieder rückgängig, da
der Papst leider auch mit dem Könige von England, Heinrich
VIII., einen harten Kampf zu bestehen hatte. Kaum sah nämlich dieser König seine Kriege mit Frankreich und Schottland
zu seinem Vortheile beendigt, als Luther die Reformation begann. König Heinrich verfaßte, unterstützt durch Wolsey, Gar-
diner, Morus, besonders aber durch den berühmten Cardinal

Fisher, gegen die Neuerungen Luther's eine Schrift, welche er dem Papste Leo zueignete und wodurch er sich von Seiten des Kirchen-Oberhauptes den — für sich schon während fünf Monate zuvor nachgesuchten — Beinamen eines Vertheidigers des Glaubens, nicht allein für sich, sondern auch für seine Nachkommen gewann, desselben sich jedoch nicht lange würdig erzeigte. Es befand sich nämlich um jene Zeit am englischen Hofe eine junge Dame mit Namen Anna von Boleyn, ausgezeichnet durch Geistesgaben und Schönheit, in welche der König sich leidenschaftlich verliebte. Anna war selbst geschäftig, die unlautern Begierden des Königs zu nähren und zu schüren, und erklärte, nur dann sein eigen angehören zu wollen, wenn er sie zu seiner Frau und Königinn erhebe. Heinrich aber war schon seit 18 Jahren mit Catharina von Aragon, der Tochter Ferdinand's des Katholischen und Tante Carl's V., verheirathet. Diese war zwar Wittwe Arthur's, des ältern Bruders des Königs Heinrich, gewesen, diesem aber vermöge des durch Papst Julius II. verliehenen Untersagungs-Erlasses angetraut. Der König hatte 18 Jahre hindurch wegen dieser Heirath keine Gewissensbeschwerde empfunden; da er aber die reizende Boleyn besitzen wollte, hieß er solche bestehende Bündniß blutschänderisch, und verlangte von Papst Clemens, daß er dasselbe für aufgelös't erklären solle. Der stolze Cardinal Wolsey, der allwege den Ausdruck im Munde führte: der König und ich, ging auf das Verlangen Heinrich's ein und bestärkte ihn nur immer mehr darin. Auf diesem Wege wurden auch hin und wieder in England mehre Theologen durch Bestechungen gewonnen, über den fraglichen Punkt solche Entscheidungen abzugeben, wie sie dem Könige erwünscht waren. Der Papst, welcher nun immer lebhafter angegangen wurde, die Ehescheidung auszusprechen, erklärte, dieses in keiner Weise zu dürfen, und beharrte bei den wiederholten Anfragen auf seiner einmal gegebenen Erklärung. Da nun der König, welcher mittlerweile auch das Parlament für sich gewonnen hatte, einsah, daß er von dieser Seite nichts mehr zu hoffen habe, so verstieß er seine rechtmäßige Gemahlinn und heirathete (1533) seine Geliebte, Anna von Boleyn; Thomas Cranmer, Erzbischof von Canterbury, bestätigte, auf des Königs Geheiß, diese so genannte Heirath. Als der Papst von dem großen Aergerniß hörte, welches der König ohne Scheu vor den Augen seines Volkes gegeben hatte, belegte er ihn mit dem Kirchenbanne; worauf Heinrich sich zum Beschützer und höchsten Oberhaupt der Kirche Englands erklärte. Das Parlament, welches übrigens schon neun Tage vor Datirung der Excommunications-Bulle des Papstes ein strenges Verbot gegen die Anerkennung des apostolischen Stuhles hatte ergehen lassen, bestätigte dem Könige diesen Titel; die Nation wurde angehalten, einen neuen Eid zu schwören, die Benennung „römischer Papst" aus allen Büchern ausgemerzt; der Cardinal Johann Fisher aber und Thomas Morus, nebst noch vielen andern vornehmen Personen, welche es wagten, sich diesen Gräueln zu widersetzen, wurden hingerichtet. Obgleich nun der König für sich, für die Geistlichkeit seiner Staaten und für die Nation der Gemeinschaft mit dem Kirchen-Oberhaupte entsagt hatte, so erklärte er doch, daß er sich hiermit nicht auch von dem katholischen Glauben getrennt haben wolle, und daß er sich eben so wenig zu Luther als zu Zwingli und Calvin, welcher letztere auch schon um diese Zeit seine Irrthümer in Frankreich zu verbreiten anfing, bekenne. Darum wurde anfänglich der Glaube an die Transsubstantiation, die Ohrenbeicht, die Communion unter Einer Gestalt, die Ehelosigkeit der Priester, die Unauflösbarkeit des Enthaltsamkeits-Gelübdes, die Verehrung der Heiligen, und zwar diese mit einiger Einschränkung, beibehalten. Aber, wie es die Erfahrung immer bestätigt hat, daß die Trennung von dem durch Christus gegründeten Einheitspunkte mehr oder weniger auch die Rechtgläubigkeit gefährdet, und die Kirche des Sohnes Gottes zu einer Sclavinn der weltlichen Herrschaft machet, so war es auch hier der Fall; die Irrthümer der Reformation nahmen von Jahr zu Jahr in England immer mehr an Einfluß zu, bis zuletzt nur noch in der dortigen Episcopal-Kirche ein schwankendes Schattenbild des Katholizismus übrig blieb. Heinrich verharrte übrigens in seinem wüsten Lebenswandel nach wie vor, nahm, nachdem er seine geliebte Boleyn hatte hinrichten lassen, noch vier Frauen, von welchen er eine verstieß, eine andere aufs Blutgerüst führte und eben gegen die letzte den Criminalproceß anhängig gemacht hatte, als er i. J. 1547 starb. Papst Clemens, durch diese höchst traurigen Streitigkeiten mit dem Könige von England aufgehalten, hatte nach Verwerfung des von ihm in Italien (1533) anberaumten Conciliums von Seiten der Protestanten noch keine neuere Veranstaltungen getroffen, als er schon im September des Jahres 1534 starb.

Paulus III.,

ein Römer, hieß Alexander Farnese, war Bischof von Ostia und Dechant des Cardinal-Collegiums; nach Clemens' Tode ward er einstimmig zum Papste erwählt. Gleich hierauf erneuerte er die von Clemens schon geschehene Ansage eines allgemeinen Conciliums nach Mantua und später nach Vicenza; doch waren die unter den christlichen Fürsten selbst obwaltenden politischen Streitigkeiten ein unüberwindliches Hinderniß, daß dasselbe hätte ordentlich und zweckmäßig zu Stande kommen können. Eben so zerschlug sich ein Bündniß, welches der Papst mit dem Kaiser und den Venetianern gegen die Türken schloß, und seine Bemühungen für die Aussöhnung zwischen dem Kaiser und dem Könige von Frankreich waren fruchtlos. Die Protestanten, welche auch das von Papst Paul ausgeschriebene Concil verwarfen, versammelten sich 1537 zu Schmalkalden und nahmen hier die von Luther aufgesetzten neuen (schmalkalden'schen) Artikel an, welche sie dem Concil, sollte es zu Stande kommen, als Protestation dagegen zu überreichen gedachten. Die mittlerweile zwischen Melanchthon und Eck geschehenen Vereinigungsversuche waren ohne Erfolg. Endlich rief der Papst im Jahre 1545 eine allgemeine Kirchenversammlung nach Trient zusammen. Die Protestanten aber verwarfen (wobei sich besonders Luther wenige Monate vor seinem

Tode äußerst thätig erwies) sowohl den Ort als auch das Concilium selbst, und verlangten ein so genanntes „freies und rechtmäßiges Concilium"; sie verstanden darunter, daß dasselbe durchaus frei von allem und jedem Einflusse des Papstes sein solle, nach welchem Verlangen ein allgemeines Concilium unmöglich gemacht wurde; denn weder durfte der Papst sich selbst, noch auch durften die Bischöfe den Papst von einer solchen Versammlung ausschließen. Dennoch nahm das Concilium seinen Anfang und wurde am 13. Dec. 1545 zu Trient eröffnet. Bald darauf (18. Febr. 1546) starb Luther zu Eisleben, und der zwischen dem schmalkalden'schen Bunde, an dessen Spitze Johann Friedrich, Kurfürst von Sachsen, und Philipp, Landgraf von Hessen, standen, und dem Kaiser ausgebrochene Krieg war zum Nachtheile jener Fürsten beendigt und sie selbst gefangen genommen worden. Nun machte der Kaiser auf der augsburger Reichsversammlung 1547 den Protestanten aufs Neue den Vorschlag, das trienter Concilium anzuerkennen. Die drei protestantischen Kurfürsten stellten aber wieder solche Bedingungen auf — unter andern, der Papst solle die Bischöfe des ihm geleisteten Eides entbinden u. s. w. —, daß unter diesen Umständen an eine Ausgleichung nicht zu denken war, wozu noch kam, daß eine bösartige, ansteckende Krankheit, welche in Trient immer mehr um sich zu greifen begann, den Papst nöthigte, das Concilium nach Bologna zu verlegen, wo am 21. April 1547 die erste Sitzung, welche die neunte des Conciliums ist, gehalten wurde. Der Aufenthalt, den hiedurch die ganze Angelegenheit erlitt, veranlaßte den Kaiser, eine Vorschrift anfertigen zu lassen, die einstweilen (interim) beiden Theilen als eine Norm dienen sollte. Obgleich durch dieses Interim beide Parteien vortheilhaft bedacht waren, willigten doch selbst viele Protestanten nicht in dasselbe ein; der Papst aber verwarf es durchaus. Gegen Heinrich VIII. von England bewies er dieselbe Festigkeit, wie sein Vorgänger, so beweinenswerth es auch war, daß die Kirche Gottes zusehen mußte, wie um jene Zeit und in so wenigen Jahren sich ganze

Länder von ihr losrissen. Dagegen hatte Papst Paulus im Jahre 1540 bereits den Orden der Jesuiten bestätigt, durch dessen unermüdlichen Missionseifer in entfernten Weltgegenden viele Tausende das Christenthum annahmen und die h. katholische Kirche als ihre Mutter und Lehrerinn anerkannten. — Papst Paulus starb im Jahre 1549, alt 82 Jahre, aus Gram über die Undankbarkeit seiner Kinder, die er vor seinem Eintritte in den geistlichen Stand erzielt hatte; er verschied mit dem schmerzlichen Bekenntnisse, wie leid es ihm thue, noch dazu für Undankbare sich so schwer versündigt zu haben. Auch dieser Papst war ein großer Beförderer der Wissenschaften; mit Sadolet und Erasmus von Rotterdam unterhielt er einen gelehrten Briefwechsel und schrieb Bemerkungen über Cicero's Briefe.

Julius III.

hieß Johann Maria del Monte, machte schon sehr früh bedeutende Fortschritte in den schönen Wissenschaften und der Rechtskunde, und stand nach und nach mehren Bisthümern vor, bis er Erzbischof von Siponte und Cardinal wurde. Nach seiner Erhebung auf den päpstlichen Stuhl soll die frühere Reinheit seiner Sitten und seine viel gepriesene Gerechtigkeitsliebe sehr abgenommen haben. Durch eine am 14. December 1550 erlassene Bulle wurde das Concilium von Bologna wieder nach Trient verlegt, und am 1. Mai 1551 daselbst unter seiner Regierung die erste Sitzung, welche die eilfte des Conciliums ist, gehalten. Nun ließ sich's der Kaiser wieder aus allen Kräften angelegen sein, die Protestanten zur Anerkennung des trienter Concils zu vermögen. Die Sache schien auch eine gute Wendung nehmen zu wollen. Melanchthon setzte in Sachsen, und Johann Brenzer im Würtembergischen, Glaubensbekenntnisse auf, die dem Concil sollten übergeben werden; einige protestantische Reichsstände schickten sogar Abgeordnete nach Trient, unter Andern den als Geschichtschreiber berüchtigten Proteus Johannes Sleidanus. Dennoch war es nicht Allen

aufrichtig darum zu thun, und Moritz von Sachsen, Nachfolger seines Vetters Johann Friedrich, war dem Kaiser persönlich feind. Er verband sich daher mit Heinrich II. von Frankreich und mit Albrecht, Markgrafen von Brandenburg-Culm-
bach, und überfiel den Kaiser dergestalt bei Innsbruck, daß dieser beinahe in Gefangenschaft gerathen wäre. Dieses und ein
Einfall der Türken in Siebenbürgen bedrängte den Kaiser so
sehr, daß er 1552 zu Passau einen Vertrag mit den Protestanten abschloß, kraft dessen das Interim aufgehoben und beiden
Religions-Parteien eine freie und unverkümmerte Ausübung
ihrer Religion und Rechte zugesichert wurde, welche Zusiche-
rung auf dem Reichstage zu Augsburg 1555 als ein Reli-
gions-Friedensschluß dem Reichsabschiede beigefügt und
bestätigt wurde. — Nach einem in Gemeinschaft mit dem Kaiser
geführten Kriege gegen Octavius Farnese, Herzog von Parma,
starb Papst Julius in demselben Jahre. Er legte den Grund
zu dem Collegium germanicum in Rom. Es fehlte diesem
Papste durchaus an demjenigen Ernste der Gesinnung, welchen
die damaligen Zeitverhältnisse von einem solchen Manne forderten; er wußte sich nie in die rechte Thätigkeit zu versetzen,
und zeigte mehr Wohlgefallen an einem vergnügten, prunkvollen Leben, als an der Obsorge für das Heil der Kirche und
die Reinheit des Glaubens.

Marcellus II.

hieß Cervinus, war der Sohn eines General-Steuereinnehmers
zu Alfano und wurde zu Montepulciano geboren. Er machte
seine Studien mit großem Erfolge, und P. Paul erwählte ihn
zu seinem Geheimschreiber. Nach einer Gesandtschaftsreise nach
Frankreich erhielt er die Cardinalswürde, und bei Eröffnung
des trienter Concils fiel auch auf ihn die Wahl, bei demselben
als päpstlicher Legat den Vorsitz zu führen. Am 9. April 1555
wurde er Nachfolger des P. Julius auf dem apostolischen Stuhle,
starb aber schon 21 Tage nachher am Schlagflusse. — Er war
dem Nepotismus so abhold, daß er bei seiner Erhebung auf-

Sanct Petri Stuhl seinen Verwandten nicht einmal erlaubte, nach Rom zu kommen. Palestrina, der Vater der neuern Kirchenmusik, fand an dem Papste Marcellus, welcher damit umging, wegen der immer mehr überhand nehmenden weichlichen und theatralischen Kirchenmusik, allen Gesang sammt Instrumentalbegleitung, Choral und Orgel ausgenommen, aus den Kirchen zu verbannen, schon da derselbe noch Cardinal war, einen großen Verehrer und Gönner; allbekannt ist Pelestrina's missa Marcelli papae, durch deren Anhörung der Papst veranlaßt wurde, jenes Vorhaben, das schon zur nähern Erwägung dem trienter Concil mitgetheilt werden sollte, wieder einzustellen.

Paulus IV.,

Johann Peter Caraffa, Cardinal-Dechant und Erzbischof von Theata, ehedem Chicti, im Königreiche Neapel, war beinahe 80 Jahre alt, da er zum Papst erwählt wurde. Trotz diesem hohen Alter eröffnete er seine neue Bahn mit einer Energie, die man von ihm kaum erwartet hätte. Er bedrohte den Kaiser mit dem Kirchenbanne, wenn er den Fortschritten des Lutherthums nicht kräftiger entgegen arbeitete; er verband sich mit Frankreich, um dem Hause Destreich Neapel zu entreißen, und als Ferdinand I. nach Kaiser Carl's Tode die Kaiserwürde angenommen hatte, ohne zuvor dem Papste davon Meldung zu thun, nahm dieser es ihm sehr übel auf, und hieß seinen Gesandten Rom verlassen. Der Kaiser, hiedurch aufgebracht, begab sich nun nicht nach Rom, dort vom Papste gekrönt zu werden, welches Beispiel seine Nachfolger sich zur Richtschnur nahmen. Unermüdlich arbeitete P. Paulus an der Sittenverbesserung; er verpflichtete die Geistlichkeit zu einer standesmäßigen Tracht, ging mit unerbittlicher Strenge gegen verderbliche Schriften an, verordnete neue Strafen gegen die Gotteslästerer, zerstörte die Schlupfwinkel der Wollust und jagte selbst seine Verwandten aus Rom fort, weil sie sich durch ihr Ansehen zu Ausschweifungen und Unbilden aller Art berechtigt glaubten. Den Bischöfen befahl er, in ihren Sprengeln zu wohnen, und die

13

Ordensgeistlichen wies er in ihre Klöster zurück; unermüdet
war sein Bestreben, den katholischen Glauben in England unter der Regierung der Königinn Maria wieder herzustellen,
welche Bemühungen aber durch deren Nachfolgerinn Elisabeth
vereitelt wurden. Im Jahre 1559 erließ P. Paulus eine furchtbare Bulle gegen alle öffentlichen Bekenner von Irrlehren, und
starb am 18. August desselben Jahres im 89. Jahre seines Alters. So groß sein Bestreben war, der Sittenlosigkeit der Römer durch zweckmäßige Verfügungen entgegen zu arbeiten, eben
so groß war die Abneigung der Römer gegen ihn. Kaum war
die Nachricht von seinem Tode erschollen, als der Pöbel seine
Statue zertrümmerte und den Kopf derselben in die Tiber
warf. Es darf aber auch nicht geläugnet werden, daß die große
Strenge des Papstes nicht selten an Grausamkeit gränzte. Die
Fortsetzung des trienter Concils, welches am 25. April 1552
wegen der in Deutschland ausgebrochenen Feindseligkeiten durch
P. Julius hatte suspendirt werden müssen, unterblieb während
der ganzen Regierungszeit des P. Paulus. Wir besitzen von
diesem Papste mehre Schriften: 1) Erklärung des Glaubensbekenntnisses; 2) von der Verbesserung der Kirche; 3) die Regel
des Theatiner-Ordens, welchen er in Gemeinschaft mit dem h.
Cajetan stiftete und nach seinem Erzbisthum benannte.

Pius IV.

hieß Johannes Angelus und war ein Sohn des Bernardin
Medichino. Nachdem er unter der Regierung seiner letzten Vorfahren, von Clemens VII. an, mehre wichtige Aemter bekleidet
hatte, verlieh ihm Julius III. 1549 den Cardinalshut. Zum
Papste erwählt, ließ er dem römischen Pöbel, welcher sich so
schändlich am Andenken des P. Paulus versündigt hatte, Verzeihung angedeihen; die Anstifter dieser Auftritte aber, die aus
Rom verjagten Verwandten seines Vorgängers, ließ er die
ganze Strenge des Gerichtes erfahren: der Cardinal Caraffa
wurde erdrosselt und der Prinz Palliano enthauptet. Am vor-
letzten Tage des Jahres 1560 verordnete P. Pius die Fort-

setzung des trienter Conciliums, und lud am 26. Februar und 14. März 1562 ausdrücklich die Bekenner des Protestantismus ein, nach Trient zu kommen, „zur Eintracht und Wiederaussöhnung zu empfangen die Liebe, welche das Band der Vollkommenheit ist, auf die so frommgesinnte und heilsame Ermahnung ihrer Mutter aufzuwachen und sich zu bekehren." Die Stände augsburgischer Confession antworteten auf diese Einladung in einer eigenen Schrift, welche sie dem päpstlichen Legaten einhändigten. Sie weigerten sich darin standhaft, das trienter Concil anzuerkennen und auf demselben zu erscheinen, und zwar unter andern aus folgenden Hauptgründen: 1) Daß nicht der Papst es sei, dem es zustehe, ein allgemeines Concilium zu berufen, sondern daß dieses rechtlicher Weise nur durch die weltliche Macht geschehen dürfe, wie solches auch schon aus dem alten Testament ersichtlich sei, wo König David es gewesen, der das Volk Israel zusammen berufen habe. 2) Weil die Stadt Trient im italienischen Gebiet und den Ständen augsburgischer Confession zu entfernt liege, ihr Bischof, dem sie auch in weltlicher Hinsicht angehöre, von dem Papste Sohn oder Bruder genannt werde, und sie endlich zu klein und geringfügig für ein allgemeines Concilium sei. 3) Daß dem freien Geleitbriefe des Papstes nicht zu trauen sei, weil dieser den besagten Ständen doch immer todfeind und gegen sie zum heftigsten erbittert bleibe. 4) Das Concilium dürfe durchaus nicht für ein allgemeines gelten, weil nicht alle Gläubigen, wer sie auch immer sein mögen, eingeladen seien, auf demselben ihre Stimme zu geben. 5) Weil auf dem trienter Concil nicht die h. Schrift als alleinige Richtschnur der Entscheidung anerkannt werde. 6) Weil das Papstthum zu Rom voller Hoffart, Stolz und Ausschweifung sei, und schon der h. Johannes dasselbe unter dem Bilde der babylonischen Hure vorgestellt habe. 7) Weil in Rom alle geistlichen Würden und göttlichen Gnaden um Geld zu kaufen seien. 8) Weil von den Päpsten die h. Schrift gelästert und die Ueberlieferung als eine Erkenntnißquelle göttlich geoffenbarter Wahrheiten angenommen werde. 9) Weil die

päpſtliche Glaubenslehre der h. Schrift und den Schriften der
h. Väter entgegen, und in ihrer Subſtanz Eines und Daſſelbe
ſei mit der jüdiſchen und türkiſchen Religion. 10) Weil in der
| päpſtlichen Kirche die abſcheulichſten Mißbräuche herrſchen, Ab-
götterei und Zauberei getrieben werden und der Papſt vorgebe,
unter ſeine Tyrannei oder Gewaltherrſchaft müſſen ſich Himmel
und Hölle beugen. — Bei ſolcher Lage der Dinge konnte der
Papſt wohl nichts mehr zur möglichen Ausgleichung mit den
augsburgiſchen Confeſſions-Verwandten thun, da ja eben der
größere Theil jener vorgebrachten Weigerungspunkte auf dem
allgemeinen Concilium beſprochen werden ſollte. Endlich kam
am 4. December 1563 die gänzliche Abſchließung der trienter
Synode zu Stande, nachdem dieſelbe, die Zeit ihrer Unterbrechung mit eingerechnet, faſt 18 Jahre lang gedauert hatte.
Es waren daſelbſt verſammelt geweſen 5 Cardinäle als Vor-
ſitzer an des Papſtes Stelle, 3 Patriarchen, 33 Erzbiſchöfe,
235 Biſchöfe, 7 Aebte, 7 Ordensgenerale und 160 Doctoren
der Theologie. Der Biſchof von Nazianz, Hieronymus Ragazoni,
hielt die Schlußrede und ſagte unter Anderm: „Erſchienen iſt
dem chriſtlichen Volke dieſer ſo glückliche Tag, an dem der oft
eingeriſſene und zerworfene Tempel des Herrn hergeſtellt und
beendigt und das Eine Schiff aller Güter aus den größten
und lange dauernden Wirbeln und Fluthen ſicher in den Hafen
eingebracht wird. O, möchten es willig mit uns auch diejenigen beſtiegen haben, um derentwillen vorzüglich dieſe Schiff-
fahrt unternommen wurde! Möchten Theil haben am Baue
dieſes Gebäudes diejenigen, welche uns dieſes Tagewerk veranlaßten! Wahrlich, dann hätten wir jetzt Urſache zu noch größe-
rer Freude. Allein daß es nicht alſo geſchah, iſt gewiß unſere
Schuld nicht.“ Am 26. Januar 1564 erließ P. Pius eine Bulle,
in welcher er das Concilium in aller ſeiner Ausdehnung beſtätigte. Im darauf folgenden Jahre entſpann ſich zu Rom eine
Verſchwörung gegen das Leben des Papſtes. Einige ſchwärme-
riſche Abenteurer, die dabei im Trüben zu fiſchen hofften, weil
ſie von ihren zahlreichen Gläubigern hart bedrängt wurden,

gaben vor, Papst Pius sei kein rechtmäßiger Papst; er müsse abgesetzt werden, damit ein eingefleischter Engel als Papst (angelicus papa) den Stuhl des h. Petrus besteige, wodurch eine gänzliche Erneuerung der Dinge und das Verschwinden aller Irrthümer werde herbeigeführt werden. Ein gewisser Benedict Accolti stand an der Spitze dieser Fanatiker und hatte schon zum Voraus die Fürstenthümer, Landschaften und Goldbarren unter sie vertheilt. Die Verschwornen wurden verrathen, und Accolti büßte seine Thorheit unter dem Henkersbeile. Papst Pius aber starb bald darauf, im Jahre 1565; man macht ihm den Vorwurf, daß er zu sehr bemüht gewesen sei, seine Verwandten empor zu bringen; doch bedenke man auch, wie sehr sie sich dessen würdig machten: der einzige Name Carolus Borromäus mag hier genügen; dazu verwendete Pius auch noch ungeheure Summen, um die Gebäude und Denkmäler des alten Rom auszubessern, zu ergänzen und zu verschönern, Wasserleitungen anzulegen und neue gemeinnützige Gebäude aufzuführen.

Pius V.,

Anton Michael Ghislert, der Sohn eines mailändischen Municipal-Rathes, trat in den Orden des h. Dominicus, wurde Bischof von Sutri und Cardinal. Als Groß-Inquisitor von Mailand und der Lombardei verfuhr er so streng, und zuweilen fast ohne alles menschliche Gefühl, daß er die Flucht ergreifen mußte; eben so verwaltete er dieses Amt in Venedig, und wurde daher nach Mondovi als Bischof versetzt. Nachdem er zum Nachfolger des h. Petrus erwählt worden war, ging seine erste Sorge dahin, die Kirchenverbesserungs-Beschlüsse des trienter Concils in Wirksamkeit treten zu lassen; er verbot die Stiergefechte im Circus, erlaubte die Verfolgung der Cardinäle wegen Schulden, verwarf die Irrthümer des Bains, hob den Orden der Humiliaten auf, weil sie sich den dem trienter Concil gemäßen Sittenvorschriften nicht fügen wollten, und gab dem Cistercienser-Orden eine neue, zweckmäßigere Einrichtung. Auf-

fallend im Widerspruche mit seinem oft die Gränzen der Mensch-
lichkeit überschreitenden Eifer gegen die Irrgläubigen, war dieser
Papst ein wahrer Vater der Armen und ein Trost der Kranken;
er besuchte unermüdet die Wohlthätigkeits-Anstalten und half,
wo er nur konnte, mit beispielloser Freigebigkeit. Eben so fanden Künste und Wissenschaften an ihm einen vorzüglichen Beschützer und Beförderer. Im Jahre 1568 verordnete er die
öffentliche Verlesung der Bulle in coena Domini in der ganzen
Christenheit, und ging i. J. 1571 mit Venedig und Spanien
ein Bündniß gegen die Türken ein. Da sah man zum ersten
Mal die Flagge der beiden Himmelsschlüssel im Gefechte mit
dem Halbmond. Am 7. October desselben Jahres trug die Flotte
der verbündeten Christen im Meerbusen von Lepanto einen vollkommnen Sieg davon: die Türken verloren über 30,000 Mann
und 200 Galeeren. — Papst Pius starb am 1. Mai 1572, 66
Jahre alt, am Steine. Unter den heftigsten Schmerzen, welche ihm
dieses Uebel verursachte, rief er aus: „O Herr, vermehre meine
Schmerzen, vermehre meine Geduld!" Als der Sultan Selim
den Tod des Papstes erfuhr, ließ er deßhalb in Constantinopel
ein dreitägiges Freudenfest veranstalten. Wir besitzen einige
Briefe von diesem ausgezeichneten Oberhirten der Kirche Christi,
welchen Papst Clemens XI. i. J. 1712 unter die Zahl der
Heiligen versetzte.

Gregorius XIII,

Hugo Buoncompagno, aus Bologna, war einer der größten
Canonisten und Rechtsgelehrten seiner Zeit. Ewig denkwürdig
wird seine Regierung durch die von ihm ausgegangene Er-
neuerung des Kalenders bleiben. Schon die wegen ihrer großen
Gelehrsamkeit so berühmten Cardinäle Peter von Ailly und
Nicolaus von Cusa, so wie auch der große Mathematiker Paul
von Middelburg, Bischof von Fossombronn, hatten laut für die
Verbesserung des Kalenders gesprochen, und diese Angelegenheit
war, jedoch ohne Erfolg, auf den Concilien von Constanz und
Basel und dem fünften lateranensischen verhandelt worden.

Blieb sie ganz unberücksichtigt, dann kam es endlich dahin, daß Ostern im Winter wäre gefeiert worden, statt im Frühjahre. Papst Sixtus IV. trug dem berühmten Mathematiker Regiomontanus (Joh. Müller aus Königsberg), Erzbischofe von Regensburg, die Verbesserung des Kalenders auf; doch wurde derselbe an Beendigung dieser Arbeit durch seinen unerwartet schnellen Tod verhindert. Nach der ersten Zusammenberufung des trienter Concils unterzogen sich Sepulveda von Cordova, Canonicus in Salamanca, Lucas Gauric, Bischof von Civita-Ducale, und mehre Andere derselben Arbeit; die Väter des Concils wollten sich aber nicht damit befassen und wiesen diese Sache an den Papst. Gregorius schloß sich daher dem Systeme des ausgezeichneten Mathematikers und Arztes Aloysius Lilio an, und nachdem er den Pater Christoph Clavius, Jesuiten zu Bamberg, der für den ersten Geometer seiner Zeit galt, dabei zu Rathe gezogen hatte, erklärte er endlich durch eine Bulle vom 24. Febr. 1582, daß das schwierige Geschäft zu Stande gebracht sei. Nun aber kostete es mehr Mühe, die Völker zur Annahme des erneuerten Kalenders zu bewegen, als den Mathematikern selbst diese Erneuerung desselben gekostet hatte. Die Protestanten Deutschlands, Schwedens, Dänemarks und Englands lehnten sich dagegen auf, aus der einzigen Ursache, weil diese Veranstaltung vom Papst herrühre. England entschloß sich endlich doch im Jahre 1752, Schweden 1753 und die Protestanten in Deutschland erst 1776 zur Annahme des gregorianischen Kalenders. Die Griechen und Russen hingegen wollen lieber, wie ein geistreicher Schriftsteller sich ausdrückt, mit dem ganzen Sonnensysteme im Widerspruch leben, als auch nur in Einer Beziehung sich an die römische Kirche anschließen. Um dieselbe Zeit, als Gregor mit der Reform des Kalenders beschäftigt war, beschenkte er die juridische Gelehrtenwelt mit der Ausgabe des Decretum Gratiani, welches er mit gelehrten Anmerkungen bereicherte, die er zum Theile schon als Professor der Rechte zu Bologna ausgearbeitet hatte. In den letzten Tagen seines Pontificates wurde er durch eine Gesandt-

schaft aus Japan von Seiten der Könige von Bungo und
Arima und des Prinzen von Omura erfreut, welche, durch die
unermüdlichen Missionare des Jesuiten-Ordens zum Christenthume
sich bekennend, geistliche Unterwürfigkeit unter den apostolischen
Stuhl hiedurch an Tag legen wollten. — Man hat diesen
Papst oft genug wegen der über die pariser Bluthochzeit ge-
äußerten Freudenbezeigung getadelt, im Grunde aber wohl mit
Unrecht. Es ist nämlich geschichtlich außer Zweifel gesetzt, daß
Gregor durch einen voreiligen und mangelhaften Bericht eine
irrige Vorstellung von dem Vorgefallenen erhalten hatte. Er
glaubte, die Katholiken hätten über die Partei der Hugenotten
einen Sieg in offener Schlacht davon getragen, und so ließ er
das bei solchen Anlässen übliche Te Deum anstimmen und ordnete Volksbelustigungen an. Wäre es nun auch noch zu tadeln,
daß er sich über diesen glücklichen Ausgang freute, welcher zwar
einen Religionskrieg betraf, übrigens aber auch eben so
wichtige politische Interessen berührte; so ist es doch immer
noch ein großer Unterschied, ob der Papst über jenes Ereigniß
sich freute, wie es in der Wirklichkeit Statt gefunden hatte,
oder wie es ihm entstellt mitgetheilt worden war. — Papst
Gregor starb im Jahre 1585, alt 83 Jahre. Er verwandte
große Summen auf das deutsche Seminar zu Rom.

Sixtus V.,

geboren 1521 in einem Dorfe bei dem Schlosse Montalto in
der Mark Ancona, hieß Felix Peretti und war der Sohn eines
unbemittelten Winzers, der ihn zur Hut der Schweine an einen
Bauersmann verdingte. Ein Franciscaner, der sich vom rechten
Wege nach Ascoli verirrt hatte, traf den künftigen Pontifex
Maximus der Christenheit bei diesem Geschäfte an, und die
wißbegierigen Fragen und treffenden Antworten des muntern
Natursohnes veranlaßten den Ordensbruder, dessen Wunsche
zu willfahren und ihn dem Kloster zuzuführen. Hier zeigte sich's
bald, daß der junge Felix nicht bloß zum Serviten berufen
sei. Im Jahre 1545 wurde er Priester und kurz darauf Doc-

tor und Professor der Theologie zu Siena, von welcher Zeit
an er sich den Namen Montalto beilegte. Seine Predigten,
welche er zu Rom, Genua, Perugia und anderswo hielt, ver-
schafften ihm einen so großen Ruf, daß er päpstlicher Com-
missarius zu Bologna und Inquisitor zu Venedig wurde. Da
er sich aber sowohl mit dem Senate dieser Republik als auch
mit seinem Orden überworfen hatte, begab er sich nach Rom.
Hier, wo ein ausgezeichnetes Talent selten verkannt worden
ist, erhob man ihn zu einer der Rathsstellen in der Congregation zur Aufrechthaltung des reinen Glaubens und zur Sittenverbesserung, und kurz darauf wurde er General-Procurator
seines Ordens. Als berathender Theologe und Inquisitionsrath
begleitete er den Cardinal Buoncompagno nach Spanien, und
als der Cardinal Ghisleri, ein Schüler Montalto's, unter dem
Namen Pius V. den apostolischen Stuhl bestiegen hatte, erin-
nerte dieser sich dankbar seines Lehrers und sandte ihm seine Ernennung als General des Franciscaner-Ordens; bald darauf
verlieh er ihm den Cardinalshut. Was auch bisheran die letztern Päpste zur Sittenverbesserung Roms gethan hatten, so
nahm das Uebel doch von Jahr zu Jahr zu, und die übertrie-
bene Milde Gregor's XIII. gegen die Straßenräuber machte
eben diese nur noch immer kühner, so daß die Sicherheit für
Ehre, Leben und Eigenthum aufs höchste gefährdet war. Wenn
wir dem Geschichtschreiber Gregor Leti (geb. 1630, gest. 1701)
Glauben beimessen wollen, so trug der Cardinal Montalto
schon bei der Wahl des oben genannten Papstes Gregor Verlangen, sich mit der päpstlichen Tiare geschmückt zu sehen,
weil er sich dazu berufen glaubte, durch seine Charakterfestigkeit endlich jenen Gräueln der Sittenlosigkeit, die im Kirchenstaate und vorzugsweise in Rom herrschte, ein Ende zu machen.
Dieses desto sicherer erreichen zu können, dachte er seine Absichten desto behutsamer verborgen halten zu müssen. Er zog
sich daher von allen Geschäften zurück, klagte über immer mehr
zunehmende Körperschwäche, zeigte einen entschiedenen Widerwillen gegen alle Bewerbung um Stellen und Würden, und

gab sich das Ansehen, nur mit dem Einen Nothwendigen, mit seiner Heilswirkung, unabläßig beschäftigt zu sein. Nach dem Tode Gregor's konnten die Cardinäle, von denen wohl jeder für sich selbst nach der päpstlichen Würde mag süchtig gewesen sein, über den neu zu erwählenden Papst nicht einig werden, und da die Wahl doch zu Stande kommen mußte, so vereinigten sie sich für denjenigen, von dem sie vermuthen mochten, daß er entweder das ihm übertragene Amt nicht annehmen werde (wo sie dann wieder mit Fug zu einer neuen Wahl schreiten konnten), oder der doch, überaus schwach und kränklich, wie er zu sein vorgab und es auch schien, nicht lange mit dieser Würde bekleidet bleiben oder auch zur Abstellung von Mißbräuchen, denen sie selbst anhingen, nicht energisch genug sich erweisen werde. So wurde der einst arme und verwahrlosete Hirtenknabe Felix am 24. April 1584 zum Papste erwählt. Kaum hatte man ihm die Tiare aufs Haupt gesetzt und die höchste Pontifical-Kleidung angelegt, als er rüstig hervortrat, die Krücke von sich warf, muthig sein Haupt emporhielt, indem er erklärte, die Schlüssel Petri, die er lange mit gebeugtem Nacken gesucht, nun gefunden zu haben, und mit einer so donnernden Stimme bei seiner Inthronistrung das Te Deum anstimmte, daß die Wölbung der Peterskirche davon wiederhallte. So erzählt Leti, der, als erster und einziger Bürgsmann hiefür, nichts weniger, als Zeitgenosse dieses vorgeblichen Ereignisses war, vom katholischen Glauben abfiel und sich zu Lausanne zum Calvinismus bekannte; der von da an in seinen Schriften als ein geschworner Gegner der katholischen Kirche, ihrer Oberhäupter und Würdner sich erwies; der es nicht verhehlte, daß er mehr darauf sähe, die Ereignisse so zu stellen, wie sie eher die Theilnahme des Lesers in Anspruch nähmen, als wie es bloß das einfache historische Datum zuließe; und der endlich auf die Frage: ob denn alles, was er in der Lebensbeschreibung des Papstes Sixtus vorgebracht habe, auch der Wahrheit gemäß sei, zur Antwort gab: eine gut erfundene Schilderung unterhalte mehr, als die schmucklose historische Wahrheit. Uebrigens hat Leti in Bezug auf die-

sen Papst fast allen ihm folgenden Geschichtschreibern, und besonders in neuerer Zeit dem Herrn von Archenholz — in
dessen Leben Sirtus' V. — zum Führer gedient. Was aber die
furchtbare Energie und unermüdliche, großartige Thätigkeit anbelangt, mit welcher Papst Sirtus gleich nach der Thronbesteigung seinen Wirkungskreis eröffnete, so stimmen darin alle
Geschichtschreiber überein, und die sprechendsten Beweise verkünden es noch der spätesten Nachwelt. Seine erste Sorge war
dahin gerichtet, den Kirchenstaat von den Räubereien und Gewaltthätigkeiten aller Art zu reinigen, die bisher mit frechster
Stirn ungestraft geübt werden durften. Furchtbar waren die
Maßregeln, die er zur Wiederherstellung der öffentlichen Sicherheit ergriff. Auf den Straßen und Plätzen ließ er Galgen
aufrichten, woran auf der Stelle diejenigen erhenkt werden
sollten, die sich während der Faschings-Lustbarkeiten auch nur
die geringste Unanständigkeit würden zu Schulden kommen
lassen. Das peinliche Verfahren gegen Diebe, Mörder und
Ehebrecher wurde gesteigert; selbst über den Gatten, der die
ihm bekannten Ausschweifungen seiner Frau nicht vor Gericht
anzeigen würde, war das Todesurtheil verhängt. Er verab-
schiedete die Soldaten, selbst die päpstliche Leibwache, und lös'te
die Banditenschwärme einzig durch die Kraft und Strenge der
Gesetze auf, ohne durch die bewaffnete Macht unterstützt zu
sein; dagegen kannte seine felsenfeste Charakterstärke auch keinen größern Gräuel, als halbe Maßregeln. Durch eine Bulle
verbot er die Sterndeuterei, die damals in Rom sehr im Schwunge
war, und als einige Personen aus den ersten Familien sich dennoch damit abgegeben hatten, schickte er sie auf die Galeeren.
Den Franciscanern verbot er den Uebertritt zu den Capucinern,
ein Vorkommen, welches damals unter dem Scheine, sich einer
strengern Ordensregel unterwerfen zu wollen, sehr häufig war
und Anlaß zu mehrfältiger Verwirrung gab. Er reformirte
gänzlich die Congregation des h. Officiums (Inquisitionsge-
richts) und ist als der eigentliche Begründer der Congregation
für den Ritus und die Liturgie anzusehen. Nachdem er nun

so die öffentliche Sicherheit wieder hergestellt und sehr viele
heilsame Veranstaltungen getroffen hatte, beschloß er die Verschönerung Roms, und verlieh seinen Schutz den Künsten und
Wissenschaften, wie er dieses schon, selbst ein ausgezeichneter
Gelehrter seiner Zeit, als Cardinal in reichlichem Maße gethan hatte. Sein erstes Vorhaben war, den 107 röm. Palmen
hohen und fast 1,000,000 Pfund schweren ägyptischen Obelisk
von Granit, den der Sohn Constantin's des Großen nach Rom
geschafft hatte, und der sich nun neben einer Mauer der St.
Peterskirche auf der Erde liegend befand, vor diesem Tempel aufrichten zu lassen. Wie dies aber zu erreichen möglich sei, wußte
man nicht. Papst Sirtus ließ deßhalb einen Aufruf an die
Mechaniker und Mathematiker ergehen. Sein Ober-Architekt
Dominicus Fontana verhieß, die Aufgabe zu lösen, und hielt
Wort. Am 10. September 1586 erhob sich der Riesenkegel allgemach, bis er unter lautem Zujauchzen des römischen Volkes
auf sein Fußgestell aufgerichtet wurde. Sirtus verlieh dem
Künstler, nachdem er das schwere Werk vollendet hatte, den
römischen Adel, ließ Denkmünzen auf ihn schlagen und machte
ihm eine Geldsumme von 27,000 Thalern zum Geschenke. Hierauf ließ er noch drei andere Obeliske ausgraben und vor verschiedenen Kirchen aufrichten; eben so erbaute er in St. Maria
maggiore die kostbare Capelle aus weißem Marmor nebst
zwei Grabmälern, eines für seine Ueberreste und das andere,
um darin die Asche seines Wohlthäters Pius V. beizusetzen.
Hierauf folgte die Wiederherstellung der Säule Antonin's des
Frommen, die Anlage von riesenmäßigen Wasserleitungen, die
Errichtung von Springbrunnen, Pallästen u. s. w. Da die vaticanische Bibliothek durch die Plünderung Roms, wobei sich
unter Carl V. die deutschen, meistens lutherisch gesinnten, Soldaten alle erdenklichen Ausschweifungen und Abgeschmacktheiten
erlaubt hatten, sehr in Verfall gerathen war, so ging Papst
Sirtus mit dem Plane zu einer neuen Einrichtung derselben
um. Er beschloß, weder Mühe noch Kosten zu sparen, um sie
zur reichhaltigsten und zu einer der schönsten der Welt zu erhe-

ben. Zu dem Ende ließ er am Vatican ein herrliches Gebäude errichten, um die Bibliothek in demselben aufzustellen; die Platfonds wurden mit allegorischen Vorstellungen aus seiner Regierungszeit, den allgemeinen Concilien und den berühmtesten Bibliotheken des Alterthums ausgeschmückt; auch gab er neue, äußerst weise Vorschriften über die öffentliche Benutzung der Bibliothek. Neben diesem Gebäude gründete er eine überaus kostbare Buchdruckerei zur Herausgabe der geschätztesten Werke, sowohl von Kirchen- als Profan-Scribenten; die auf seinen Befehl veranstaltete neue Ausgabe der lateinischen Bibel erschien, wiewohl sehr übereilt, im Jahre 1590. Bei allen diesen Bestrebungen vergaß er das Interesse der Kirche nicht, und war nach allen Seiten hin umsichtig und thätig. Er belegte Heinrich III. von Frankreich, der sich auf die Seite der Protestanten hingeneigt hatte, mit dem Kirchenbanne, deßgleichen Heinrich IV., den er übrigens hochschätzte und dessen Wiederkehr zur katholischen Kirche er nicht mehr erlebte. Seine rastlose Thätigkeit, in welcher er den Tag hindurch den Kirchen- und Staatsgeschäften, sehr oft aber auch noch einen Theil der Nacht dem Studium widmete, beschleunigte seinen Tod. Er starb i. J. 1590, alt 69 Jahre, nachdem er nur fünf Jahre, vier Monate und drei Tage lang Nachfolger des h. Petrus gewesen war. Die Römer, welche ihm wegen seiner übergroßen Strenge abhold waren, hatten kaum seinen Tod vernommen, als sie seine Bildsäule zerbrachen und beschimpften. Sein Ruhm aber bleibt unvergänglich.

Urbanus VII.,

ein Römer, hieß Joh. Bapt. Castagna und war Cardinal. Schon am zwölften Tage nach seiner Erhebung auf den apostolischen Stuhl starb er, indem er ausrief: „Der Herr erlöset mich von jenen Banden, die mir hätten schädlich sein können!"

Gregorius XIV.,

aus Mailand, hieß Nicolaus Sfondrati, war Cardinal und Bischof von Cremona. Er überlebte seine Erwählung zum Papste nur zehn Monate und einige Tage, während welcher er gegen die Thronbesteigung Heinrich's IV. protestirte, indem er nicht glaubte seine Einstimmung dazu geben zu dürfen, daß ein protestantischer Fürst den Thron Frankreichs einnehme. Gregor lebte so äußerst einfach, daß er erst während seiner letzten Krankheit etwas Wein zu sich nehmen zu dürfen erachtete.

Innocentius IX.,

aus Bologna, hieß Joh. Anton Fachinetti, war Cardinal und hatte sich auf dem Concilium von Trient vortheilhaft ausgezeichnet, starb aber schon nach einer zweimonatlichen Regierung, von den Römern wegen seiner ungemein großen Wohlthätigkeit gegen Arme und Kranke aufrichtig bedauert.

Clemens VIII.

hieß Hippolit Aldobrandini, war Cardinal und Groß-Pönitentiarius; er kam am 20. Januar 1592 auf den Stuhl des h. Petrus. Aus Furcht, der Calvinismus möge in Frankreich überhand nehmen, wenn Heinrich IV. den Thron besteige, schickte er einen Legaten an die katholischen Großen des Reichs mit dem Ansuchen, einen König ihres Glaubensbekenntnisses zu wählen. Heinrich sandte hierauf seinerseits die beiden ausgezeichneten Gelehrten du Perron und d'Ossat nach Rom, um seine Aussöhnung mit dem apostolischen Stuhle zu bewerkstelligen, welches auch gelang; Heinrich kehrte in den Schooß der katholischen Kirche zurück, und P. Clemens ließ auf dieses erfreuliche Ereigniß eine Denkmünze mit seinem und des Königs Bildnisse schlagen. Von Rußland aus geschah um diese Zeit (1595) ein Versuch, die Kirche dieses Landes mit dem wahren Oberhaupte der Kirche Christi zu vereinigen; doch blieb er ohne die gewünschten Folgen; dagegen erkannte der Patriarch von Alexandrien den Primat des römischen Papstes an. Zur Beilegung der Streitigkeiten, welche zwischen den Dominicanern und den Jesuiten durch des Jesuiten Molina Schrift „über die Gnade" entstanden waren, ordnete P. Clemens die bekannte Congregation de auxiliis an, deren Beendung er aber nicht erlebte. Die Zweikämpfe verbot er unter Strafe des Kirchenbannes, wirkte nicht wenig zum Friedensschlusse von Vervins (1598) mit, und belohnte wie vielleicht keiner seiner Vorgänger die Gelehrten und sonstigen Männer von Verdienst; so wurden Baronius, Bellarmin, Tolet, d'Ossat und du Perron durch ihn zur Cardinalswürde erhoben. Das Herzogthum Ferrara kam unter seiner Regierung an den h. Stuhl, und mehre Fürsten und große Gelehrte verließen die Grundsätze der Reformation und vereinigten sich wieder mit der katholischen Kirche. — P. Clemens starb, 69 Jahre alt, am 5. März 1605, nachdem er von dem römischen Pontificale und dem Ceremoniale der Bischöfe eine neue, verbesserte Auflage veranstaltet hatte.

Leo XI.,

Alexander Octavian, aus dem Hause Medicis, starb schon am 27. Tage nach seiner Erwählung; ihm folgte

Paulus V.,

ein Römer, Camillus Borghese. Kaum war er zur päpstlichen Würde gelangt, als er mit der Republik Venedig in einen sehr unangenehmen hartnäckigen Streit verwickelt wurde. Venedig wollte um keine neu zu errichtende Klöster und Stifter wissen, und unterwarf die Geistlichen, der damaligen allgemeinen Praxis zuwider, der weltlichen Gerichtsbarkeit. Der Papst belegte den Dogen und den Senat mit dem Kirchenbanne, und sprach zuletzt das Interdict gegen den ganzen Freistaat aus. Der Senat that dagegen Einspruch, und verbot die amtliche Veröffentlichung dieser Maßregeln. Die Capuciner, Theatiner und Jesuiten, welche die Partei des Papstes ergriffen, wurden nach Rom eingeschifft. Da traf der Papst Veranstaltungen, mit irdischen Waffen zu erkämpfen, was er mit geistlichen nicht hatte erringen können. Heinrich IV. war unterdessen durch einen aufgefangenen Brief davon benachrichtigt worden, daß der berüchtigte Sarpi, bekannt unter dem Namen Fra Paolo, damit umgehe, diese Verwirrung zu benutzen, um dem Calvinismus im Venetianischen Eingang zu verschaffen; er bot sich daher zum Vermittler an, und so kam i. J. 1607 der Friede zwischen dem

Papſte und den Venetianern zu Stande. Nach Beendigung der
Arbeiten, welche die Congregation de auxiliis nach dem Tode
des Papſtes Clemens fortgeſetzt hatte, verbot P. Paulus den
ſtreitenden Parteien, ſich noch fürderhin feindlich gegenüber zu
ſtehen. Als er darum angegangen wurde, Veranſtaltungen zu
treffen, daß die unbefleckte Empfängniß Mariä als ein ka-
tholiſcher Glaubenspunkt angenommen werde, wies er dieſen
Antrag weiſe von ſich ab und begnügte ſich mit dem Verbote,
öffentlich das Gegentheil zu lehren. Dem berühmten Aſtronomen Galilei erlaubte er, das copernicaniſche Syſtem als Hy-
potheſe öffentlich vorzutragen, erklärte ſich aber gegen das An-
ſinnen des Aſtronomen, zu behaupten, daß dieſes Syſtem nicht
allein der h. Schrift nicht widerſpreche, ſondern in der Geneſis
ſogar nachzuweiſen ſei und daher gleich einem Dogma müſſe
angenommen werden. So berichtet hierüber ſelbſt der den
Päpſten eben nicht günſtige Guicciardini in einem Schreiben
an den Großherzog von Toscana, dat. 4. März 1616. Großes
trug P. Paul zur Verſchönerung Roms bei; ſo verdankt ihm
dieſe Stadt eine Waſſerleitung von 35,000 Schritt, und alle
ihre ſchönſten Springbrunnen rühren von ihm her. Er been-
digte die Vorhalle der St. Peterskirche und erbaute den herrlichen Pallaſt von Monte-Cavallo. Mit äußerſt großem Koſten-
aufwande betrieb er die Ausgrabung und Wiederherſtellung der
Kunſtwerke des alten Rom, und brachte eine ungemein große
Anzahl der koſtbarſten Gemälde und Statuen in die Haupt-
ſtadt der Chriſtenheit. Ueberaus zahlreich ſind die geiſtlichen Wohl-
thätigkeits-Anſtalten, die er während ſeiner Regierung beſtätigte,
und welche ſeiner ganz beſondern Obſorge ihr erſtes Aufblühen
verdanken. Die Könige von Japan und Congo, nebſt noch mehren oſtindiſchen Fürſten, ſchickten Geſandte an ihn und verlangten die Errichtung von Bisthümern und neue Miſſionare.
Den Maroniten und andern morgenländiſchen Chriſten widmete
P. Paulus eine vorzügliche, väterliche Aufmerkſamkeit. Nach
einem ſeiner Decrete ſollte jeder Ordensgeiſtliche die lateiniſche,
griechiſche, hebräiſche und arabiſche Sprache erlernen; doch

waren die wenigſten Vorſteher der Klöſter geneigt, dieſer Vor-
ſchrift nachzukommen. — P. Paulus ſtarb, im 69. Jahre ſeines
Alters, 1621.

Gregorius XV.,

Alexander Ludovisco, gründete das wichtige und großartige
Inſtitut de propaganda fide, erhob das Bisthum von Paris
zur Metropole, beſtätigte die Reform der Benedictiner von St.
Maurus, unterſtützte den Kaiſer in dem Kriege gegen die pro-
teſtantiſchen Fürſten, und den König von Polen gegen die Türken. Einer von ihm ausgegangenen Verordnung gemäß ſollten
in der Folge die Wahlſtimmen des Conclave ungekannt, und
dadurch mit mehr Unbefangenheit, abgelegt werden. Der Brief
Gregor's an Schah Abbas, König der Perſer, den Hegalſon
mit Noten begleitet herausgegeben hat, und mehre Entſcheidun-
gen der Rota zeugen ſehr vortheilhaft von ſeiner wiſſenſchaft-
lichen Bildung. Kurz vor ſeinem Tode ward ein Theil der
reichen heidelberger Bibliothek nach Rom geſchafft und der Vaticana einverleibt. Die vier berühmten Heiligen: Ignaz von
Loyola, Franz Xavier, Philipp von Neri und Thereſa von
Avila, wurden unter ſeiner Regierung heilig geſprochen. — Er
ſtarb i. J. 1623, alt 70 Jahre.

Urbanus VIII.,

ein Florentiner, hieß Maffei Barberini. Er brachte das Herzogthum Urbino an den römiſchen Stuhl, beſtätigte den Orden
von der Heimſuchung Mariä und unterdrückte den der Jeſui-
teſſen. In einer Bulle beſtätigte er die Ausſprüche Pius' V.
gegen Baïus, verbot, über die Lehre von der Gnade fürderhin
öffentliche Disputationen zu halten, und erklärte, daß ſich in
dem „Auguſtinus" des Janſenius ſchon früherhin verworfene
Irrthümer vorfänden. Gegen Galilei beobachtete er dieſelbe
Schonung, wie ſein Vorgänger Paulus, und der von dieſem
großen Aſtronomen geforderte Widerruf des copernicaniſchen
Syſtems war nur gegen die Geltendmachung des dogmatiſiren-
den Hochmuthes gerichtet, mit welchem Galilei eine Anerken-

nung seiner Lehre von Seiten der Kirche als solcher forderte;
daher er nach geschehenem Widerrufe denn auch selbst, nachdem
er die ehrenvolle Auszeichnung und Theilnahme lobt, welche ihm
P. Urban hatte angedeihen lassen, an den Pater Receneri
schreibt: „Als ein guter Katholik konnte ich mich dem Widerrufe unmöglich entziehen *)." Papst Urban würde wegen seiner gründlichen Kenntniß des Griechischen die attische Biene
genannt; seine lateinischen Dichtungen sind sehr geschätzt, minder die italienischen. — Er starb 1644 nach einer fast 21jährigen
Regierung.

Innocentius X.,

Joh. Bapt. Pamphili, gerieth in heftige Zwistigkeiten mit der
Familie Barberini, die ihren Einfluß unter dem vorigen Papste,
ihrem Verwandten, gemißbraucht hatte. Mit dem Herzoge von
Parma kam er wegen des Gebietes und der Festung Castro
in Streit; er ließ die päpstlichen Truppen gegen ihn marschi-
ren, nöthigte ihn zur Abtretung des Gebietes und schleifte die
Festung. Am 31. Mai 1653 machte er die Bulle bekannt, durch
welche er die fünf Behauptungen des Jansenius als irrgläubige, falsche, verwegene und schändliche erklärte. Er war lebhaft, geistreich, scharfsinnig, voll Geistesgegenwart und Festigkeit, mäßig, sparsam und gerecht, und obgleich er mehr als
billig seine Verwandten, die ihm dennoch großen Kummer verursachten, emporzubringen suchte, so hinterließ er doch einen
Schatz von 700,000 Thalern. Er starb, 81 Jahre alt, im Anfange des Jahres 1655.

---

*) Den fürchterlichen Kerker, in welchem der Papst den großen Astro-
nomen soll haben schmachten lassen, beschreibt dieser selbst in dem
angeführten Briefe so: „Der Papst hat mich seiner Achtung werth
gehalten und mir in dem herrlichen Pallaste bella Trinita di monte
eine Wohnung einräumen lassen..... Nach einem fünfmonatlichen
Aufenthalte in Rom wohne ich nun auf Geheiß des heiligen Gerichtes auf meinem Landgute von Arcetri und athme die reine Luft
meines lieben Vaterlandes."

Alexander VII.,

Fabius, aus dem Geschlechte der Chigi, war zu Siena geboren, wurde Inquisitor auf Malta, Vice-Legat zu Ferrara, Nuncius in Deutschland, Bischof zu Imola und Cardinal. Er bestätigte die Bulle seines Vorgängers gegen Jansenius und schrieb
i. J. 1665 das berüchtigte Formulare vor, nach welchem die
Unterscheidung der jansenistischen Schismatiker von den Katholiken unverkennbar vor Augen liegt. Einige Jahre danach hatte
P. Alexander einen sehr hartnäckigen Streit mit Ludwig XIV.
von Frankreich zu bestehen. Der Gesandte dieses Fürsten hatte
sich in Rom mehre anstößige Freiheiten herausgenommen und
war deßwegen von der corsischen Wache zurecht gewiesen worden. Der vergötterte und sich selbst vergötternde Ludwig forderte die vollkommenste Genugthuung. Der Papst mußte die
genannte Wache abschaffen, durch eine, in Rom auf einer Py-
ramide angebrachte Inschrift Abbitte thun, zu demselben Zwecke
einen Gesandten nach Versailles an den König schicken und
einige Landschaften des Kirchenstaates zu Gunsten der Herzoge
von Parma und Modena abtreten. Nach dieser großen Unan-
nehmlichkeit beschäftigte sich P. Alexander mit der Verschönerung Roms, und ließ sich die reichliche Unterstützung der Gelehrten und Künstler angelegen sein. Große Summen gab er
zur Vollendung des Collegiums della sapienza her und beschenkte diese Anstalt mit einer kostbaren Büchersammlung. Im
ersten Jahre seines Pontificates erschienen seine Jugend-Poesieen,
die nicht ohne Werth sind. Die Königinn Christine von Schweden kam nach ihrer Abdankung, und nachdem sie Katholikinn geworden war, nach Rom, wo sie vom Papste Alexander sehr
liebreich aufgenommen und ihr zu ihrem Unterhalte die Summe
von jährlich 1200 Ducaten angewiesen wurde. Er starb 1667,
68 Jahre alt. Zwei Jahre vor seinem Tode (2. Mai 1665)
war die Stadt Aachen fast gänzlich ein Raub der Flammen
geworden; in dankbarer Erinnerung daran, daß er während
seiner Nunciatur in Deutschland die Bäder zu Aachen nicht ohne
Erfolg gebraucht hatte, schickte P. Alexander, als ihm dieses

schreckliche Mißgeschick bekannt geworden war, an den dortigen Magistrat die Summe von 8000 römischen Thalern als Beitrag zur Wiedererbauung der unglücklichen Stadt.

Clemens IX.,

Julius Rospigliosi aus Pistoja, war aufgeklärt, freigebig, friedfertig und ein Freund und Beförderer der Wissenschaften und Künste; er verminderte die Abgaben und bot der Insel Candia reichliche Unterstützungen gegen die Türken. Vier französische Bischöfe hatten sich hartnäckig der Anerkennung des Formulare gegen die Jansenisten geweigert; da sie aber mit dem römischen Stuhle wieder in Kirchengemeinschaft treten wollten, erklärten sie dem Papst Clemens, daß sie dasselbe ohne allen Rückhalt unterschrieben hätten; neunzehn andere Bischöfe Frankreichs bekräftigten diese Erklärung. Heimlich aber hatten jene dennoch eine Einschränkung aufgestellt und darüber Verbal-Proceß angefertigt; als der Papst sie nun wieder in seine Kirchengemeinschaft aufnahm, kamen sie mit der Clausel zum Vorscheine, als habe auch diese der Papst gutgeheißen, wogegen derselbe aber in mehren Breven protestirte. — Papst Clemens starb schon im Jahre 1669, indem der Gram über den Verlust der Insel Candia seinen Tod beschleunigt hatte.

Clemens X.,

ein Römer, hieß Joh. Bapt. Emil Altieri; er war äußerst gutmüthig und friedfertig; übrigens ist sein Pontificat in geschichtlicher Hinsicht nicht von besonderer Merkwürdigkeit. Er überließ die wichtigern Regierungsgeschäfte fast ausschließlich dem Cardinal Palluzzi, und starb, 86 Jahre alt, 1676.

Innocentius XI.,

Benedict Odescalchi, aus Como, hatte sich früher dem Kriegsdienste gewidmet, woher ihm noch eine gewisse Herbheit und Rücksichtslosigkeit auch nach seiner Erhebung auf den apostolischen Stuhl eigen geblieben war. In dem Streite über das Hoheitsrecht widerstand er unnachgiebig dem Könige von Frankreich, Ludwig XIV., und unterstützte die Bischöfe, die sich in dieser Beziehung dem Könige widersetzten; er ging so weit, daß er den Franzosen die Bestätigungs-Bullen zum Antritt der Beneficien weigerte, so daß bei seinem Tode über dreißig Kirchen in Frankreich ihres geistlichen Vorstandes beraubt waren. Eben so widersetzte er sich der längern Aufrechthaltung der Privilegien, welche an den von den Gesandten bewohnten Stadtvierteln Roms hafteten, weil hiedurch mannigfaltige Mißbräuche und öffentliche Aergernisse herbeigeführt wurden; auch der Kaiser drang auf die Abschaffung derselben; nur Ludwig XIV. wollte sie geltend gemacht wissen, und gab daher seinem Gesandten 800 Soldaten mit, um gewaltsam seinen Willen durchsetzen zu können. Doch gelang es dem Papste endlich, diese Quartierfreiheit aufzuheben, die lange genug zu den abscheulichsten Mißbräuchen Anlaß gegeben hatte. Im Jahre 1689 verband sich Papst Innocens mit den Gegnern Ludwig's, und beförderte so, gewiß ohne es zu wollen, den Untergang Jacob's II., Königs von England, der sich aus allen Kräften bemühte, den katholischen Glauben in diesem Reiche wieder herzustellen. Nachdem Innocens die Irrthümer des Molinos und der Quietisten, so wie auch das neue Testament von Mons, welches von den Jansenisten ausgegangen war, verworfen, und dem Kaiser Leopold I. gegen die Türken reichliche Unterstützung verliehen hatte, starb er 1689, 78 Jahre alt. Das zerrüttete Finanzwesen wurde unter seiner Regierung wieder hergestellt, ohne daß deßhalb die Unterthanen mit neuen Auflagen belästigt worden wären. Der berühmte Architekt Carl Fontana erhielt von diesem unternehmenden Papste den Auftrag, eine Beschreibung der St. Peterskirche anzufertigen, welchem derselbe auch nachkam. Es geht daraus hervor, daß dieser in seiner Art einzige Tempel von Zeit seiner Grundlegung an bis um 1694, wo Fontana, schon nach des Papstes Tode, die Beschreibung desselben abfaßte, die Summe von beinahe 47 Millionen römische Thaler gekostet hatte, die Kosten für die Modelle, die Abbrechung der alten Kirche und des berninischen Glockenthurmes, die Malereien, Gesteiger, Gerüste u. s. w. nicht mit eingerechnet!

Alexander VIII.,

ein Venetianer, hieß Peter Ottoboni. Avignon, welches unter
seinem Vorgänger der König Ludwig XIV. besetzt hielt, wurde
ihm zurückgegeben; nichts desto weniger machte er eine Bulle
gegen die vier Artikel des im Jahre 1682 versammelten Clerus
Frankreichs bekannt und weigerte sich, denjenigen geistlichen
Würdnern Bestätigungsbriefe zu verleihen, die an dieser Versammlung Theil genommen hatten. Den Kaiser Leopold I. und
die Venetianer unterstützte er mit großen Geldsummen im Kriege
gegen die Türken, lud aber den gegründeten Vorwurf des Nepotismus in reichlichem Maße auf sich, so daß er selbst die öffentlichen Finanzen durch diese leidenschaftliche Vorliebe für seine
Verwandten in Unordnung brachte. — Er starb schon 1691.

Innocentius XII.,

Anton Pignatelli, ein Neapolitaner, ergriff gleich nach dem Antritte des höchsten Pontificates alle gedeihlichsten Maßregeln,
um dem in den letztern Zeiten wieder eingerissenen Nepotismus
nicht allein Schranken zu setzen, sondern, wo möglich, ihn ganz
aufzuheben. Zu dem Ende ließ er das gesammte Cardinal-
Collegium eine Bulle unterzeichnen, welche den Verwandten des
zeitlichen Papstes auf immerdar alle außerordentliche Auszeichnung und Beförderung vorenthielt. Für seinen Theil kam Papst
Innocens selbst dieser Verpflichtung pünktlich nach, indem er
die Armen seine Neffen nannte, und ihnen in dem Maße Unterstützung zukommen ließ, als dies seine letztern Vorgänger nur
für ihre eigenen Verwandten gethan hatten. Durch gute Verwaltung half er dem erschöpften Staatsschatze wieder auf,
schaffte die Hofstellen ab, die nur zum Gepränge dienten, und
bestimmte die Summe von 12,000 Ducaten, als über welche
hinaus der Papst nicht mehr nach Willkür schalten könne. Ver-
schönerungen der Stadt wurden nur in so weit unternommen, als
der Staatsschatz sie leicht ertragen konnte. Innocens verwarf
die „Maximes des Saints", eine Schrift des großen Fenelon,
welcher sich dadurch nur noch größer zeigte, daß er selbst in

seiner Kathedrale zu Cambray die Verwerfungsbulle vor dem versammelten Volke von der Kanzel ablas. Uebrigens benahm der
Papst sich in dieser Angelegenheit eben so edel, als freisinnig.
Die fanatischen Gegner Fenelon's wies er mit den Worten zurecht: „Er verging sich aus Uebermaß der göttlichen Liebe; ihr
jedoch versündigt euch durch Mangel an Nächstenliebe." Dreien
der Beisitzer des heiligen Officiums aber, welche gegen die
Verwerfung der fenelon'schen Schrift gestimmt hatten, verlieh
Innocens bald nachher den Cardinalshut. Auch konnte eben so
wenig ihm, als seinem Vorgänger Innocens XI., die Aufhebung
des Edictes von Nantes, wodurch den Protestanten in Frankreich die von Heinrich IV. ihnen verliehene Religionsfreiheit
genommen wurde, irgend eine Beifallsbezeigung gegen den französischen Hof entlocken. Die Spannung, welche vom Jahre 1682
an, und zwar nicht wenig durch den Jansenismus ins Leben
gerufen, zwischen dem Oberhaupte der Kirche Christi und dem
größten Theile des französischen Clerus Statt gefunden hatte,
wurde glücklich durch Papst Innocens zu Ende gebracht, und
die vier Artikel wurden, wenn auch nicht ausdrücklich, doch
durch das von nun an wieder eingetretene Betragen der Bischöfe Frankreichs gegen den Papst, stillschweigend widerrufen.
Dieser umsichtige und verdienstvolle Papst gründete im Kirchenstaate mehre Krankenhäuser und erweiterte die Häfen von An-
gio und Nettuno. — Er starb, im 86. Jahre seines Alters, 1700,
als man eben zu Rom das hundertjährige Jubiläum beging.

Clemens XI.,

Joh. Franz Albani, aus Pesaro, weigerte sich drei Tage lang,
die Tiare anzunehmen, bis er endlich den Bitten und Vorstellungen der Cardinäle und besonders des Dechants derselben,
de la Tour de Bouillon, nachgab. Durch die einflußreichen
Beichtväter Ludwig's XIV. ließ Clemens sich verleiten, im spanischen Kriege die Partei Philipp's V. zu ergreifen, wodurch er
sich Kaiser Joseph I., Leopold's Sohn, zum Feind machte. Er
stritt mit geistlichen und weltlichen Waffen unerschrocken wider
diesen mächtigen Gegner, sah sich aber endlich zu einer Ueber-

einkunft genöthigt. In dem ficilianischen Erbfolgkriege fuchte der Papft wieder im Trüben zu fischen und alte geistliche Gerecht= famen der Könige Siciliens diesen zu entreißen. Victor Ama= deus von Savoyen wurde endlich durch den Frieden König in Sicilien und fuchte Ausgleichung mit dem Papfte nach. Cle= mens antwortete im Geiste des alten römischen Senates: „Wenn er fich unterwirft, fo werden Wir fehen, was zu thun ift." — Victor verlor bekanntlich Sicilien wieder. Im Jahre 1705 gab Clemens die Bulle Vineam Domini Sabaoth gegen diejenigen heraus, welche fich zu den fünf Grundsätzen des Jansenius be= kannten, fo wie auch gegen folche, welche vorgaben, man habe die den päpftlichen Bullen gebührende Beachtung geleistet, wenn man darüber ein ehrfürchtiges Stillschweigen beobachte. Im Jahre 1713 erschien feine berühmte Constitution Unigenitus gegen 101 Grundsatz des neuen Testamentes des Jansenisten Quesnel. Eine Zusammenkunft der ausgezeichnetsten Astronomen Italiens, welche Papft Clemens zur noch vollständigern Be= richtigung des Kalenders berief, ging unverrichteter Dinge wie= der aus einander. Dem Sohne des Prätendenten Englands, Ja= cob's II., wies Papft Clemens in Rom ein Asyl an, wo demsel= ben unter dem Namen Jacob III. bis an feinen Tod alle kö= nigliche Ehre erwiesen wurde. Als im Jahre 1720 die Peft in der Provence herrschte, schickte der menschenfreundliche Papft mehre Schiffe, mit Früchten beladen, fo wie auch beträchtliche Geldsummen dahin ab. Die lateinische Sprache verftand Papft Clemens classisch zu behandeln, wie dies fein Bullarium und feine Consistorial=Reden ausweisen. — Er ftarb, nach einer un= ruhigen Regierung von 20 Jahren, 3 Monaten und einigen Ta= gen, am 19. März 1721, 79 Jahre alt.

Innocentius XIII.,

Michel Angelo Conti, ein Römer und der fechste Papft aus derselben Familie. Bei feiner Thronbesteigung bewilligte er dem Prinzen Stuart, Sohne Jacob's III., eine Pension von 8000 römischen Thalern. Mit Kaiser Carl VI. gerieth Innocens we=

gen Parma und Piacenza in Streit, verglich sich aber bald mit ihm. Wien erhob er 1723 zu einem Erzbisthum. Seine immerwährende Kränklichkeit machte ihm viele seiner besten Wünsche unausführbar, und als man ihn auf dem Sterbebett anging, die Vacanzen des Cardinal-Collegiums zu besetzen, sagte er, dessen sich weigernd: „Ich gehöre dieser Welt nicht mehr an." — Er starb schon 1724.

Benedictus XIII.,

Peter Florenz Ursini, aus Rom, ward Dominicaner, nach einander Erzbischof von Manfredonia, Cesena und Benevent, und zuletzt Cardinal. Er berief ein Concilium nach Rom zur Bestätigung der Bulle Unigenitus, verminderte die Abgaben und erwarb sich eine ungetheilte und ungeheuchelte Anhänglichkeit des römischen Volkes. Die Musterhaftigkeit seiner Sitten wird eben so gerühmt, als seine Wohlthätigkeit; die durch ein heftiges Erdbeben zerstörte Stadt Benevent ließ er auf seine Kosten wieder aufbauen. So außerordentlich streng er über die Kirchenzucht wachte, so war er in anderer Beziehung auch wieder sehr duldsam, wovon schon dies ein rühmliches Beispiel ist, daß er den Griechen in Italien ungehindert ihre eigenthümlichen alten Kirchengebräuche mit aller Willfährigkeit gestattete. — Er starb im Anfange des Jahres 1730, in einem Alter von 81 Jahren.

Clemens XII.,

Laurenz Corsini, aus einer florentinischen Familie, geboren zu Rom. Dem Beispiele seines Vorgängers nachkommend, schaffte er noch mehre öffentliche Lasten ab und bestrafte unerbittlich diejenigen, welche in ihren Aemtern Unterschleif trieben. Alle seine Einkünfte vertheilte er unter die Armen, so daß er als Papst weniger besaß, als da er noch Cardinal war. Der durch Ueberschwemmung hart bedrängten Stadt Ravenna übermachte er aus seinem Schatze — sowohl zur augenblicklichen Unterstützung als auch zur Errichtung von Dämmen — mit beispielloser Großmuth ansehnliche Summen. Alte Denkmäler der Kunst wur-

ben hergestellt und neue prächtige Brunnen erbaut. — Papst Clemens starb 1740, bald 88 Jahre alt. Die Römer errichteten
ihm aus Dankbarkeit eine erzene Bildsäule, welche in einem
Saale des Capitoliums aufgestellt wurde.

Benedictus XIV.,

Prosper Lambertini, aus Bologna, hatte alle ausgezeichnetsten
Stellen bei der römischen Curie ruhmwürdig bekleidet, wurde
zuletzt Erzbischof und Cardinal. Während seiner Regierung
als Oberhaupt der Kirche Christi verging kein Jahr, daß er
nicht eine Bulle zur Abschaffung irgend eines Mißbrauchs oder
zur Einführung heilsamer Anordnungen herausgab. In Rom
errichtete er mehre Akademieen und verschönerte die Stadt; er
beschenkte reichlich die hohe Schule von Bologna, führte Briefwechsel mit mehren Gelehrten, ermunterte und belohnte sie; die
Abgaben wurden unter ihm vermindert, das Stempelpapier
abgeschafft und das Tabaks-Monopol aufgehoben. Im Jahr 1748
ließ er den berühmten Obelisk der Zeitmessung, dessen Plinius
(Hist. nat. c. 9, 10 und 11) Erwähnung thut, ausgraben.
In einem an die Bischöfe Frankreichs gerichteten Breve befiehlt
Papst Benedict, jedem die h. Sacramente zu verweigern, von
dem bekannt sei, daß er sich der Constitution Unigenitus wi-
dersetze. Trotz dieser Strenge wirft man diesem verdienstvollen
Papste dennoch in einigen Fällen eine gewisse schmiegsame Nach-
giebigkeit vor, durch welche er nicht genug manchem Unheil
entgegenarbeitete, das sich zwar damals erst im Keime zeigte,
aber die allerschlimmsten Früchte unter seinen Nachfolgern trug.
Die Werke Benedict's XIV. sind in 16 Foliobänden erschienen
und erweisen ihn als einen gründlichen Civilisten und Canonisten und als eben so gründlich bewandert in der Kirchen- als
Profan-Geschichte. — Er starb, 83 Jahre alt, im Jahre 1758.

Clemens XIII.,

aus Benedig, hieß Carl Rezzonico, war wirklicher apostolischer
Protonotarius, Gouverneur der Städte Rieti und Fano, dann

Auditor der Rota für Venedig, zuletzt Cardinal und Bischof von Padua, wo sein Andenken immerdar wird gesegnet bleiben. Während seines Pontificates wurden die Jesuiten aus Portugal, Spanien, Frankreich und Neapel vertrieben; alle Mühe, die er anwandte, sie dort wieder herzustellen, selbst die Bulle Apostolicum blieb fruchtlos. Nicht gering war die Verlegenheit des Papstes, als nach und nach nahe an 5000 Jesuiten im Kirchenstaate landeten und Unterkommen verlangten. Clemens sprach sich laut über die Unbilligkeit der Zumuthung aus, daß er auf die erste Laune der Höfe die in allen Gegenden der katholischen Welt aufgenährten Ordensleute auf einmal selbst unterhalten solle; an die Kaiserinn Maria Theresia schrieb er in dieser Beziehung: „Thränen und Gebet sind meine einzigen Waffen; ich verehre die Potentaten, deren Gott sich zur Züchtigung seiner Kirche bedient.“ — Als er über Parma eine Gerichtsbarkeit ausüben wollte, die ihm, seiner Meinung nach, als Oberlehnsherrn zuständе, verlor er hiedurch die Grafschaft Avignon und das Fürstenthum Benevent. Der berühmte La Lande besuchte auf seiner italienischen Reise diesen menschenfreundlichen Papst und wurde von demselben mit großer Angelegentlichkeit darüber befragt, was er von dem oft besprochenen Versuche, die pontinischen Sümpfe auszutrocknen, halte. La Lande entwickelte umständlich seine Meinung, und der Papst hörte ihm mit großer Spannung zu; als jener aber auch die Bemerkung mit einfließen ließ, daß ein solches Unternehmen seinem Pontificate zur ewig ruhmwürdigen Epoche gereichen werde, unterbrach der Papst plötzlich das Gespräch, erhob seine Hände gen Himmel und sprach mit thränenden Augen: „Bei Gott, Uns beschleicht keine Ruhmsucht! Wir streben nur nach dem, was Unsern Unterthanen frommen mag.“ — Papst Clemens starb, 76 Jahre alt, 1769, von den Römern, denen er wegen seiner standhaften Gesinnung lieb geworden war, allgemein und aufrichtig betrauert.

Clemens XIV.,

Joh. Vincenz Anton Ganganelli, der Sohn eines Arztes aus
St. Archangelo bei Rimini. In seinem 18. Jahre trat er in
den Orden der conventualen Minoriten, und nachdem er in
mehren Städten Italiens Theologie gelehrt hatte, bestieg er als
Professor derselben in seinem 35. Jahre den Katheder im Collegium der heil. Apostel zu Rom. Sein durchdringender Verstand und mancher einnehmende Vorzug seines Charakters erwarben ihm bald wichtige Aemter bei der päpstlichen Curie;
im Jahre 1759 wurde er Cardinal. Nach dem Tode seines
Vorgängers im höchsten Pontificate ging es im Conclave sehr
stürmisch her, und lange blieb die Wahl zweifelhaft, bis sie
endlich auf Ganganelli fiel. Es war eine schwierige Zeit, in
welcher er die Kirche Gottes regieren sollte; ein Schwindel-
geist hatte sich nach allen Seiten hin verbreitet und drohete
den Thronen und dem Altare. Die Mißhelligkeiten, welche
sich von Zeit zu Zeit zwischen seinem Vorgänger und mehren
Höfen entsponnen hatten, suchte er beizulegen; zu diesem Ende
schickte er einen Nuncius nach Lissabon, untersagte die Verlesung der Bulle in coena Domini, unterhandelte mit Spanien
und mit Frankreich. So kamen Avignon und Benevent an den
Kirchenstaat zurück. Doch wurde Clemens immer mehr und mehr
bestürmt, über das Loos der Jesuiten zu entscheiden; er bat
sich Bedenkzeit aus, indem er sagte: „Ich bin der Vater der
Gläubigen und zunächst der Geistlichen. Ich darf daher einen
so berühmten Orden nicht aufheben, wenn nicht entscheidende
Gründe vorhanden sind, die mich vor Gott und der Nachwelt
rechtfertigen." Endlich entschloß er sich dazu, und gab am
21. Julius 1773, ohne Zuziehung der Cardinäle, das weltbe-
rühmte Breve heraus, wodurch der Jesuiten-Orden aufgehoben
wurde. Er gründete ein Museum, das seinen Namen führt
und die kostbarsten Alterthümer enthält. Mäßigkeit und Uneigennützigkeit bezeichnen seinen ganzen Lebenswandel; dem Nepotismus widerstand er heftig. — Er starb ein Jahr nach Aufhebung des Jesuiten-Ordens, am 22. Sept. 1774, im 70. Jah-

re seines Alters. Ein Gerücht ließ ihn durch die Jesuiten vergiftet worden sein; seine Aerzte aber, und besonders der berühmte Salicetti, haben feierlich das Gegentheil beschworen. Die unter seinem Namen bekannt gemachten Briefe sind ihm, allgemein anerkannt, von dem Marquis Caraccioli untergeschoben worden.

Pius VI.,

Johann Angelo, Graf Braschi aus Cesena, wurde in seinem 19. Jahre Doctor der Rechte, studirte in Rom Theologie und gelangte in seinem 36. Jahre zur Geheimschreiber-Stelle bei Benedict XIV. Im Jahre 1773 erhielt er den Cardinalshut, und als General-Schatzmeister machte er sich durch Abstellung mehrer Mißbräuche und die Entdeckung von Bleiminen verdient. Bei seiner Erhebung auf den Stuhl des h. Petrus, am 15. Februar 1775, sagte er, den Ausgang seiner Regierung gleichsam ahnend: „Dieser Beschluß der versammelten Väter ist ein Unglück für mich." Bei vielen ausgezeichneten Eigenschaften des Geistes, einer blühenden Beredsamkeit (man nannte ihn daher il persuasore), bei einem aufrichtigen Willen für das Gute und einem überaus einnehmenden Aeußeren (er soll einer der schönsten Männer seiner Zeit gewesen sein) gelang es ihm doch nicht, sich die Anhänglichkeit der Römer zu gewinnen, dem verderblichen Zeitgeiste kräftig zu begegnen und der Zerrüttung in den Finanzen abzuhelfen, und zwar, weil er sich nur immer zu halben Maßregeln verstehen konnte; zum Theil eine Folge seiner frühern Erziehung: durch Lob verwöhnt und zur Verschwendung geneigt. Im Jahr 1777 begann unter seinen Auspicien die Austrocknung der pontinischen Sümpfe; es wurde eine Strecke Landes dem Anbau gewonnen, die alte Via appia aufgedeckt und eine neue Via pia angelegt; bald aber häuften sich die Staatsschulden so, daß Pius dieses Vorhaben aufgeben mußte. Nun ließ er den Hafen von Ancona ausbessern, versah ihn mit einem Leuchtthurme, baute an die Peterskirche eine neue, prachtvolle Sacristei, vergrößerte beträchtlich das clementinische Museum. Die Unzufriedenheit der Römer nahm bei dieser unbedachtsamen Staatswirthschaft immer mehr zu, und als Pius sich nun auch noch auf eine auffallende Weise des Nepotismus schuldig machte, wurde gegen sein Leben ein Versuch gewagt, der aber fehlschlug. Mißhelligkeiten mit den fremden Höfen, welche sein Vorgänger zu schlichten versucht hatte, wurden nun wieder rege, da er, sich auf die Zeichen der Zeit nicht verstehend, gerade hier den erwünschten Erfolg von einer hartnäckigen Beharrlichkeit erwartete. So mußte er sich das willkürliche Verfahren Neapels gefallen lassen, und die Reformen in Toscana, Oestreich und den Niederlanden gingen ihren Gang; das Streben unter den geistlichen Kurfürsten wurde immer auffallender. Ein Zug von Eigenwilligkeit, nicht immer von der Weisheit geleitet, trat oft in seinem Leben hervor. So wurde er wenig berücksichtigt, als er sich endlich bereitwillig erklärte, an der geistlichen Reform jener Länder mitarbeiten zu wollen. So fand er sich denn auch veranlaßt, im Jahre 1782 den Kaiser Joseph II. in seiner Hauptstadt Wien zu besuchen, um sich mit ihm über die von demselben in seinen Staaten vorgenommenen kirchlichen Einrichtungen persönlich zu besprechen. Der Papst erkannte die Gerechtigkeitsliebe des Kaisers an, und ein gütlich vermittelnder Vertrag kam zu Stande. So ließen sich auch endlich die deutschen Erzbischöfe beschwichtigen, und die Kaiserinn Catharina II. gestattete sogar die Wiederherstellung der Jesuiten in Rußland. Nun aber begann die französische Revolution, und mit ihr brachen große Drangsale über die Kirche Christi und ihr Oberhaupt ein. Den Orgien der Vernunftgöttinn mußte in Frankreich der katholische Cultus weichen; seine Priester wurden verfolgt, in die Gefängnisse geworfen, hingerichtet, das Bildniß des Papstes zu Paris öffentlich verbrannt, sein Consul in Marseille beschimpft, Avignon und Carpentras dem h. Stuhle entrissen. Der so genannte spanische Friedensfürst Godoy machte dem französischen Directorium den Vorschlag, dem Herzoge von Parma die Staaten des Papstes zu geben, und den h. Stuhl

nach Sardinien zu verlegen. Da setzte sich Pius in Vertheidi-
gungszustand; der Cardinal Consalvi wurde Kriegsminister.
Buonaparte brach gegen Rom auf, und im Febr. 1797 mußte der
Papst mit großen Opfern den Frieden von Tolentino erkaufen.
Gerade ein Jahr danach schufen die Franzosen Rom in eine
Republik um, und als Pius aufgefordert wurde, freiwillig seiner Regierung zu entsagen, erwiderte er: „Meine Herrschaft
kommt von Gott, und es steht nicht in meiner Willkür, ihr
zu entsagen. In einem Alter von 80 Jahren hat man nichts
mehr für sich zu fürchten; ich erwarte mit Hingebung, was
man über mich verhängen wird." Der kranke Greis wurde hierauf als Gefangener von Rom weggeschleppt und, dem
Muthwillen der Soldaten Preis gegeben, nach Siena gebracht; von da mußte er weiter auf die Carthause in der
Nähe von Florenz, dann nach Briançon und endlich nach der
Citadelle von Valence in der Dauphiné. Sein Zug durch
Frankreich war ein Triumphzug: man erwartete ihn auf den
Knieen und rief nach seinem Segen. Doch seine Krankheit
stieg von Tag zu Tage; sterbend ließ Pius sich an das Fenster seines Gefängnisses tragen, vor welchem das Volk sich
weinend und wehklagend versammelt hatte; der große Dulder
segnete die Weinenden und verschied am 29. August 1799 zu
Valence, im 82. Jahre seines Alters und im 25. seiner Regierung. Drittehalb Jahr später erhielt der Cardinal Spina
von Buonaparte die Erlaubniß, die Gebeine des gemißhandelten
Oberhirten der Kirche Christi nach Rom zurückzubringen.

Pius VII.,

im Jahre 1742 zu Cesena geboren, hieß Gregor Barnabas
Ludwig Chiaramonti und trat schon in seinem 16. Jahre in
den Benedictiner-Orden. Schon sehr früh wurde er von seinen Obern mit dem Lehramte bekleidet, las mit vielem Beifalle
Philosophie in Parma und eben so Moraltheologie in Rom,
in welcher Zeit mehre so gründlich als freisinnig verfaßte Abhandlungen von ihm erschienen. Hierauf wurde er Abt, dann

Bischof von Tivoli, Cardinal und endlich Bischof von Imola. Bei dem Einfalle der neufränkischen Heere in Italien trug Chiaramonti den größten Theil der Kriegssteuern für Imola, und als die Stadt eine Brandschatzung nicht erschwingen konnte, gab er zur Tilgung derselben fast sein ganzes Vermögen hin. Selbst Buonaparte und die meisten Befehlshaber der neufränkisch-italienischen Armee hatten bei dem Cardinal-Bischof von Imola gewohnt, und da seine Würde, seine tiefeindringende Beurtheilungskraft jene gewandten Geister, die eine neue, rasch gelenke Zeit gebildet hatte, für sich zu gewinnen mußte, so hielt er manches Unheil von seinem Kirchensprengel ab, das ihn sonst betroffen haben würde. Da er nach dem Frieden von Tolentino Bürger der neuen cisalpinischen Republik geworden war, zeigte er unerschrocken in der ersten Predigt, die er als solcher hielt, daß jede recht geführte Staatsverfassung nur auf das Christenthum dürfe gegründet sein; doch führte er darin auch Stellen aus den französischen Classikern, selbst aus Rousseau's Emil an, was den Franzosen ungemein schmeichelte, ihm selbst aber hoch angerechnet wurde. Nach dem Tode Pius' VI. versammelten sich die Cardinäle, obwohl hin und wieder zerstreut, weil in Rom selbst für die Wahl eines neuen Oberhirten der Kirche keine Sicherheit war, unter dem Schutze des Hauses Oestreich, in der alten Dogenstadt Venedig, am 1. Dec. 1799. Vier Monate lang schwankte die Wahl zwischen den Parteien Bellisomi's und Mattei's, bis sie endlich durch eine Art Compromiß auf Chiaramonti fiel, vielleicht nicht ohne Berücksichtigung des Umstandes, daß eben er es war, der sich vor allen Andern die Achtung und selbst oft ein unfreiwilliges Zuvorkommen von Seiten der Häupter der neufränkischen Republik, die ihren Einfluß auf mehr als Einen Welttheil auszudehnen drohete, erworben hatte. Die Uebergabe der päpstlichen Staaten, mit Ausnahme der Legationen, erfolgte erst nach der Schlacht von Marengo. Am 9. Junius 1800 schiffte sich Chiaramonti, nun Papst Pius VII., zu Venedig ein, wurde bei heftigem Sturm und Ungewitter bis an die Küste von Istrien verschlagen, und landete endlich nach einer Fahrt von acht Tagen zu Pesaro. Am 3. Julius hielt er seinen feierlichen Einzug zu Rom unter lautem Zujauchzen des Volkes. Keine Rache wurde an denen genommen, die beim Umsturze der päpstlichen Regierung mitthätig gewesen waren. Die ersten Bullen und Reden des Papstes kündigten Reformen in der Justiz und Administration an, und enthielten scharfe Aeußerungen gegen die Afterphilosophie, die, in Frankreich entstanden und großgezogen, dort Altar und Thron gestürzt hatte und deren Herrschaft sich immer weiter ausbreitete. Dem vorigen Regierungs-System entgegen, trat Sparsamkeit an die Stelle der Verschwendung, und nach Verlauf von 15 Jahren war die Hälfte der Schulden getilgt und die Einkünfte hatten um mehr als das Doppelte zugenommen. Selbst die Auflagen wurden vermindert, aller prunkvollen Umgebung entsagt, und den größten Theil seiner Soldaten entließ der neue Oberhirt mit den Worten: „Als ein Diener des Gottes des Friedens bedarf ich keiner großen Heeresmacht." Nun richtete er seine Blicke auf jenes Land, dessen hingewürgter König sammt seinen Vorfahren sich der allerchristlichste nannte, dessen Bürger die Altartische des neuen Bundes zerstört, die Kreuzesbilder zerschlagen und die Vernunft, oder vielmehr die verworfenste Personificirung aller zügellosesten Leidenschaften, auf einen neuen Altar, mit Bürger- und Königsblut eingeweiht, aufgestellt hatten. Die Politik des ersten Consuls war den heißesten Wünschen des h. Vaters gewogen, und am 15. August 1801 kam das Concordat zwischen dem römischen Stuhle und der neufränkischen Republik zu Stande. Bald hierauf (1804), da der Consul sich zum Imperator hatte ausrufen lassen, lehnte Pius dessen Wunsch nicht ab, denjenigen, durch welchen der Friede der Kirche und des Reiches erlangt war, zu salben und ihm die Krone Carl's des Großen und des h. Ludwig aufzusetzen. Aber der schlaue Feind zeigte schon damals, warum es ihm nur zu thun sei: er ließ den 62jährigen Greis zur strengsten Winterszeit eine Stunde lang in der Krönungskirche auf sich warten, und nach-

dem die Ceremonie der Salbung vorüber war, setzte er sich
selber die Krone auf. Vier Monate lang verweilte noch Papst
Pius in Paris, fand sich aber in seiner Erwartung, etwas in
Kirchen-Angelegenheiten durchzusetzen, gänzlich betrogen; der
neue Kaiser vermied jede Erörterung hierüber, und die dem
Concordate ganz willkürlich hinzugefügten organischen Gesetze
blieben in Kraft. Die Zumuthung, welche Napoleon hierauf
dem gekränkten Greise machte, ihm in Mailand die eiserne
Krone aufs Haupt zu setzen, wurde mit Ernst und Würde
zurückgewiesen, und von nun an erfüllte unversöhnlicher Haß
gegen den h. Vater die Brust des Gebieters, dem bis jetzt noch
kein Wunsch unbefriedigt geblieben war. Sogleich begannen
die Feindseligkeiten Napoleon's gegen Rom: Gewaltthätigkeiten
und Kränkungen folgten Schlag auf Schlag. Der Kaiser forderte vom Papste unter vielem Andern die Anerkennung seines
Bruders Joseph als Königs von Neapel, eines vom Kaiser
zu ernennenden, vom Papste so gut wie unabhängigen Patriarchen für Frankreich, und die Verschließung der päpstlichen
Häfen gegen England. Der Papst aber erwiderte: „Ich bin
ein Diener der Religion des Friedens und stehe mit Britannien
in keinem feindlichen Verhältnisse." Da wurde der Kirchenstaat
und Rom selbst von den Franzosen besetzt. Der Papst drohete
dem Kaiser mit dem Kirchenbanne; worauf dieser mehre Provinzen des Kirchenstaates mit dem Königreiche Italien vereinigte. Der Papst drohete aufs Neue, und der Kaiser decretirte
im Hoflager bei Wien die Vereinigung des Kirchenstaates
mit Frankreich, und erklärte Rom selbst für eine freie kaiserliche Stadt. Da erfolgten am 10. und 11. Junius 1809 zwei
Bannbullen. Unter Trommelschlag und mit brennenden Lun-
ten zogen die Franzosen nun gegen den wehrlosen Greis den
quirinalischen Hügel hinan und richteten die Kanonen gegen die
Fenster seiner Wohnung. Als man ihn von da wegzuleiten suchte, entzog er sich seiner Umgebung, trat auf den offenen Balkon
des Pallastes und schaute ihnen so ruhig als muthig entgegen.
General Miollis trat auf ihn zu; der Papst empfing ihn aber

mit solcher Würde und Majestät, daß er auf dessen Frage:
„Sie, sind Sie ein Katholik"? nur zu stammeln vermochte:
„Heiligster Vater, ja." — Doch mußte Pius endlich der Gewalt weichen und wurde am 6. Julius, um Mitternacht, nachdem die Truppen unter Radet's Befehl, von Banditen und Ga-
leerensclaven geleitet, die verrammelten Thore des Pallastes
und die geschlossenen Thüren der Wohnzimmer des Papstes
erbrochen hatten, ergriffen und über Florenz, den Berg Cenis,
Grenoble, Valence und Nizza, mit Uebereilung und Härte
nach Savona, und von da, nach einer fast dreijährigen und
in vielfacher Hinsicht sehr drückenden, oft unter bitterm Mangel
ertragenen Gefangenschaft, während welcher Napoleon dem ihm
am 20. März 1811 geborenen Kronprinzen, dem Papste zum
Hohn, den Titel eines Königs von Rom beigelegt hatte, nach
Fontainebleau gebracht. Hier kam am 25. Januar 1813 ein
Vertrag, doch nur als Punctation, zu Stande, dem schon in
Savona war vorgearbeitet worden. Der Kaiser aber, kaum
im Besitze dieser Urkunde, für welche der Papst durchaus vor-
läufige Geheimhaltung bis zur Bestätigung durch sein Consistorium verlangt hatte, ließ sie als ein wahrhaftes Concordat
promulgiren. Nun erhielt Pius mehr Freiheit: die von seiner
Seite gerissenen und hin und wieder gefangen gehaltenen Cardinäle durften sich wieder ihrem Oberhaupte nähern. Pius,
sich mit ihnen berathschlagend, erklärte dem Kaiser am 24.
März desselben Jahres, daß er das Breve von Savona und
die Punctation von Fontainebleau widerrufe. Nun wurde
Pius aufs Neue mit der größten Strenge bewacht, und die
Cardinäle brachte man nach entfernten Festungen. Nach
Chateaubriand's Zeugniß in dem Werke „De Buonaparte et
des Bourbons" mißhandelte der Kaiser den 70jährigen Statthalter Christi mit Faustschlägen und schleppte ihn bei den
Haaren durchs Zimmer; Napoleon selbst aber erklärte, dem
von seinem Leibarzte D. Antomarchi auf St. Helena gehaltenen Tagebuche gemäß, daß er den Papst stets als einen alten
guten Mann geehrt und behandelt habe. — Endlich schlug die

Stunde der Erlösung für den tiefgebeugten, aber unbezwungenen Glaubenshelden. Murat hatte sich gegen den Kaiser, seinen Schwager, erklärt und hielt Rom und die Marken besetzt. Da bot Napoleon selbst dem Papste die Freiheit an, und am 23. Januar 1814 begann Papst Pius seine Rückreise nach Italien. Unterdessen entsagte Napoleon der Herrschaft, und der Papst hielt am 24. Mai 1814 seinen feierlichen Einzug in Rom. Noch im nämlichen Jahr erfolgte die Wiederherstellung des Jesuiten-Ordens, und zwar mit dem Bemerken in der Bulle vom 7. August desselben Jahres: der Orden solle sich der Erziehung der katholischen Jugend widmen, um dieselbe im Glauben zu unterrichten und zur Tugend zu bilden, die Seminarien und Collegien leiten und nur mit Bewilligung der rechtmäßigen geistlichen Behörde des Orts, wo sich eben Mitglieder des Ordens aufhalten werden, Beicht hören, predigen und die h. Sacramente ertheilen. Der Congreß von Wien, auf welchem der Cardinal Consalvi die Sache des Papstes betrieb und, gegen die daselbst angenommene alphabetische Rangordnung, demselben die hergebrachte Präeminenz erhielt, gab dem Kirchenstaate die Legationen, Marken und andere Fürstenthümer wieder; die Räuberbanden wurden verfolgt, und die Bibel-Gesellschaften, welche, indem sie die weitere Verbreitung und Begründung des Christenthums durch die Bibel zum Zwecke haben, so auch, gegen den katholischen Lehrbegriff, die Bibel als alleinige Erkenntnißquelle des Christenthums geltend machen wollen, wurden (1816) in den Bann gethan. Hierauf folgten die Concordate mit Belgien, Frankreich, Neapel, Sardinien, Baiern und Preußen, die Bannbullen gegen Demagogen (Carbonari) und Freimaurer. Die Mutter und mehre Geschwister des Gewaltigen, der auf St. Helena in Verbannung sein Leben beschloß, fanden in Rom ein ehrenvolles Asyl. An der römischen Universität wurden neue Lehrstühle gestiftet; der berühmte Abbate Mai aus Mailand erhielt die Aufsicht über die vaticanische Bibliothek; das Museum Pio-Clementinum wurde erweitert, am Coliseum ein

Strebepfeiler errichtet, neue Springbrunnen angelegt, Obeliske hergestellt, ägyptische Monumente und mehre neue Bildhauereien angekauft, und besonders erfuhr die deutsche Kunstschule in Rom die ermunterndste Aufmerksamkeit des h. Vaters. Er selbst aber wurde von dem Kaiser von Oestreich und dem Könige von Preußen besucht; bereits achtzig Jahre alt, empfing er diesen, gestützt auf seine Dienerschaft. Die Folgen eines unglücklichen Falles, den der fast 82jährige Greis von seinem Lehnstuhle that, endeten sein glorreiches Leben am 20. August 1823, nachdem er der Kirche 23 Jahre, 5 Monate und 6 Tage vorgestanden hatte. Wahrlich hat sich an ihm bewähret, was Johannes v. Müller in den Reisen der Päpste sagt: „Zepter brechen, Waffen rosten, der Arm des Helden verweset: was in den Geist gelegt ist, ist ewig." Jesus Christus aber, der Sohn des lebendigen Gottes, hat seiner Kirche, gegründet auf den Felsen, Fortdauer verheißen gegen die Macht der Höllenpforten, und so bestieg Hannibal della Genga, geb. 1760 auf dem Schlosse Genga, in der Provinz Spoleto, unter dem Namen

Leo XII.,

erwählt den 28. September 1823, den päpstlichen Thron. Eine Rede, die er als junger Akademiker in großer Versammlung vor dem Papste Pius VI. hielt, erwirkte ihm dessen besondere Aufmerksamkeit. Er wurde Geistlicher, Malteser-Ritter, Priester, bekleidete nach einander mehre Ehrenämter und wurde im Jahre 1794, vorher zum Erzbischofe von Tyrus geweiht, an den kurkölnischen Hof als Nuncius geschickt. Die Besetzung der Rheinlande durch die Franzosen nöthigte ihn aber, vorläufig in Augsburg zu bleiben. Als in München der Nuncius Zoglio mit Tode abgegangen war, reis'te er manchmal in Geschäften dahin, so wie auch nach Mergentheim. Im Jahre 1796 besetzten die Franzosen Augsburg; der Nuncius Genga folgte der Einladung des Kurfürsten von Sachsen nach Dresden, kam aber nach dem Abzuge des Feindes bald wieder nach Augsburg zurück. Als die Franzosen 1800 zum zweiten Male diese Stadt besetzten, floh della Genga nach Wien, von da nach Dresden, und kam endlich wieder nach Augsburg. Unterdessen hatte Pius VII. den apostolischen Stuhl eingenommen; Genga trat seine Reise nach Italien an, besuchte seine Verwandten und begab sich, seiner geschwächten Gesundheit wegen, auf einige Zeit nach Sicilien. Papst Pius sandte ihn hierauf wieder in der Eigenschaft eines Nuncius nach Deutschland, hier dem regensburger Reichstage beizuwohnen, mit Baiern und Würtemberg aber Concordate abzuschließen. An dem erstern Hofe wurden die Unterhandlungen bald abgebrochen; mit Würtemberg aber war das ganze Geschäft fast beendigt, als der Nuncius Genga in höchster Eile nach Paris abreisen mußte. Seine Sendung hatte nicht den erwünschten Erfolg; als Napoleon sich offenbar gegen Pius erklärt hatte, mußte der Nuncius so schnell Paris verlassen, daß er nicht einmal zur Mitnahme aller seiner Effecten Zeit gewann. Während Pius sich zu Savona und nachher zu Fontainebleau in Gefangenschaft befand, lebte della Genga in Rom als Staatsgefangener und wurde endlich auf sein Familienschloß im Spoletanischen verwiesen. Nach der Abdankung Napoleon's erhielt della Genga den Auftrag, Ludwig XVIII. die Glückwünsche Sr. Heiligkeit darzubringen, und war bestimmt, die Sache des Papstes auf dem wiener Congresse zu führen, als er schwer erkrankte und Consalvi statt seiner dieses Geschäft übernahm. Im Jahre 1816 erhielt della Genga den Cardinalshut. Als ihm seine Erhebung auf den apostolischen Stuhl bekannt gemacht wurde, sagte er zu den anwesenden Cardinälen: „Warum denn ein Skelett zum Papste machen?" Eine schwere Krankheit, in die er kurz nach seiner Erwählung fiel, von der er aber gegen alle Erwartung genas, hemmte seine gewohnte Thätigkeit während der ersten Monate seiner Regierung. Dann aber gab sein thätiger Geist sich mannigfaltig kund. Für die öffentliche Sicherheit und sittliche Zucht wurden manche strenge Maßregeln genommen, gegen Schauspieler und Zuschauer im Theater Verordnungen erlassen, die an die Zeit Sixtus' V. erinnern. Ausgezeichnete Gelehrte Italiens

berief Papst Leo nach Rom und auf andere Universitäten des
Kirchenstaates; für die in Rom sich aufhaltenden deutschen und
engländischen Katholiken ordnete er Predigten in ihrer Landessprache an, und zeigte sich besonders den in Rom studirenden
Deutschen sehr gewogen. Unter seinen Auspicien erhob sich bald
über der Asche des großen Torquato Tasso ein würdiges Denkmal. Die Wohlthätigkeits-Anstalten der Welthauptstadt fanden
an ihm den sorgsamsten Vater; er besuchte sie, ihre Vorsteher
zu überraschen, oft selbst mitten in der Nacht. Die St. Pau-
luskirche Roms, die dem Heimgange seines großen Vorfahren
Pius VII. als eine bedeutungsvolle Todtenfackel vorgeleuchtet,
stieg allmählich wieder aus ihren Ruinen empor. Die Circum-
scriptions-Bulle für das Königreich Preußen kam unter ihm
zur Ausführung, und ein neues Concordat mit dem Könige der
vereinigten Niederlande wurde abgeschlossen; eben so wurde eine
Unterhandlung mit americanischen Staaten angeknüpft und das
Schisma einiger Kirchen Asiens beseitigt. Höchst väterlich war
auch Leo um die Beilegung des jansenistischen Schisma besorgt: er beschickte die Häupter desselben, that gütliche Vorschläge, ermahnte mit herzlicher Innigkeit und mit apostolischem
Ernste; aber Alles scheiterte an dem bekannten Starrsinne
dieser Partei. Als in Frankreich sich der kirchliche Himmel trübte
und ein ernstes Zerwürfniß des Episcopates mit dem Könige
in drohendem Anzuge war, schritt Leo vermittelnd ein, und wies
nicht undeutlich die übertriebenen Anforderungen des geistlichen
Theiles zurück. Allgemein war die Achtung, welche dieser Papst
von Seiten der weltlichen Herrscher genoß; mehre besuchten
ihn in der h. Roma, und besonders herzlich wurde von ihm
der allverehrte Kronprinz Preußens aufgenommen. Er selbst
hatte vor, im Jahre 1829 Deutschland und in diesem besonders
die beiden südlichen Fürstenhöfe, Oestreichs und Baierns, zu
besuchen. Baierns König zog dem Papste schon entgegen, als
Leo unerwartet von dem h. Stuhle in die Gruft seines großen
Vorfahren hinabstieg. Er starb am 10. Febr. desselben Jahres,
nach einer fast sechsjährigen Regierung, im 69. Jahre seines

Alters. — Allgemein war der Ausdruck der aufrichtigsten Betrübniß über das Ableben dieses würdigen Kirchen-Oberhirten, und der König der Niederlande ließ, in dankbarem Andenken an die väterliche Sorgfalt Leo's für das geistliche Wohl seiner katholischen Unterthanen, durch seinen Gesandten, was noch nie von Seiten eines protestantischen Fürsten geschehen war, die Beileidsbezeugungen über den schmerzlichen Verlust des h. Vaters vor dem Conclave der Cardinäle, gleich den katholischen Diplomaten, abstatten.

Pius VIII.

bestieg hierauf, nachdem die Wahl mehre Wochen lang geschwankt hatte, den päpstlichen Thron, am 31. März 1829. Er war zu Cingoli in der Mark Ancona 1761 geboren, und führte vor seiner Erhebung auf den Stuhl des h. Petrus den Namen Franz Xaver Castiglione. Schon früh war er, mit vortrefflichen Kenntnissen ausgerüstet, in den Weltpriester-Stand getreten, und wurde, kaum 38 Jahre alt, von Pius VII. zum Bischofe von Montalto ernannt. Nach der Gefangennehmung dieses Papstes lebte auch er sechs Jahre lang im südlichen Frankreich in der Verbannung. Während dieser Zeit widmete er sich besonders der Geschichtskunde und Numismatik, in welchem letztern Fache er ausgezeichnete Kenntnisse besaß. Kurz nach seiner Befreiung im Jahre 1814 erhielt er das Bisthum zu Cesena und die Cardinalswürde. Seine anerkannt große Gelehrsamkeit brachte ihn zu den Würden eines Groß-Pönitentiars und Präfecten der Congregation des Index; im Jahre 1821 ward er Bischof zu Frascati oder Tusculum. Nach dem Tode Leo's XII. wurde er im Conclave auserwählt, dem Botschafter Frankreichs, Chateaubriand, auf die Trauerbezeugung seines Hofes zu antworten. In dieser Rede, einem Meisterwerke der Beredsamkeit, schilderte er die nothwendigen Eigenschaften, die das neue Kirchen-Oberhaupt schmücken müßten, wohl in seiner ungeschminkten Bescheidenheit, schlichten Sinnes, wie er immer war, nicht ahnend, daß auf ihn selbst die Wahl fallen werde. Im Gefühle der Dankbarkeit gegen seinen verklärten Wohlthäter

legte er sich als neuerwählter Papst den Namen Pius bei, was
die Römer mit lautem Jubel und Wohlgefallen aufnahmen.
Sein Augenmerk war nun zu allererst auf die leidende Klasse
des Volkes gerichtet; er verminderte die Abgaben, tilgte mehre
ganz, und beschäftigte die Arbeitslosen durch neu aufgenommene
Nachgrabung nach den Kunstschätzen des Alterthums. Entschieden, nichts zu dulden, was dem Geiste der Liebe und einer edlern Gesittung schaden könne, schaffte er in Rom, dem alten,
eingeerbten Vorurtheile sich entgegenstellend, die blutigen Stiergefechte ab. Als nach der Einnahme von Adrianopel durch die
Russen ein vortheilhafter Friede für diese Macht erfolgte, verwandte Pius sich für die verjagten und all ihres Eigenthums
beraubten katholischen Armenier. So erreichte er, daß in Constantinopel selbst ein Patriarchat für dieselben errichtet, die Verbannung aufgehoben und das vorenthaltene Recht und geraubte
Gut wieder erstattet wurde. Nun wandte sich Pius an den Kaiser Brasiliens, und forderte ihn zur Abschaffung des Sclaven-
handels in seinem Reiche auf. — Don Pedro willfahrte mit der
größten Bereitwilligkeit diesem menschenfreundlichen Verwenden
des Papstes. Seine Freude über die Emancipirung der irländischen Katholiken an Tag zu legen, schmückte Pius sogleich einen
ihrer würdigsten Bischöfe mit dem fürstlichen Purpur der Kirche.
Die Eroberung Algiers durch die Franzosen unter dem Heer-
befehle des Marschalls Bourmont, wo zuvor Jahrhunderte hindurch so viel Tausende Christensclaven jammerten, erheiterte noch
den Abend seines Lebens, da andererseits sein Herz schwer von
den Nachrichten getroffen wurde, wie in so vielen Theilen der
Christenheit Aufruhr und Auflehnung gegen die Obrigkeiten ausgebrochen war. Noch unmittelbar zuvor, ehe er sich auf sein
Sterbelager legte, fertigte er eine Menge solcher Zuschriften
aus, welche zu Frieden und Ordnung ermahnten und vor Aufruhr und Feindseligkeit warnten. Auch der katholischen Kirche in
Deutschland widmete Pius seine besondere väterliche Aufmerksamkeit, und starb, im 69. Jahre seines Alters, am 30. Nov.
des ereignißvollen Jahres 1830.

Gregorius XVI.,

der jetzt glorwürdig regierende Statthalter Jesu Christi, bestieg hierauf, nachdem das Conclave zwei Monate lang gewährt hatte, am 6. Februar 1831 den apostolischen Stuhl. Je bedenklicher die Zeichen der Zeit waren, um so weniger übereilten die versammelten Cardinäle sich in der Wahl des neuen Kirchen=Oberhauptes, vertrauend auf den göttlichen Geist, der da jedem verkehrten menschlichen Streben sein Maß und Ziel gesetzt hat, und die Zeitbestimmung zu jedem guten Gelingen kennt. Der Christenheit wurde bald dieser, bald jener Name eines Kirchenfürsten kund, der in Folge der Scrutinien nahe daran gewesen sein sollte, zum Oberhaupt der Kirche gewählt zu werden; die öffentliche Meinung aber sprach sich unverholen darüber aus, daß unter solchen bedrängten Zeitumständen den h. Stuhl wohl nur ein Mann besteigen dürfte, wie Mauro Capellari, gleich ausgezeichnet durch Gelehrsamkeit wie durch Gottesfurcht, wohl ergraut in Staatsgeschäften, aber noch jugendlich rüstig an Geist und Körper, nicht minder strengen Grundsätzen ergeben, als auch einer billigen und frommenden Aufklärung huldigend. Und die Hoffnung täuschte nicht, der Vortreffliche wurde gewählt. Er war am 18. Sept. 1765 zu Belluno, im Venetianischen, geboren. Früh trat er in den Orden der Camaldulenser vom h. Romualdus und wurde General — höchster Würdner — desselben. Nach und nach wurde er Rath bei den angesehensten Congregationen und leistete der Kirche sehr wichtige Dienste in manchen verwickelten Geschäften. Leo XII. ernannte ihn hierauf im Jahre 1826 zum Cardinal und bald danach zum Präfecten des großartigen Institutes de propaganda fide. Auch wurde er Mitglied fast aller bedeutendern Akademieen Roms und Italiens; besonders thätig erwies er sich als Mitglied der theologischen und philosophischen Facultät an der römischen Universität, und durch seine Schrift vom „Triumphe des h. Stuhles und der Kirche", welche er im Jahre 1799 heraus gab, hat er sich den vorzüglichsten Apologeten aus der neuesten Zeit zugesellt. Seine Erhebung auf den apostolischen Stuhl bezeichnete der neue Papst sogleich durch Werke der Wohlthätigkeit; er stattete 550 Brautpaare im Kirchenstaate aus; an 5500 Arme wurde Bekleidung und Bett-Tuch vertheilt, eine große Menge versetzter Habseligkeiten frei zurückgegeben und eine bedeutende Strafgelder-Abgabe erlassen. In dem Publicandum, das drei Tage nach seiner Inthronisirung erschien, sprach er unter Anderm sein Vertrauen und seinen festen Willen in diesen Worten aus: „Es stärkt uns der Gedanke, der himmlische Vater werde nicht gestatten, daß die Drangsale, mit denen Er uns heimsucht, unsere Kräfte übersteigen.“ — Aber es bedurfte auch eines solchen Vertrauens und einer unerschütterlichen Wollenskraft, die Zügel des geistlichen und weltlichen Regimentes in jener Zeit der Empörung und allgemeinen Verwirrung zu ergreifen. Die väterlich ermahnenden Worte des friedfertigen Vorgängers waren nicht im Stande gewesen, den Sturm zu beschwören, der in den Legationen losbrach und selbst Rom bedrohete. So endete das erste Regierungsjahr Gregor's XVI. in banger Ungewißheit über den Ausgang der unseligen Plane des Geistes der Empörung und Irreligiosität. Ein östreichisches Heer, das gleich beim Beginn der Unruhen in die Romagna eingerückt war, bald aber wieder sich zurückgezogen hatte, mußte im Anfange des Jahres 1832 aufs Neue herbeigerufen werden, worauf die Franzosen, eifersüchtig auf diese Intervention Oestreichs, sich des Hafens und der Stadt Ancona durch Ueberraschung bemächtigten. So kam es denn, daß der Papst erst am 15. Aug. 1833 ein Rundschreiben an sämmtliche Bischöfe der katholischen Christenheit erließ. Hierin aber sprach er sich eben so unverholen als scharf und eindringlich gegen den Geist falscher Aufklärung und einseitiger Neuerung aus, und erklärte, unerschütterlich fest halten zu wollen an der alten apostolischen Ueberlieferung. Als hierauf die Ruhe wieder allgemach in den empörten Legationen eingetreten war, widmete Gregor all seine Kraft und Thätigkeit der Kirche und dem Staate, um den alten Gebrechen abzuhelfen und neuen vorzubeugen. Die Universitäten, welche während der Revolution geschlossen waren, wurden im Herbste 1833 wieder eröffnet und eine neue, zweckmäßigere Organisation für dieselben bekannt gemacht; eben so ergingen geschärftere Maßregeln hinsichtlich der Privatschulen für den Gymnasial- und Elementar-Unterricht. Die Fasten-Mandate wurden gegen Gebenken äußerst gemildert, und um während der Lustbarkeiten des Carnevals die Volksfreude zu erhöhen, bewilligte der Papst aus seiner Privatkasse dem ersten Theater in verschiedenen Jahren einen Zuschuß von 4000 bis 7000 Scudi *); dagegen ließ er rücksichtslos einen Secretär der französischen Botschaft verhaften, welcher sich während der öffentlichen Carnevals-Belustigungen große Unschicklichkeiten hatte zu Schulden kommen lassen. Ohne alle Schonung wurden hohe Beamte wegen Untreue oder Bedrückung abgesetzt und aller ihrer Würden verlustig erklärt. Fast in allen Zweigen der Verwaltung traten große Ersparnisse ein, um so mehr, als die Finanzen durch die Revolution der Romagna außerordentlich gelitten hatten. Die Civil-Liste wurde auf 240,000, die Besoldung des ganzen Ministeriums auf 42,000 Scudi gestellt; die Ersparnisse an dem Gehalt der Beamten betrugen gegen frühere Jahre 80,000 Scudi. Ueber alle Einnahmen und Ausgaben seit dem Jahre 1817 wurde eine Revision vorgenommen, um sich über die Rechtsgültigkeit der bisher vertheilten Regalien, Pensionen, Subsidien u. s. w. zu unterrichten. Die Promulgirung einer neuen Gesetz-Sammlung und des Proceß-Coder erfolgte im Jahre 1834, worin auch dem weiblichen Geschlechte ein größeres Recht bei Erbschaften zugestanden wurde, als es früherhin der Fall gewesen war; dagegen bestimmte das neue peinliche Gesetzbuch, welches einer Revision der Präsidenten aller Gerichtshöfe des Kirchenstaates unterworfen wurde, daß die Todesstrafe sich auch auf das weibliche Geschlecht erstrecken solle, das früherhin für einen verübten Mord nur mit Gefängnißstrafe belegt worden war. Hierauf

---

*) 12 Scudi = 30 Florin.

berief der Papst Deputirte aus allen Theilen seines Staates zur gleichmäßigen Vertheilung der Grundsteuer, welches um so wichtiger erscheint, als dieses das erste Mal ist, wo die Meinung des Landes zu Rathe gezogen wurde *). Für Rom, die Provinz- und Seestädte wurden Handelsgerichte eingesetzt und darüber ein organisches Statut erlassen; auch wurden Appellations-Gerichtshöfe errichtet und bei den Criminalgerichten weltliche Beamte statt geistlicher angestellt. Es geschahen Einleitungen zu einer neuen Organisation des Malteser-Ordens, und das Archiv desselben wurde von Ferrara nach Rom geschafft. Bei diesen unermüdeten Bestrebungen um die innere Staatsverwaltung versäumte Gregor nicht, auch um Kunst und Wissenschaft sich verdient zu machen. Besonders ließ er sich die Wiederherstellung der Basilica des h. Paulus angelegen sein. Er bestieg, munter und gewandt, wie er in seinem schon vorgerückten Alter noch ist, selbst die höchsten Gerüste, und munterte durch Geschenke und freundliches Zureden die Arbeiter auf. Der unter Pius VII. vom Architekten Valladier begonnene Strebepfeiler zur Unterstützung der äußern Wölbungen des Colliseums wurde vollendet, und die Gewölbe des unterirdischen Ganges, der zu den Bädern des Kaisers Commodus führte, ließ Gregor wieder herstellen und den Grund und Boden der ehemaligen Arena und einiger benachbarten Denkmäler reinigen; auch wurde die Via sacra in einem großen Theile zugänglich gemacht; an den Außenwerken der Engelsburg aber wurden bedeutende Renovationen vorgenommen, um sie vor gänzlichem Ruine zu schützen. Da der Annio durch

---

*) Es möchte wohl in keinem Lande schwieriger sein, Reformen vorzunehmen, als eben in den päpstlichen Staaten, da wohl in keinem Lande so viele Rücksichten zu beobachten und so leicht Mißgriffe zu machen sind, so daß eher Mißbräuche vermehrt, als abgestellt würden. Wer sich aber darüber gründlich belehren lassen will, wie in der Verwaltung des Kirchenstaates bei der anscheinlich absolutesten Herrschaft die größte Milde und Menschenfreundlichkeit herrscht, der lese das Werk, welches der unparteiische Graf Tournon, napoleonischer Präfect zu Rom von 1810 bis 1814, über die päpstliche Regierung im Jahre 1831 herausgegeben hat.

feine Ueberschwemmungen die Stadt Tivoli zu untergraben
drohete, so verordnete der Papst den Durchstich des Felsens
von Monte Catillo und ließ zur Ableitung des Flusses einen
Canal anlegen; als er das Werk persönlich in Augenschein
nahm, wurde das Corps der Arbeiter reichlich beschenkt und
der Ober-Ingenieur fürstlich belohnt. Da die Ausgrabungen
auf dem Foro romano schon seit mehren Jahren nicht zu dem
erwünschten Ziele geführt hatten, so ernannte Gregor eine
Commission aus den bewährtesten Sachverständigen und stellte
sie unter seine unmittelbare Aufsicht. Der Cardinal Lambru-
schini, eben so ausgezeichnet als Gelehrter, wie als Diplomat,
wurde zur großen Freude der fremden Gelehrten zum Bibliothecar der römischen Kirche ernannt, welche Freude um so
gerechter war, als der mißgünstige Palimpsesten-Entdecker Angelo Mai durch sein ungefälliges Benehmen manche wissenschaftliche Forschung hemmte. Auch der vierzigsprachenkundige
Mezzofanti, bisheran Professor und Canonicus zu Bologna,
wurde durch den Papst nach Rom berufen, wo er eine sehr
einträgliche Präbende an der Kirche Maria maggiore und
eine Anstellung an der Vaticana erhielt. Als im Jahre 1833
die Künstler Roms die Beisetzung der Gebeine Raphael's in
das ursprüngliche Grab in der Pantheons-Kirche beschlossen,
hinderte der Papst aus Hochachtung vor der Kunst diese Handlung nicht, obgleich die Begräbniß-Ceremonieen höchst unstatthaft wiederholt wurden, und die Feierlichkeit ganz so, wie sie bei
der Beisetzung eines Papstes beobachtet wird, angeordnet war.
Hinsichtlich der auswärtigen politischen Angelegenheiten legte
Papst Gregor eben so viel Menschenfreundlichkeit, als Klugheit
und Strenge an Tag. In Unterredungen verwandte er sich
bei den fremden Diplomaten darum, daß den Gräueln des
Bürgerkrieges in Spanien doch ein Ziel gesetzt werden möge,
und nach einer Verordnung vom 26. April 1834 sollten die
Schiffe des neuen Königreiches Griechenland von allen Abgaben befreit und die Flagge desselben der des Kirchenstaates in
dessen Häfen völlig gleich gestellt sein. Als der preußische Mi-

nister-Resident zum außerordentlichen Gesandten und bevoll-
mächtigten Minister bei dem h. Stuhle ernannt wurde, erklärte
Gregor diese Ernennung für einen ganz besondern Beweis der
Freundschaft des Königs. Sowohl an die höhere Geistlichkeit
Polens als auch Belgiens ergingen päpstliche Breven, in welchen
die Theilnahme des Clerus an den Revolutionen dieser Länder
aufs höchste gemißbilligt wurde. Schon in dem Rundschreiben
vom 15. August 1832 hatte der Papst die Grundsätze des Ab-
bé De la Mennais widerlegt und verdammt, worauf dieser un-
term 10. September desselben Jahres erklärte, daß er sich der
höchsten Autorität des Statthalters Jesu Christi unterwerfe;
doch schon im October des folgenden Jahres war ein neues
Breve in dieser Angelegenheit an den Bischof von Rennes
nothwendig geworden, da die Unterwerfung De la Mennais'
dem Papste nicht aufrichtig bedünken wollte, welcher Argwohn
sich denn auch nur zu begründet erwies, als die berüchtigten
Paroles d'un croyant erschienen. Da erließ Gregor am 25.
Juni 1834 eine Verdammungs-Bulle, doch ohne den Verfasser
jener Schrift zu nennen, und forderte ihn nochmals zur Rückkehr auf. Eben so sandte er ein Breve an den Bischof von
Straßburg gegen die von dem dortigen Priester Beautain aufgestellten Grundsätze, nach welchen die Vernunft der ihr von
Gott selbst verliehenen Rechte gleichsam verlustig erklärt wird.
Bei den Zerwürfnissen über das Concordat mit dem Könige
beider Sicilien und den Differenzen mit Portugal und Spanien
verfuhr Gregor mit eben so viel Umsicht als Langmuth. Nicht
minder, als das katholische Europa, nahmen auch die entferntesten Weltgegenden seine oberhirtliche Fürsorge wahr. So
ließ er sich die Verbreitung des katholischen Glaubens im austra-
lischen Archipelagus besonders angelegen sein, und in den vereinigten Staaten von Nordamerica wurden mehre neue Bi-
schofssitze errichtet. Sein Aufruf zu freiwilligen Beiträgen
zur Ausrottung des unter den Weibern China's herrschenden
Gebrauchs, die neugebornen Kinder den Hunden Preis zu geben, um der Sorge der Ernährung überhoben zu sein, wur-

de vom schönsten Erfolge gekrönt. — In seinem Privatleben
gibt Gregor das erbaulichste Beispiel der Mäßigkeit und Strenge gegen sich selbst, ohne deßhalb die Aeußerungen einer heitern
Laune und die Freuden der edlern Geselligkeit von sich zu weisen. Seine feste Körperbeschaffenheit bestand schon manche
Krankheitsanfälle, und bei Gelegenheit eines Pferderennens
entkam er eben so glücklich der Gefahr, als er Geistesgegenwart und Entschlossenheit an Tag legte. Wer ihn auf seinen
Fußwanderungen sieht, ahnt in ihm nicht den siebenzigjährigen
Greis. Wie sehr ihn während der noch kurzen Dauer seines
Pontificates der Tod so vieler ausgezeichneten Cardinäle schmer-
zen mußte, so wurde er auch wieder durch die Beweise der
aufrichtigsten Theilnahme von Seiten fast aller christlichen
Machthaber aufgerichtet. Er hatte die Freude, die Könige
von Baiern und Griechenland nebst vielen andern fürstlichen
Personen in seiner h. Roma zu empfangen. Als ein Freund
unverholener Freimüthigkeit ist er von den Römern wie kaum
Einer seiner nächsten Vorgänger geliebt, und auf seiner kleinen
Reise durch die Campagna erhielt er stets alle Zeichen der be-
geistertsten Anhänglichkeit. — Wolle Gott dem Statthalter seines ewigen Sohnes noch viele Jahre hindurch eine weise, glückliche und glorreiche Regierung verleihen, wie dieser Wunsch
der ganzen katholischen Christenheit schon bei Gregor's Inthronisirung im freudigen Zurufe der Römer sich aussprach:
Ad multos annos!

Anhang.

I.

Ueber den Primat Petri

in seiner stellvertretenden Beziehung.

———•——•———

257

I.

Ueber den Primat Petri

in seiner stellvertretenden Beziehung.

Wenn es für die katholische Glaubenslehre irgend wichtige
Stellen im neuen Testamente gibt, dann sind es gewiß diejenigen, in welchen es sich von dem durch Jesus dem Apostel Simon Petrus verliehenen Primate in seiner Kirche handelt. Da
die Schriften des N. T. auch für den schlichtesten Verstand
(und in dieser Hinsicht noch durch keinen Kritizismus angefoch-
ten) unverkennbar von einer durch Jesus gestifteten Gemeinde
der Gläubigen reden, mit welcher er, der Lehrer und Gnaden-
verdiener, sein wolle bis an der Welt Ende, in welcher also
auch fortwährend seiner Lehre Wahrheit und seiner Gnaden
Fülle verbleiben solle: so drängt sich bei der Verschiedenheit der
Gemeinden, welche, so abweichend sie auch unter sich, was
Lehre und Gnade Jesu angeht, sein mögen, doch, jede einzeln
für sich, die von Jesus gestiftete, wahre Kirche sein wollen,
so drängt sich unabweisbar die Frage auf, welche denn wirklich die wahre sei, und wiederum: welches denn das Kriterium
sein müsse, wonach die wahre erkannt werden könne. Ist einmal
die wahre Gläubigen-Gemeinschaft Jesu gefunden, dann ist auch
um seines Versprechens willen in der darin vorhandenen Jesuslehre die wahre Jesuslehre, und in der darin bestehenden Gnadenspendung die volle Gnadenspendung zugleich vorhanden und gefunden. Da Jesus verlangt, daß die Menschen in seine Lehr- und
Gnaden-Gemeinschaft (Kirche) eingehen sollen, und sogar das
Verwerfungs-Urtheil über diejenigen ausspricht, welche derselben

nicht angehören wollen, so folgt, daß er dies den Menschen auch möglich gemacht haben muß: seine Kirche muß erkennbar sein, oder, was dasselbe ist: sie muß äußere, erkennbare Merkmale an sich haben, oder auch: sie muß als ein äußeres Institut eine stabile Einrichtung haben, wodurch sie eben dieses Institut und kein anderes ist, und eben dadurch als solches anerkannt werden kann, nicht bloß zur Zeit des Entstehens und ersten Fortbestehens, sondern auch auf alle künftige Zeit hin. Jesus mußte also seiner Kirche Einrichtungs-Merkmale gegeben haben, woran sie als solche gleich bei ihrer Gründung und in aller künftigen Zeit ihres Fortbestandes zu erkennen war und ist; denn eine Anstalt, welche in frühern Jahrhunderten gegründet wurde, kann in der Folge doch nur dadurch für die nämliche, damals gegründete erkannt und angenommen werden, wenn sie bis auf die Zeit der Frage danach fortwährend diejenige Einrichtung beibehalten hat, welche durch die Gründungs-Urkunde oder durch eine von der Zeit ihrer Gründung an immer sich gleich gebliebene Ueberlieferung als die ursprünglich ihr gegebene Einrichtung bekannt und anerkannt ist. Haben uns die h. Schriften die Gründung einer unter dem Schutze Jesu fortbestehenden Gläubigen-Gemeinschaft und Heilsordnung angezeigt, so wenden wir uns auch ganz natürlich an dieselben, um zu erfahren, ob sie uns nicht auch berichten, welche Merkmale der Erkennbarkeit er dieser seiner Kirche, oder: welche Einrichtung er derselben gegeben hat. Und wir täuschen uns nicht, wenn wir in ihnen danach forschen. Vor Allem finden wir da, daß Jesus sich selbst als den Grund und Anfangspunkt, als den Eck- und Grundstein seiner Kirche setzt (1), ferner, daß er sich als denjenigen darstellt, welchem im Verhältnisse zu seiner Kirche alle Gewalt in Zeit und Ewigkeit, kurz, die höchste Jurisdiction verliehen ist (2), endlich, daß er

---

(1) Matth. XXI. 42., Marc. XII. 10., Luc. XX. 17. Vgl. Pf. CXVII. 22., Jes. VIII. 14. XXVIII. 16., Apstg. IV. 11., Röm. IX. 33., I. Kor. III. 11. X. 4., Ephes. II. 20., I. Petr. II. 4.—8. (2) Matth. XI. 27. XXVIII. 18. Vergl. Dan. IV. 14., Luc. I. 33., Matth. XXVI. 31.

sich als den Hirten bezeichnet, der seiner Kirche als einer Hürde vorsteht, und die Gläubigen als seine Herde weidet (3). Jesus wollte mithin erstens, daß diejenige kirchliche Anstalt für die von ihm gegründete und bestimmte gehalten werde, in welcher er als der Gründer, als der Grund- und Eckstein, als der Schwer-, Mittel- und Einheitspunkt derselben erkannt ist, in welcher ihm ferner die höchste ausübende geistliche Gewalt zuerkannt wird und wo er endlich als höchster Leiter, Lenker, Fürsorger und Abwehrer gilt. Dieses ist keinem Zweifel unterworfen und wird auch von keiner christlichen Gemeinde bestritten, weil ja auch nur so von einer christlichen Gemeinde im Allgemeinen die Rede sein kann. Jesus fordert nun die Menschen auf, sich zu ihm, als dem Grunde ihrer Vereinigung, zu sammeln, an ihn zu glauben, seine Lehre anzuhören und ihr Folge zu leisten; und damit nicht bloß seine ihn zunächst umgebenden Zeitgenossen, sondern auch die ferner in aller Welt und in späterer Zeit Lebenden an ihn glauben und seine Lehre hören und annehmen mögen, erklärt er einigen Auserwählten, daß sie das Licht der Welt sein sollten, so wie er (4), daß er sie sende, wie Gott der Vater ihn gesendet habe (5), daß sie den Menschen die Wiedergeburt aus dem Wasser und dem h. Geiste ertheilen und sie alles lehren sollten, was er ihnen geboten habe (6); Einiges sogar, zu dessen Auffassung sie noch nicht gehörig disponirt seien, sollten sie erst später durch den ihnen verheißenen h. Geist erfahren, der sie alle Wahrheit lehren würde (7); daß, wer sie höre, ihn höre (8), und er werde mit ihnen sein bis an der Welt Ende (9). Da Jesus von allen Menschen fordert, daß sie an ihn glauben sollen, so versteht sich von selbst, er wollte auch, daß jene von ihm getroffene Auserwählung und Berechtigung, anstatt seiner

---

(3) Joh. X. 1.—16. Vgl. Jes. XL. 11., Mich. VII. 14., Hebr. XIII. 20., I. Petr. II. 25. (4) Matth. V. 14. Vgl. Joh. VIII. 12. (5) Joh. XX. 21. (6) Matth. XXVIII. 19. 20. (7) Joh. XVI. 1. 3. (8) Luc. X. 16. (9) Matth. XXVIII. 20.

die Menschheit zu lehren, auf Andere übergehe, bis zu dem
Ende der Tage, da seine Gläubigen-Gemeinschaft ja so lange
bestehen soll, als Menschen auf der Welt sein werden, da ja
hinwiederum alle Menschen dieser seiner Kirche angehören sollen. Jesus wollte also zweitens, daß diejenige kirchliche
Anstalt für die von ihm gegründete und bestimmte
gehalten werde, in welcher er als der Lehrer der
Wahrheit anerkannt und statt seiner ein von ihm
eingesetztes und autorisirtes Lehramt vorhanden
sei, welches die Menschen so wie ihn hören und ihm
Folge leisten sollten. Auch hierin sind alle christlichen Gemeinden einverstanden, da sie auch nur auf diesem Wege der
Lehrmittheilung zum Bewußtsein und Bestande einer christlichen
Kirche gekommen sind, selbst diejenigen, welche die Lehrberech-
tigung nicht bloß bei eigens dazu angeordneten Gliedern der
Gemeinde, sondern bei der ganzen Gemeinde anerkennen, so
daß jeder Einzelne aus derselben, wenn ihn der Geist ergreife
(sic), zum Lehramte berechtigt sei, wobei doch bestehen bleibt,
daß nach dem klaren Buchstaben der Schrift Jesus nur vorzugsweise zu den Zwölfen sprach: gehet hin in alle Welt und
lehret u. s. w., da doch, als Jesus ihnen diesen Auftrag ertheilte, sie nicht die Gesammtzahl der schon damals Gläubigen
ausmachten. Anders aber verhält es sich damit, ob Jesus nicht
allein eine Auswahl getroffen habe, so daß die unter dieselbe
fallenden Individuen eben so viele Stellvertreter seiner selbst
im Lehramte sein sollen, sondern ob er aus diesen Auserwählten auch noch Einen insbesondere auserwählt habe, welcher
nicht allein, wie die übrigen, sein Stellvertreter im Lehramte
sein solle, sondern auch, und zwar dieser allein und insbesondere, sein Stellvertreter in seinen erst genannten Grundbe-
ziehungen zu seiner Kirche, als der Grund- und Eckstein,
als höchster geistlicher Machthaber und Hirt derselben. Welches zugleich die Frage danach ist: ob Jesus zu
den eben angezeigten Einrichtungs-Merkmalen seiner Lehr- und
Heilsanstalt nicht auch noch dieses hinzugefügt habe: daß er

drittens wollte, nur diejenige kirchliche Anstalt sollte für die von ihm gegründete und bestimmte gehalten werden, in welcher er durch Einen aus dem ihn stellvertretenden Lehramtspersonale vorzugsweise auch in den, beim ersten Einrichtungs-Merkmale angeführten, Qualitäten vertreten werde, nämlich als Grundfeste, als höchster Machthaber und Hirt. In Beantwortung dieser Frage stimmen die verschiedenen christlichen Gemeinden nicht überein, und wird, sie eigentlich unbedingt nur von der Einen christlichen Gemeinde mit Ja beantwortet, welche die katholische heißt. Sehen wir in wie fern diese Beantwortung in der h. Schrift begründet ist.

Bei Joh. I. 35. — 42. finden wir, daß Andreas, welchen Jesus bereits zum Apostelamte berufen hatte, seinen Bruder Simon dem Heilande zuführt. Als dieser desselben ansichtig wird, spricht er zu ihm: Du bist Simon, des Jona Sohn, du sollst Kephas — (Petros — ein Fels) — heißen. Da dieses Benehmen Jesu gegen den Simon durch nichts Vorhergehendes motivirt erscheint und doch als eine feierliche Geschlechtsanrede und Namensänderung in der Weise des Alterthums und des Morgenlandes von Wichtigkeit ist, so läßt sich erwarten, daß das Motiv dazu erst in der Folge werde deutlich werden. Und dieses zeigt sich denn auch bei Matth. XVI. 13.—20., wo Petrus auf die Frage Jesu, wofür seine Jünger ihn halten, antwortet und bekennet: Du bist der Christus (der Messias), der Sohn des lebendigen Gottes; worauf Jesus ihm erklärt, daß er (Petrus) dieses nicht aus menschlicher Einsicht, sondern durch eine besondere Offenbarung Gottes des Vaters sage, und dann hinzufügt, nachdem er ihn bei jener Erklärung, wie früher bei Joh. I. 42., mit dem Namen: Simon, Jona's Sohn, benannt hatte: „Und auch ich sage dir *),

---

*) Dieser Nachdruck: und auch ich sage dir.... ist sehr wichtig für unsere vorliegende Frage; denn Jesus will hiermit doch nichts Geringeres ausdrücken, als: so wahr es ist, daß ich der Messias bin, der Sohn des lebendigen Gottes, wie du sagst, so wahr ist es auch, was ich dir nun sage, daß du die Grundfeste meiner Kirche bist.

daß du bist Petrus (ein Fels), und auf diesen Felsen will ich bauen meine Kirche, und die Pforten der Hölle sollen sie nicht überwältigen.“ Beobachten wir nun den Sprachgebrauch, welcher sich in den h. Schriften des A. und N. T. in Betreff des Wortes „Fels“ vorfindet, so ergibt sich, daß dasselbe steht für den Begriff von: Grund der Abstammung — Bild der Dauer und Stärke — Zufluchts- und Sicherheitsort (10), und überall so viel heißt, als Grundfeste, Schwer- und Einheitspunkt, wie dies besonders deutlich in dem Gleichnisse bei Matth. VII. 24. — 27. hervortritt, wo es von dem auf einen Felsen erbauten Hause heißet: „Da fiel ein Platzregen, und es kamen Ströme, und es weheten Winde und stießen gegen dieses Haus; und es stürzte nicht ein: denn es war gegründet auf einen Felsen.“ Der Fels gilt hier mithin als die Grundfeste, der Schwer- und Einheitspunkt, worin und worauf die Integrität und Freiheit gegen jeden innern und äußern feindlichen Andrang für dasjenige Institut beruhet, das darauf errichtet ist. Da nun in den h. Schriften ferner die Benennung von Eck- und Grundstein ihrer Bedeutung nach mit einander und mit der Bedeutung von Fels übereinstimmt (11), so stellt sich die Anwendung auf unsern Gegenstand in folgender Weise heraus: So wie Jesus als der Messias von den Propheten der Grund- und Eckstein (die Grundfeste, der Fels) seiner Kirche genannt und als solcher bezeichnet worden ist, und wie er sich selbst als solchen auch bezeichnet, so bezeichnet er den Simon als den ihn stellvertretenden Felsen, als die Grundfeste, den Grund- und Eckstein seiner Kirche an seiner Statt, so wie er jene Auserwählten an seiner Statt das Licht der Welt, die Gesandten des Vaters, die Lehrer der Menschheit zu sein bezeichnete. Hierzu kommt noch, daß die Benennung Kephas, eigentlich Kepha, in der aramäischen Mundart, in welcher Jesus redete, den bei Uebertragung ins Griechische angebrachten Unterschied von

(10) Jes. XIX. 15. XXVI. 4. LI. 1. und in überaus vielen Stellen der Psalmen; Matth. VII. 24. (11) Hiob XXXVIII. 6., Jes. XXVIII. 16., Jer. XXI. 26., Jes. VIII. 14.

πέτρος und πέτρα, welcher sich auch im Lateinischen in Petrus und petra zeigt, nicht bildet, sondern sich eben so gleichlautend und daher so gleichbedeutend scharf bezeichnend, wie im Französischen, gibt: tu es Pierre, et sur cette pierre etc.*). Dieser dem unbefangenen Verständnisse sich so unausweichbar aufdringende, ungesuchte Parallelismus zwischen Jesus Christus und Simon Petrus, und die eben so unverkennbar und ungesucht darin liegende stellvertretende Beziehung auf die Grundfestigung der Kirche kann eben so wenig geläugnet werden, als die gemachten Versuche, diesen Eindruck zu schwächen, von gar keinem Gewichte sind, sondern nur die Verlegenheit, in welcher ihre Urheber sich befinden, an Tag legen, wie bei Paulus, Kuinoel, Fritsche, Olshausen u. A. zu ersehen **). Jesus wollte sich

---

*) Daß im Deutschen durch die Uebersetzungsweise: du bist Petrus (statt: du bist ein Fels), und auf diesen Felsen ꝛc., der ganze bezeichnende Eindruck verloren geht, liegt am Tage.

**) Hieher gehörig, läßt sich auch noch bemerken, daß in dem Evangelium des Marcus, eines Schülers und Gehülfen des Petrus, der nach Eusebius (Kirchengeschichte II. 15.) jenes Evangelium durchgelesen und gut geheißen hatte, gerade die für Petrus doch so wichtige Stelle fehlt: „Du bist Petrus u. s. w." Wenn man nun auch den in ähnlicher Hinsicht oft vorgebrachten ascetischen Grund der Demuth hier nicht gelten lassen will, so könnte man doch wohl sagen, daß Marcus oder Petrus diese Stelle im Gefühle der Sicherheit und Anerkennung der Prämienz des Letztern anzuführen nicht für nöthig erachtet habe; doch auch lassen sich beide Beweggründe zusammen vereinigen. Jedenfalls ist es ein besseres Zeugniß für den Petrus, daß gerade das Evangelium, welches nach wichtigen Zeugen des apostolischen Zeitalters unter seinem Einflusse geschrieben worden, diese Stelle nicht hat, als wenn sie im Gegensatze zu den übrigen Evangelien allein darin vorhanden wäre. Und da Marcus auch theilweise als Epitomator des Matthäus gilt, so ist er als solcher ganz seiner Absicht treu geblieben, daß er, indem er dasjenige hervorhebt, was sich auf Christum, den Hauptgegenstand seiner Schrift, bezieht, das aber übergehen zu dürfen glaubt, was nur von dem Jünger handelt. Noch verdient bemerkt zu werden, daß Jesus den Petrus, welchen er gleich bei seinem ersten Zusammentreffen mit demselben diesen Namen statt seines bisherigen (Simon) gibt, doch im Verlaufe der evangelischen Geschichte selbst immer nur Simon nennt, den einzigen Fall ausgenommen, wo er ihm (Luc. XXII. 34.) vorhersagt, daß er ihn vor dem Hahnenkrähen drei Mal werde verläugnet haben, gerade als hätte Jesus damit andeuten wollen, daß

nun ferner dem ersten Einrichtungs-Merkmale seiner Kirche gemäß als den obersten geistlichen Macht- und Gewalthaber derselben in sittlich-irdischer und überirdischer Beziehung (auf Erden — in den Himmeln) erkannt wissen. Nachdem er, wie wir eben sahen, den Petrus zu seinem Stellvertreter als Grundfeste der Kirche gemacht hatte, sagte er zu ihm: „Und ich will dir geben die Schlüssel des Himmelreiches, und was immer du binden wirst auf der Erde, das wird gebunden sein in den Himmeln, und was immer du lösen wirst auf der Erde, das wird gelöset sein in den Himmeln." Das Wort Schlüssel dient im A. und N. T. als sinnbildlicher Ausdruck für Macht- und Gewalthabe, für Eigenthums- und Besitzesrecht. Gibt man Jemanden den Schlüssel zu einer Stadt, einem Hause, oder zu sonst etwas, so erkennt man ihn entweder als Besitzer oder als Verwalter dessen an, wozu der Schlüssel führt; die Schlinge einer Thür zu binden oder zu lösen — nach dem Gebrauche der Morgen-länder —, Jemand auszuschließen oder einzulassen, ist die Sache des Hausherrn oder dessen, der seine Stelle vertritt, und faßt eine eigenthümliche oder übertragene Rechtsgewalt in sich (12). Jesus, der von sich sagte, daß ihm alle Gewalt im Himmel und auf Erden gegeben war, verhieß also dem Petrus die Schlüssel des Himmelreiches (der Kirche) und bezeichnete sie in Anwendbarkeit und Erfolg als identisch für die Erde und die Himmel; er übertrug also, da er ihn zu gleicher Zeit anstatt seiner zur Grundfeste der Kirche ernannte, auf eine feierliche Weise und im Beisein der übrigen Apostel, ihm zuerst und al-lein und so vorzugsweise die Fülle der Herrschafts-Gerecht-

der Name Petrus (Fels) keine Personen-Benennung, sondern vielmehr die Benennung für das Verhältniß sei, in welches er ihn zu seiner Kirche setze, und daß er ihn nur gerade hier einen Felsen nennt, um ihn auf den Widerspruch aufmerksam zu machen, in welchen er sich durch sein Betragen mit dieser Benennung setzet. Doch sind dies nur hinzugethane, gleichsam ausschmückende Vermuthungen und ge-hören nicht zur Beweisführung, brauchten indessen auch nicht ganz übergangen zu werden.

(12) Jes. XXII. 22., Matth. XXIII. 13., Luc. XI. 52., Apok. I. 18. III. 7. IX. 1. XX. 1.

samen in seiner Kirche, so zwar, daß die auf Petrus übertragene Verwaltung, durch ihn (d. h. auf Erden) ausgeübt, so
gelten solle, als habe sie der eigentliche Machthaber, Gott
(d. h. in den Himmeln), ausgeübt. Bei Matth. XVIII. 18.
ist nun zwar die Rede davon, daß auch den übrigen Aposteln
dieselbe Machtvollkommenheit zugesagt ist; dabei bleibt aber doch
bestehen, daß sie hier dem Petrus als ein Aggregat
des Kirchen-Fundamentes, auf eine feierliche Weise,
zuerst, ihm allein und so vorzugsweise übertragen
wurde, gerade wie in jedem einzelnen Feldherrn und in jedem
einzelnen Richter die Fülle der höchsten Heer- und Rechtsgewalt vorhanden ist, welche an sich auch nur der Oberbefehls-
haber und der Vorsitzer in sich schließen, wobei diese doch vorzugsweise Feldherren und Richter sind; und so beruhete die
Fülle geistlicher Gewalt in allen Aposteln; sie war aber dem
Petrus vorzugsweise in Beziehung auf die Stellvertretung als
Grundfeste der Kirche verliehen. Aus dem Conterte der ange-
zogenen Stelle (13), wo Jesus sagt: „Wenn er (der Beleidi-
ger) aber auch die Kirche nicht höret, so sei er dir wie ein
Heide und Zöllner. Wahrlich, ich sage euch, was ihr auf Erden
binden werdet u. s. w." erhellet auch, daß Jesus hier von der
den Aposteln gemeinschaftlichen Kirchengewalt, zu binden und
zu lösen, aus der Kirche auszuschließen und in dieselbe aufzunehmen (und im vorliegenden Falle in der erstern Beziehung),
redet, wobei immer noch die suprematische Verleihung dieser
höchsten geistlichen Gewalt in der Weise, wie sie dem Petrus
vor den Andern verliehen wurde, bestehen bleibt. Ganz diesem
Verhältnisse der vor den übrigen Aposteln vorzugsweise überkommenen Kirchengewalt gemäß ist nun auch das Benehmen
des Petrus in der Kirche Christi, so viel uns die Apostelgeschichte dasselbe berichtet. So ist es Petrus, welcher den versammelten Aposteln und gegen hundert und zwanzig Gläubigen
(der damals bestehenden Kirche) die Eröffnung macht, daß zur

_____

(15) Matth. XVIII. 18.

Wahl eines neuen Apostels anstatt des Verräthers Judas ge=
schritten werden müsse (14). Am Pfingstfeste, wo alle Apostel,
in verschiedenen Sprachen redend, die Aufnahme von dreitau=
send Seelen in die Gemeinde Christi bewirkten, war es doch
vorzugsweise Petrus, der aufstand mit den Eilfen (das heißt die
Eilfe mit ihm) und seine Stimme erhob und sprach ꝛc. (15.)
Eben so verhält es sich bei den in Jerusalem verhandelten an=
tiochenischen Streitigkeiten wegen Haltung des mosaischen Ge=
setzes von Seiten der Heiden=Christen, wo es heißt: „Als man
da viele Reden gewechselt hatte, erhob sich Petrus und sprach
u. s. w.‟ — — und als Petrus seine Rede geendet hatte,
heißt es: „da schwieg die ganze Versammlung‟ (16). Daß
nun hierauf auch Jacobus redet und „seine Meinung‟ über
den vorliegenden Fall vorbringt, und daß diese von Allen an=
genommen und zur Richtschnur des allgemeinen Verfahrens er=
hoben wird, das hindert darum nicht, daß das Benehmen des
Petrus bei allen den angeführten Vorkommnissen unverkennbar
das Gepräge einer gewissen Präeminenz der allen Aposteln ver=
liehenen Gerechtsamen an sich trägt, und wir wollten auch nicht
mehr, als dieses, bei Erwähnung der von Jesus dem Petrus
vorzugsweise übergebenen Schlüsselgewalt des Himmelreiches
(der Kirche) bewiesen haben. Sehr wichtig scheint uns in die=
ser Hinsicht auch noch, daß Paulus, da er erst im dritten Jahre
nach seiner Bekehrung, während welcher Zeit er sich in Ara=
bien aufhielt, nach Jerusalem, dem Aufenthaltsorte der Apostel,
reiset, ausdrücklich nur in der Absicht dahin ging,
den Petrus zu besuchen, bei dem er sich fünfzehn Tage
lang aufhielt (17), ehe er die Ausübung seines Apostelates be=
gann, nicht der vielen andern Andeutungen im N. T. zu ge=
denken, wo sich ein Vorzug Petri vor den Uebrigen im Allge=
meinen herausstellt *). — Es bleibt nun noch übrig, davon

(14) Apostelg. I. 15.—26. (15) Apostelg. II. 14. (16) Apostelg. XV.
1.—12. (17) Gal. I. 17. 18.
  *) S. hierüber ausführlich: Stolberg, Gesch. d. Religion Jesu Christi.
    B. X., die Beilage: Ueber den Vorrang des Apostels Petrus und
    seiner Nachfolger.

zu reden, daß Jesus, der als Messias von den Propheten schon unter dem Bilde eines Hirten bezeichnet ist, der sich selber so nennt und seine Kirche einen Schafstall und eine Herde, dem Petrus auch seine Stellvertretung als Hirt der Kirche — das Amt, die Pflicht und Gewalt, die Gläubigen zu weiden, — die oberste Leitung, das Oberhirten=Amt seiner Kirche als einer Herde in ihrem ganzen Verfassungs=Organismus (Schafe und Lämmer), d. h. in ihren Aeltesten und Untergebenen, verliehen hat. Diese dem Petrus von Jesus nach seiner Auferstehung und kurz vor seiner Himmelfahrt, wo er sich selbst der sichtbaren Leitung seiner Kirche begab, ausschließlich und unter besondern Umständen der Feierlichkeit und Eindringlichkeit verliehene Stellvertretung ist aus Joh. XXI. 15.—17. ganz unverkennbar zu ersehen, wo Jesus, nachdem er den Petrus drei Mal gefragt hat: „Simon, Jona's Sohn, liebst du mich?", welches Petrus nicht ohne eine gewisse Empfindlichkeit bejahet, nach der ersten und zweiten Antwort wiederholt ihm sagt: „weide meine Lämmer", und nach der drittmaligen Liebebetheurung des Petrus hinzufügt: „weide meine Schafe"*). Hiermit ist also durch Jesus dem Petrus der Auftrag geworden, an Jesu Statt (meine Lämmer, meine Schafe) die Kirche in allen ihren Mitgliedern als eine Herde zu führen;

*) So hat die Vulgata; die beiden ersten Male agnos — Lämmer — und zum dritten Male oves — Schafe —; der griechische Text hat dagegen nur das erste Mal τὰ ἀρνία — Lämmer — und zum zweiten und dritten Male τὰ πρόβατα — Schafe. Eben so ist für das dreimalige pasce — weide — der Vulgata im Griechischen zweimal βόσκε und einmal ποίμαινε gesetzt. Obgleich das Weiden im Allgemeinen auch den Begriff von befehlend führen in sich schließt, so besagt ποιμαίνειν dies doch deutlicher, als βόσκειν. Wir deuten dies hier nur an, um der seichten Bemerkung des Hrn. Carove (Was heißt römisch=katholische Kirche? Altenburg 1828) zu begegnen, welcher meint, daß Jesus dem Petrus nur den Auftrag gegeben habe, die Gläubigen zu weiden, nicht sie zu beherrschen, und dies nun natürlicher Weise auf die Päpste anwendet. Wir können uns aber das Weiden ohne irgend eine Art von Beherrschung nicht denken. Bei Homer heißet bekanntlich an vielen Stellen die Völker weiden so viel, als die Völker beherrschen.

es ist ihm hiermit die oberste Leitung der Kirche im Sinne und Geiste Jesu übergeben, ihr zuzuführen, was ihr heilsam ist, von ihr abzuwenden, was ihr schädlich sein könnte, mit Wachsamkeit, Machthabe und Fürsorge sie zu weiden, wo sich's dann von selbst versteht, daß die Kirche, als die ihm übergebene Herde, auch in Folgsamkeit seiner Leitung verpflichtet ist. Man möge nun die Sache drehen und wenden, wie man immer wolle, dieser dreifach durchgeführte Parallelismus, in welchen Jesus den Petrus zu sich stellet als Grund und Eckstein, als Grundfeste und Fels seiner Kirche, als Inhaber der obersten geistlichen Macht in derselben und endlich als ihr höchster Führer und Hirt, diese Uebergabe der Stellvertretung wird man müssen bestehen lassen und nicht wegläugnen können; denn die Weise, in welcher Jesus in den drei aufgestellten Beziehungen den Petrus zu seinem Stellvertreter anordnet, ist doch wahrlich nicht undeutlicher, als diejenige, in welcher er die übrigen Apostel anstatt seiner das Licht der Welt nennt, sie zu Gesandten des Vaters macht, wie ihn der Vater gesandt habe, und ihnen sein Lehrer-, Gnadenspender- und Richter-Amt überträgt. Stellt sich nun für den einen wie für den andern Theil die Weise der Stellvertretungs-Uebertragung als dieselbe heraus, so muß man sie doch auch wohl so für den einen wie für den andern Theil gelten lassen. Oder will man nur bestehen lassen, daß Jesus dem Petrus im Allgemeinen einen Ehrenvorzug vor den übrigen Aposteln eingeräumt habe, was denn diejenigen durchweg gelten lassen, welche sich zu der oben durchgeführten Erklärung nicht verstehen wollen: dann ergibt sich doch wiederum die Frage: läßt sich denn der von Jesus dem Petrus verliehene Vorzug als ein bloßer Ehrenvorzug noch ansehen und vertheidigen? Und eine nochmals angestellte Prüfung wird zeigen, daß dies nicht der Fall sein kann; denn, um dieses hier nur kurz zu berühren, die Begriffe von Grundfeste, vorzugsweise verliehener höchster Gewalt und allein übergebener höchster und allgemeiner Leitung lassen keinen bloßen Ehrenvorzug mehr zu, sondern sie schließen ihn sogar aus. Was für

einen Festigungsgrund konnte die Kirche in Petrus durch einen
bloßen Ehrenvorzug desselben haben? oder wie konnte er dieselbe weiden, wenn er nur ihr oberster Titular-Hirt war *)?

Ergibt sich nun hieraus die von Jesus angeordnete Stellvertreterschaft seiner selbst als Grundfeste, obersten Machthabers und Hirten seiner Kirche, insbesondere dem Petrus verliehen, so wie er dieselbe als eines Lehrers und Machthabers
im Allgemeinen den Aposteln verlieh, und zeigt sich jenes wie
dieses als eine in Bezug auf seine Kirche getroffene Veranstaltung und Einrichtung: dann darf wohl auch für jene wie für
diese Stellvertreterschaft ebenviel und ebennöthig die Fortdauer
derselben angenommen werden, welche Annahme sich denn auch
als Thatsache, die für den unbefangenen Geschichtforscher unverkennbar ist, erwiesen hat **). Das Ergebniß ist also
dieses zweifache: I. Aus der heiligen Schrift des neuen
Testamentes mit Bezugnahme auf die heilige Schrift des alten
Testamentes, welche von allen verschiedengläubigen christlichen
Gemeinden für eine Erkenntnißquelle des Christenthums angenommen wird, geht hervor: a) daß Jesus seiner Kirche bei
Gründung derselben eine besondere Einrichtung gegeben hat, wodurch sie als solche erkennbar ist; b) daß er den Fortbestand

*) Wenn man nicht bloß dasjenige in Betracht ziehen will, was als
mit Nothwendigkeit anzunehmen vermöge einer unbefangenen Erklärungsweise sich uns aufdringt, sondern wenn man auch das nicht
ganz unbeachtet lassen will, was zwar keinen Beweis abgeben soll,
aber doch immerhin als ein auffallendes, oder, wenn man will, nur
als ein schönes, ansprechendes Zusammentreffen sich ergibt, so wird
man zugleich finden, daß Jesus den Petrus die Grundfeste seiner
Kirche nennt und ihm die höchste Gewalt in derselben verleiht, nachdem derselbe das Bekenntniß des Princips der Glaubenslehre der
Kirche — daß Jesus der Messias ist — abgelegt hat, und
daß er ihn zum obersten Hirten seiner Kirche bestellt, nachdem derselbe
das Bekenntniß des Princips der Sittenlehre der Kirche — der
Liebe — abgelegt hat; doch, wie gesagt, es mag dieses mehr gesucht und schön und ansprechend genannt werden, als nothwendig
wahr, — dem sei, wie ihm wolle, es findet sich nun doch so!
**) Siehe Stolberg a. a. O. und die linzer theologische Monatschrift,
wo aus den Quellen die eben so vollständigen als unwidersprechlichen
Zeugnisse dafür zusammengestellt sind.

dieser seiner Kirche, also auch ihre fortwährende Erkennbarkeit und darum auch einen in ihrer Einrichtung unveränderten Fortbestand, bis an das Ende der Tage gewollt hat; c) daß nach dieser unverändert fortbestehen sollenden Einrichtung er selber als die Grundfeste, der oberste Macht- und Gewalthaber, der Oberhirt und Lehrer in seiner Kirche anerkannt werden soll; d) daß er einigen Auserwählten die Ausübung seines Lehr-, Gnaden- und Gewalt-Amtes, als seinen Stellvertretern hierin, übertragen hat, welches von diesen wieder auf Andere übertragen werden soll; e) daß er endlich aus diesen Auserwählten Einen insbesondere auserwählet hat, welchen er zu seinem Stellvertreter als Grundfeste, obersten Macht- und Gewalthaber und Oberhirten der ganzen Kirche machte, welche höchste Vorsteherschaft, um der in der Kirche, ihrer Einrichtung nach, unveränderlichen Fortdauer willen, ebenfalls von dem Einen auf den Andern bis an das Ende der Tage übergehen soll. II. Diese von Jesus als Erkennbarkeits-Merkmal seiner Kirche gegebene Einrichtung derselben ist als solche von der ersten Gründung der Kirche an bis auf den heutigen Tag nur von der Einen christlichen Gemeinde, welche die katholische heißt, ohne Unterbrechung anerkannt worden und als solche eben so ohne Unterbrechung vor allen andern einzig und allein in derselben vorhanden gewesen; es ist also die Gemeinde der christkatholischen Gläubigen mit der von Jesus mit jenen Merkmalen der Erkennbarkeit zum immerwährenden Fortbestande gegründeten Gläubigen-Gemeinde identisch, oder kurz: **Die katholische Kirche ist die von Jesus gegründete, fortbestehen sollende und fortbestehende wahre Kirche Jesu Christi.**

II.

Das Mährchen

von der Päpstinn Johanna,

aufs Neue erörtert.

———◆———

II.

Das Mährchen
von der Päpstinn Johanna.

———

Eingang.

Diejenigen, welche es für historische Wahrheit halten, daß
einst auf dem apostolischen Stuhle zu Rom, statt eines Papstes,
eine Päpstinn mit Namen Johanna als vermeintlicher Papst
Johannes gesessen habe, verlegen meistens dieses Ereigniß
in das 9. Jahrhundert, so daß Johanna zwischen Leo IV.
und Benedict III. zum Papste soll erhoben worden sein, und
gründen die Fürwahrannahme desselben auf geschichtliche schrift=
liche Zeugnisse und andere Denkmäler.

Es kommt also hier darauf an, diese Zeugnisse zu prüfen
und zu sehen, ob sie, als solche, der Art beschaffen sind, daß sie
die Vernunft zu jener Fürwahrannahme, oder, was hier das=
selbe ist, zum historischen Glauben an eine Päpstinn Johanna
verpflichten, und ob sich nicht im Gegentheil solche Beweise
herausstellen, durch welche die vorgebliche Existenz dieser Päp=
stinn ganz und gar entkräftet wird.

1. Schriftliche Zeugnisse.

Der erste Zeuge, welchen man dafür anführt, ist der rö=
mische Bibliothecar Anastasius aus demselben 9. Jahrhun=
derte. Mit diesem Zeugniß aber verhält es sich folgender Maßen.
In den ältesten und fast allen Handschriften der Chronik dieses
Schriftstellers erscheint Benedict III. als Papst gleich nach
dem Tode Leo's IV. Nur in einigen Exemplaren heißt es: „Man
sagt, daß nach dem Tode Benedict's ein Weib, mit Namen Jo=

hanna, auf den päpſtlichen Stuhl erhoben worden ſei." Daß
dieſe Stelle aber eine ſpätere und ſehr unbedachtſame Inter=
polirung iſt, geht daraus hervor, daß Anaſtaſius, welcher Ge=
ſchäftsträger und Geheimſchreiber der beiden oben genannten
Päpſte war, an manchen andern Stellen, eben dieſes Verhält=
niß berührend, nur von der unmittelbaren Aufeinanderfolge
dieſer Päpſte redet, und ſo trägt dieſe Stelle nicht allein das
unverkennbarſte Gepräge einer, der Anlage des Ganzen durch=
aus fremden, Zwiſchenſtellung an ſich, ſondern ſie iſt auch noch,
wohl gemerkt, wo ſie in den ältern Codices ſich vorfindet, von
jüngerer Hand als Randgloſſe hinzugefügt.

Nicht allein dieſes; ſondern ein gleichzeitiger Schriftſteller,
der den Päpſten ſonſt gewiß nicht günſtige bekannte Erzbiſchof
Hinkmar von Rheims, bezeugt, daß ſeine Geſandten, die
er nach Rom abgeordnet hatte, da ſie auf dem Wege vernom=
men, Leo IV. ſei geſtorben, ihre ſchriftlichen Aufträge deſſen
Nachfolger, dem P. Benedict III., übergeben hätten. Eben ſo
ſchreibt der franzöſiſche Abt Lupus an Benedict III., daß er
ſich unter ſeinem Vorgänger Leo IV. in geiſtlichen Geſchäften
in Rom aufgehalten habe.

So iſt nun das erſte und einzige gleichzeitige Zeugniß
beſchaffen und als ſolches gewiß nicht geeignet, zu einer unbe=
zweifelbar geſchichtlichen Annahme zu veranlaſſen.

Das erſte darauf folgende, das 10. Jahrhundert weiſet gar
keinen Zeugen für das angebliche Daſein der Päpſtinn Jo=
hanna auf.

Aus dem 11. Jahrhunderte wird Marianus Scotus
angeführt. Die älteſten Handſchriften dieſes Chronikenſchreibers,
welche von den großen Kritikern und Gelehrten Leo Alla=
tius, Anton Pagi, Bellarmin, Hiacynthus Gra=
veſon und Heinrich Schütz unterſucht wurden, enthalten
keine Sylbe von einer Päpſtinn Johanna. Nur in einigen Hand=
ſchriften findet ſich der Satz: „Auf Leo IV. folgte, nach An=
gabe Einiger, ein Weib im Pontificate." Johann He=
rold aber, welcher im Jahre 1550 in Baſel die Chronik des

Marianus herausgab, ließ die Worte: *ut aliqui commemorant* — nach Angabe Einiger —, geradezu aus und begründete so das Zeugniß, welches aus diesem Schriftsteller für die Existenz der Päpstinn Johanna vorgebracht wird. Wahrlich kein überführendes Zeugniß eines Schriftstellers, der noch dazu 200 Jahre nach dem angeblichen Ereigniß lebte, und dem, wenn auch jene Stelle in allen Manuscripten desselben zu finden wäre, schon wegen alles Mangels der Quellen-Angabe und näheren Bestimmung kein Glaube beizumessen wäre.

Nun folgt aus dem 12. Jahrhunderte Sigbert von Gemblours. Der gelehrte Abt Trithemius belehrt uns, daß Sigbert ein Anhänger Heinrich's IV., dieses leidenschaftlichsten Gegners des Papstthums, gewesen ist. Aubertus Miräus, Johann Molanus, Onuphrius Panvinus, Genebradus, Johann Schiffet und Heinrich Schütz, diese vorzüglichsten Geschichtskritiker ihrer Zeit, bezeugen einhellig, die Urschrift des Sigbert zu Gemblours selbst eingesehen und darin auch nicht ein Wort von der Päpstinn Johanna gefunden zu haben. Onuphrius untersuchte noch dazu die meisten ältesten Abschriften, und in keiner entdeckte er eine Spur von dieser Geschichte. Wilhelmus Nangiacus setzte die Chronik Sigbert's bis zum Jahre 1302 fort und schickte dieser Fortsetzung eine Abschrift der sigbert'schen Chronik voraus, die er nach den ältesten Manuscripten derselben angefertigt zu haben erklärt; aber auch in diesen Exemplaren des Nangiacus findet sich keine Spur von der Päpstinn Johanna. Nur in mehren neuern Abschriften des Sigbert geschieht davon Meldung, doch auch nur mit dem Ausdrucke: *fama est* — man sagt —, und ein entscheidender Gegenbeweis liegt in Sigbert's Chronik darin, daß er sagt, Benedict III. sei im Jahre 854 Papst gewesen, wo, jener Interpolirung zufolge, doch die Johanna regiert haben müßte. Uebrigens erklärt Antonius Rufus, der erste Herausgeber dieses Schriftstellers, und Robert Stephanus, der im Jahre 1515 davon eine Ausgabe veranstaltete, daß überaus viele Codices in sehr vielen Stücken weit von einander abwichen, und der Engländer Alanus Copus wirft dem Galphridus Monumentensis vor, daß er Sigbert's Chronik Manches eigenmächtig hinzugefügt habe.

Aus dem 13. Jahrhunderte wird der Chronikenschreiber Martinus Polonus, und zwar am liebsten, als Gewährsmann für die Geschichte der Päpstinn Johanna angeführt; ein Gewährsmann, der im vierten Jahrhunderte nach dem angeblichen Ereignisse lebte!! Was nun dieses Zeugniß anbelangt, so erklärt der berüchtigte Bayle, gewiß kein Parteigänger der Päpste, indem er noch auf die tausendfältigen Widersprüche in der Geschichte der Päpstinn aufmerksam macht, daß man in den ältesten Handschriften des Polonus kein Wort von einer Päpstinn Johanna entdecken könne; dasselbe bezeugt Leo Allatius aus griechischen Urkunden, und der überaus freimüthige Niceron, so freigebig im übertriebenen Lobe der Feinde der katholischen Kirche, sagt, daß er nur in einigen jüngeren Handschriften der Chronik des M. Polonus den Satz gefunden habe: hic (papa Joannes) *ut asseritur, foemina fuit* — dieser Papst Johannes ist, wie versichert wird, ein Weib gewesen —. Der gelehrte Protestant J. A. Fabricius sagt hingegen, es sei durch Lambecius, Oudinus und Jacob Eckard bis zur Evidenz dargethan, daß in den ältesten Abschriften des Polonus nichts von der Päpstinn Johanna zu finden sei. C. A. Heumann, weiland evangelischer Theologe und Professor der Geschichte zu Göttingen, erklärt in seiner lateinischen Abhandlung gegen die Geschichte der Päpstinn Johanna *), in der Jesuiten-Bibliothek zu Köln eine der ältesten Handschriften des Polonus eingesehen, in derselben aber nichts von der Päpstinn Johanna gefunden zu haben **). Peter Frisius, welcher im Jahre 1573 eine Ausgabe des Polonus veranstaltete, sagt in

---

*) Göttingen 1739.

**) Dieses Manuscript ist gegenwärtig daselbst nicht mehr vorhanden, wohl aber folgendes Werk, worin jedoch mit keinem Worte der Päpstinn Johanna Erwähnung geschieht: Martini Poloni historia et Mariani Scoti Chronica. Basileae, ap. Oporinum 1559, fol. (Fast nur eine dürftige tabellarische Uebersicht.)

der Vorrede, daß er die verschiedenen Codices desselben in vielen wichtigen Angaben sehr von einander abweichend gefunden habe. In der deutschen Uebersetzung der lateinischen straßburger Chronik des Jacob von Königshoven (v. Erschffg. d. W. bis 1386) heißt es in einer Note zur S. 179: „Sonsten ist diese Beschreibung (vom Hergange mit der Päpstinn Johanna), wie sie nicht allein hier, sondern auch in der lateinischen Chronik des Königshoven enthalten, mit eben denselben Worten, bei dem Martino Polono in M. S. chartaceo zu befinden, wiewohl sie in dem Codice, woraus die letztere gedruckt genommen, nicht befindlich gewesen.“

Auf diese vier ersten Hauptzeugen nun beruft man sich, die Wahrheit der Geschichte einer Päpstinn Johanna zu erhärten. Wer aber, dem historische Kritik nicht gleichgültig ist, mag diese schriftlichen Zeugnisse als überführende und zu dieser Annahme nöthigende gelten lassen? Und wie kommt es denn, daß eine so große Menge gleichzeitiger und gleich darauf folgender Geschicht-schreiber gar keine Meldung davon thun?

Zu diesen gehören aus dem 9. Jahrhunderte selbst: Rha-banus Maurus, Abt im Stifte zu Fulda, in welchem Jo-hanna in ihrer Jugend sich aufgehalten, Strabus, mit dessen Freunde sie zuerst unerlaubten Umgang gepflogen haben soll; Haimo, der ein Werk vom Kriege der Tugenden und Laster schrieb; Theophanus Freculphus, Verfasser einer Universal-geschichte; Aimonius vom h. Germanus, berühmt als fran-zösischer Geschichtschreiber jener Zeit; Leo Archidamus, (ein Grieche und erklärter Feind der römischen Kirche; dann Ado, Luitprand, Lampertus und Lupus Servatus. Gleich darauf Johannes Diakonus, der eine kurze Geschichte der Päpste schrieb; der Mönch Milo; Passeratius Rabertus; Almanus; Rhegino; Hermannus Contractus; der Abbas Conradus Coloniensis; der Abbas Uspergen-sis; Otto von Freisingen; von Seiten der Engländer — da doch Johanna eine Engländerinn soll gewesen sein: Gildus, Burkard von Dorcester, Neftus Adulphus, Joh. Eri-

gena, Afferinus Manebensis, Alfred d. Gr., welcher
von P. Hadrian II., dem zweiten Nachfolger Benedict's III.,
gekrönt wurde. P. Nicolaus I., der erste Nachfolger dieses
Benedict, nennt in vielen Briefen diesen Papst und Leo IV.
seine unmittelbaren Vorgänger, wozu noch kommt, daß der griechische Kaiser Michael diesem großen Papste alle möglichen Vorwürfe macht, die damals der römischen Kirche nur immer gemacht werden konnten, gänzlich aber von einem weiblichen
Papste schweigt.

Eben so schweigen die Schriftsteller des 11. Jahrhunderts
von diesem Ereignisse. Hier kommen vor: Theodor Nikus;
Ultram, Bischof von Nürnberg, ein eifriger Anhänger Heinrich's IV.; der Pseudo-Cardinal Benno, übrigens so sehr gefeiert von den Gegnern der katholischen Kirche; Conrad beim
Aventin; Petrus Amianus; Hunnonius von Autun;
Otto, Bischof von Constanz; der Dichter Heideberg, im Ge-
schichtspiegel des Vincentius, schrieb ein Spottgedicht auf
die Päpste; Johannes de Colonna; Theodoricus; Ru-
pert, ein englischer Bischof, welcher aus der Kirchengemeinschaft ausgeschlossen wurde; Hugo von Fleury, welcher eine
Kirchengeschichte bis auf Nicolaus I. schrieb; Florentinus
Wirgermensis, Verfasser einer Geschichte der Päpste bis
auf Hadrian II.

Eben so wenig reden von der Päpstinn Johanna die Geschichtschreiber aus dem 13. Jahrhunderte: Conradus Wesper-
gensis; Albertus Sitadiensis; der Anonymus von
Westmünster, Verfasser der Flores historiarum anglicarum,
ein Zeitgenosse des M. Polonus (sagt, daß auf Leo IV. gleich
Benedict III. gefolgt sei); Joachim Calabrus; Leo Mania-
cutius (gab eine Series der römischen Päpste in leoninischen
Versen heraus); Zonaras, Nicetas, Nicephorus Grego-
ras, Johannes Curopalates, Cedrenus, Reginaldus
a Monte albano, Maugis. In einigen alten Manuscripten des Bibliothecars Damasus und des Pandulphus von
Pisa findet sich die Geschichte der Päpstinn Johanna als Rand-

gloſſe von ſpäterer Hand. Von dem Fasciculus temporum, welches im Jahre 1480 durch Adam Alemannus gedruckt wurde, erſchien um dieſelbe Zeit, doch ohne Angabe der Jahreszahl und des Druckers oder Druckortes, eine andere Ausgabe, die mit der erſtern in Allem wörtlich übereinſtimmt; nur in der Stelle, wo von der Päpſtinn Johanna die Rede iſt, findet ſich eine Variante.

Im 14. Jahrhundert (1375) begegnet uns Boccaccio; dieſer führt in ſeinen Foeminis illustribus auch unſere Johanna auf und weiß ſo viel Umſtändliches von ihr zu erzählen, daß man verſucht wird, ihn als den erſten Ausmaler dieſer Fabel zu verdächtigen; und wäre es nicht eher zu verwundern, wenn dieſer erfindungsreiche Erzähler nichts von der Päpſtinn Johanna zu erzählen wüßte, als daß er nun ſo umſtändlich erzählt? Eben ſo müßte es uns wundern, wenn der berüchtigte Cornelius Agrippa von Netteshеim nicht auch Anlaß nähme, von der Päpſtinn Johanna zu reden. Er thut dies denn auch in ſeiner wunderlichen Schrift: „Von der Herrlichkeit und den Vorzügen des weiblichen Geſchlechtes", wo es heißt: „Dicant quidquid velint canonistae, ecclesiam non posse errare, Papa mulier illam egregia impostura delusit." — „Mögen die Canoniſten ſagen, was ſie wollen, daß die Kirche nicht irren könne; ein weiblicher Papſt hat ſie durch einen ganz ausgezeichneten Betrug geäffet." — Es iſt wahrlich nicht ſchwer, den Werth eines ſo kurzweg behauptenden Ausſpruches zu würdigen, wo augenſcheinlich die eine gehaltloſe Behauptung dazu dienen ſoll, die andere, eben ſo gehaltloſe, zu bekräftigen.

In der „Cronica van der hilliger Stat van Coellen" (1499) findet man S. CXIX die Geſchichte der Päpſtinn Johanna, welche aber hier auch Jutte heißt, ſehr ausführlich mitgetheilt, und wobei auch ein erbaulicher Holzſchnitt nicht fehlt. Der Verfaſſer ſpricht ſich über ſeine Quelle folgender Maßen aus: „Ind dat quam als ich geſchrewen vinde alſus zo." So unzuverläſſig und unbeſtimmt, wie dieſe Aeußerung, eben so naiv ist die Schlußbemerkung des Chronisten: „Jnb umb der unbequemlicheit inb ungeboerlicheit willen b' geschichte so is disse Pays Johan off Pays jutte niet gesatzt in der Zzale der paysse."

Sehr gern beruft man sich auf das Zeugniß des Chronikenschreibers und römischen Bibliothecars Platina, welcher im 15. Jahrhunderte lebte. Jn seiner Geschichte der Päpste spricht er allerdings nach Leo IV. sehr deutlich von der Päpstinn Johanna, und diese Stelle wird gern angeführt; folgende Ausdrücke aber, welche sich ebenfalls dort vorfinden, werden weggelassen: „vulgo seruntur — es geht ein Gerücht — ea ex his esse, quae fieri posse, creduntur — es wird als etwas geglaubt, das sich wohl möglicher Weise zutragen könnte —"; eben so verschweigt man auch, daß eben dieser Schriftsteller nebst Aeneas Sylvius zuerst die Unwahrhaftigkeit dieser Fabel verfocht.

Caspar Peucer setzte die Chronik des Melanchthon fort und benutzte die Vorarbeiten desselben; doch übergeht er ganz die Sage von der Päpstinn Johanna.

Und was soll man dazu sagen, daß Dante und Machiavell sich überwinden konnten, von der Päpstinn zu schweigen?

Wo aber jene vorgebrachten Zeugen, die Stelle in ihren Werken mag nun echt oder untergeschoben sein, von der Fabel-Päpstinn Erwähnung thun, wie wenig Zuversicht liegt da in ihren Ausdrücken selbst! Jhre eigene Gewähr gründet sich nur auf: man sagt, es soll, es geht ein Gerücht, man versichert, es ist möglich u. s. w., oder sie sprechen das Ereigniß keck als eine geschichtliche Wahrheit aus, ohne sich um irgend einen Beweis dafür zu kümmern.

Jn diesem Verhältnisse steht nun die vorgebliche geschichtliche Existenz der Päpstinn Johanna zu den geschichtlichen Zeugnissen selbst; daß dieses durchaus ein ungleiches oder vielmehr gar kein Verhältniß ist, leuchtet von selbst ein.

Oder sollten vielleicht alle jene Schriftsteller von dieser ärgerlichen Begebenheit geschwiegen haben, eben weil sie für

den apostolischen Stuhl zu Rom von gar so großem Aergernisse
sein soll? Hat sie sich daher bloß in der mündlichen Ueberlie=
ferung erhalten? Diejenigen, welche dieses behaupten, räumen
der Ueberlieferung in so vielen andern wichtigen Fällen diese
große Glaubwürdigkeit nicht ein. Und ist es denn wohl denk=
bar, daß so viele Jahrhunderte hindurch eine so große Menge
von Geschichtschreibern, angetrieben durch die mannigfaltigsten
Gesinnungen, Beweggründe und Verhältnisse, alle mit einander
von einem solchen Ereignisse hätten schweigen können und dür=
fen, wenn dasselbe, als unwidersprechlich geschichtlich wahr,
allgemein bekannt und angenommen gewesen wäre? Was konnte
sie ferner auch noch zum Schweigen anhalten, wenn, wie wir
in der Folge sehen werden, nach der spätern, höchst inconse=
quenten Ausspinnung dieser Fabel, selbst der römische Clerus
alles Mögliche that, um diese Begebenheit im Andenken der
Nachwelt zu erhalten?

Und gesetzt, die der römischen Kirche geneigten Schriftsteller
schwiegen, war dann nicht um desto eher von ihren, in ihrem
eigenen Schooße auferzogenen Gegnern, deren oben schon mehre
genannt wurden, zu erwarten, daß sie jenen ihr Stillschweigen
vorgeworfen hätten? Vor allen aber war dieses von denjenigen
zu erwarten, welche sich außer der katholischen Kirche befanden,
und ganz besonders von den Griechen, deren gehässigem Bestre=
ben nie etwas entgangen ist, was der apostolischen Kirche zu
Rom zur Schmach gereichen konnte. Aber keiner von ihren hef=
tigsten Gegnern, Photius, Patriarch von Constantinopel,
Metrophanes, Bischof von Smyrna, Stylianus, Bischof
von Neocäsarea, noch auch ein anderer, deren auch weiter
oben mehre genannt wurden, meldet etwas von der Päpstinn
Johanna. Und wie hätten die Griechen, wenn so etwas auch
nur im Entferntesten hätte bewiesen werden können, dazu ge=
schwiegen, da Papst Leo IX. in der Hälfte des 11. Jahrhun=
derts dem Michael, Patriarchen von Constantinopel, schreiben
durfte: „Es ist eine allgemeine Sage, daß auf eurem Pa=

triarchen-Stuhle mehre Verschnittene sollen gesessen haben, und selbst einer eurer Vorfahren soll ein Weib gewesen sein."

Verschweigen wollen wir nicht, daß es auch viele Schrift-steller gibt, die jenen, oben als unhaltbar erwiesenen, Zeug-nissen nachgeschrieben haben, und daß sich darunter selbst heilig gesprochene Männer befinden; doch was beweis't dieses? So führt der h. Antoninus, Erzbischof von Florenz, die Stelle aus M. Polonus an und ruft dann aus: Wenn an dieser Volkssage wirklich etwas Wahres ist u. s. w.

Außer den schon angeführten gelehrten Protestanten, welche die Geschichte der Päpstinn Johanna für eine Erdichtung hal-ten, können nebst vielen andern unbedeutendern noch folgende wichtige Namen genannt werden: Dallaus, Sarravius, Leibnitz, Cave, Basnage, Mosheim, Saubertus von Altdorf und vor allen der Calvinist David Blondel. Andere protestantische Schriftsteller aber, wie Calixtus Conrin-gius, Cappellus, L'Enfant und Samuel Maresius, vertheidigten erst die Geschichte der Päpstinn Johanna, später-hin aber, durch Gegenschriften eines Bessern belehrt, wider-riefen sie, besonders der Letztere, welcher, nachdem er die Wi-derlegung des Labbens gelesen hatte, erklärte, er habe die Vertheidigung dieser Erzfabel — er selber drückt sich so aus: fabulae fabularum omnium fabulosissimae, — wider sein Gewissen unternommen *).

Unter den Protestanten der neuesten Zeit sprachen sich be-sonders Schröckh und Henke gegen die geschichtliche Existenz der Päpstinn Johanna aus.

Diejenigen protestantischen Schriftsteller aber, welche am leidenschaftlichsten die Geschichte der Päpstinn Johanna ver-theidigen, thun es vorzüglich um dessentwillen, daß sie dadurch zugleich ein Zeugniß gegen die ununterbrochene Reihenfolge der

---

*) Ehe Maresius diese Erklärung ausgesprochen hatte, verhieß der ba-seler Rechtsgelehrte und berühmte Chronolog Peter Megerlin, die Schrift des David Blondel noch gründlicher zu widerlegen; aber diese Widerlegung unterblieb.

römischen Päpste haben möchten. Schon auf dem Concilium zu Constanz brachten die Hussiten in ihrem 13. Beschwerde-Artikel auch die Begebenheit mit der Päpstinn Johanna vor. Die versammelten Väter aber, welche alle früheren Einwürfe lebhaft und gründlich zurückgewiesen hatten, würdigten, wie aus plötzlich geschehener Vereinbarung, diese Angabe keines einzigen erwidernden Wortes, und als der verschmitzte Beza auf der Versammlung zu Poissy erklärte, die Reihenfolge der Päpste sei durch eine Hure unterbrochen worden, ahmten die dort versammelten Väter das Beispiel ihrer Vorfahren zu Constanz nach und sahen schweigend den emphatischen Großsprecher mit bemitleidender Miene an. So wenig waren sie darum bekümmert, die ununterbrochene Reihenfolge der römischen Päpste gegen diesen Einwurf zu schützen, da sie doch wohl zum wenigsten so viel zur Entgegnung hätten vorbringen können, als schon auf diesen Blättern versucht worden ist. Wenn nun dennoch der von einer gewissen Partei als Biograph der Päpste hochgeschätzte Llorente behauptet: „Das Dasein der Päpstinn Johanna müssen wir für ganz ausgemacht annehmen u. s. w.", so möge diese ohne alle weitere Begründung in so vornehmem Ton ausgesprochene Behauptung nur für die Kritik des Verfassers einen Maßstab abgeben, der wohl nicht bloß an diese einzige Stelle seines voluminösen, in mancher andern Hinsicht nicht werthlosen Werkes gelegt werden dürfte.

2. Denkmäler.

In der im Jahre 1737 in Frankfurt und Leipzig erschienenen „merkwürdigen Historie von der Päpstinn Johanna" heißt es, die erblaßte Päpstinn sei sammt ihrem Kinde, das sie während einer feierlichen Procession geboren, auf demselben Platze, wo dieses vorgefallen, begraben worden. Späterhin habe man an demselben Ort eine marmorne Bildsäule, welche die Mutter mit dem Kinde vorstellte, aufgerichtet, und endlich sei sogar an derselben Stelle, zum ewigen Andenken dieses merkwürdigen Ereignisses, eine Capelle erbaut worden.

Wenn man nun, wie schon oben angedeutet ist, annehmen wollte, die katholischen Schriftsteller hätten um der Ehre ihrer Kirche willen geschwiegen, abgesehen davon, daß dann doch von andern Seiten her nicht wäre geschwiegen, sondern um desto eher geredet worden: so hatten doch nun jene Schrift- steller gar keinen Grund mehr, über ein Ereigniß Stillschwei- gen zu beobachten, das von da her, woher das Stillschweigen möchte auferlegt worden sein, selbst auf eine so auffallende Weise kund gemacht wurde; wobei aber auch noch ferner be- merkt werden muß, daß diese Ausmalungen der Fabel alle aus einer spätern Zeit, als jene ersten vorgerückten schriftlichen Zeug- nisse, herrühren, ohne irgend eine Angabe, woher sie entnommen seien, auch daß Niemand je den besagten Begräbnißort und die Capelle gesehen habe.

Was aber jene Statue anbelangt, so finden wir dieselbe von Bellarmin dahin beschrieben, daß sie eine erhabene Ge- stalt in langem Gewande, die man eben so gut für eine männliche, als weibliche, halten konnte, nebst einem ihr voraus- gehenden erwachsenen Knaben vorgestellt habe. Ein solches Bildhauerwerk, und in Rom vorfindlich, leuchtet gleich Jedem ein als das, was es ist, nämlich ein heidnischer Priester mit dem vor ihm her schreitenden Opferknaben; eine Darstellung, die sich in den Sammlungen römischer Alterthümer so oft wiederholt.

Von einem andern Denkmale der Päpstinn Johanna redet Luther und behauptet, es selbst in Rom gesehen zu haben. Dasselbe sei eine Bildsäule gewesen, einen Papst vorstellend mit weiblichem Angesicht, ein Zepter in der Hand und ein Kind auf dem Arme haltend. Dieses Bild nun sei zum Anden- ken der Päpstinn Agnes errichtet worden, und er fügt hinzu: „Es nimmt mich Wunder, daß die Päpste solches Bild leiden können.'' Wie viel verschiedene Namen der Päpstinn Johanna von den verschiedenen Schriftstellern beigelegt werden, da Lu- ther sie Agnes nennt, davon werden wir weiter unten hören. Nimmt man aber die Beschreibung dieser Bildsäule einfach, wie Luther sie geschildert hat, so möchte man nicht lange anstehen, sie für ein Marienbild zu erklären; wo nicht, so weiß man wahrlich nicht, was in Rom dazu könnte angetrieben haben, der Päpstinn Johanna eine öffentliche Bildsäule zu errichten, sie habe nun existirt oder nicht. Und was soll vollends das Zepter in der Hand eines Papstes *)?

Auch der gelehrte Protestant Harenberg spricht von einer Bildsäule in Rom, die er für eine Venus hält, welche den kleinen Romulus auf ihren Armen trägt, und fügt hinzu, dieses Standbild könne wohl zur Fabel der Päpstinn Johanna Anlaß gegeben haben. Es scheint, daß hier dasselbe Bild gemeint ist, von welchem Luther redet.

Unweit wichtiger, als die bisher genannten Denkmäler, möchte folgendes scheinen:

In der berühmten, ganz aus Marmor erbauten, Hauptkirche zu Siena, zu welcher im 14. Jahrhunderte der Grundstein gelegt wurde, befindet sich auch die, aus Auftrag der dortigen Bürgerschaft erst im Anfange des darauf folgenden Jahrhunderts aus Marmor gefertigte, Reihenfolge der römischen Päpste. Unter diesen war noch vor etwa 240 Jahren auch eine Darstellung der Päpstinn Johanna vorhanden. Raimund von Bordeaur, der eine vortreffliche Abhandlung gegen die vorgebliche Geschichte der Päpstinn Johanna verfaßt hat, machte zuerst unter dem Pontificate Clemens' VIII. (1592) den Cardinal Baronius darauf aufmerksam und trug auf Wegschaffung dieses ärgerlichen Bildes an. So wenig war diese Darstellung bekannt oder so wenig kümmerte man sich

*) Wir wissen wohl, daß in der untergeschobenen constantinischen Schenkungs-Urkunde an Papst Sylvester, die unbegreiflicher Weise selbst noch der gelehrte Baronius vertheidigte, den Päpsten auch das Recht zugestanden wird, Krone und Zepter zu tragen; doch haben sie sich des letztern nie bedient; wohl aber fügten sie zur Inful eine Krone, die, bei allmählicher Vergrößerung des Kirchenstaates, endlich verdreifacht wurde.

darum, daß entweder die Päpste um das Dasein derselben nicht wußten oder doch noch nichts dazu gethan hatten, sie fortzuschaffen, und daß sie sogar dem als Geschichtforscher alle Winkel Italiens durchstöbernden, für die Ehre und den Vortheil der römischen Kirche zuweilen selbst leichtgläubigen Baronius entgangen war. Als endlich P. Clemens die Wegschaffung dieser Bildsäule anordnete, erklärte sowohl der Cardinal-Erzbischof von Siena als auch der Großherzog von Hetrurien, daß selbst ihnen dieser marmorne Pseudopapst ganz unbekannt geblieben war.

Wir brauchen eben nicht anzunehmen, der Bildhauer habe aus Abneigung gegen den heil. Stuhl zu Rom die Päpstinn Johanna mit in die Reihe der Päpste aufgenommen; denn war ihre Existenz einmal als Sage im Munde des Volkes, so soll man sich nicht wundern, wenn davon auch Abbildungen in Umlauf kamen, und in dem vorliegenden Falle hatte der Künstler seine Aufgabe allgemein aufgefaßt und Geschichte und Sage in Eins zusammengestellt, — wie denn eine solche Behandlung in vielen Hundert Kunsterzeugnissen aufzuweisen ist. Wie verhüllt indessen diese Darstellung mag gewesen sein, geht aus der geringen Kunde hervor, die man davon hatte, und was soll endlich ein Denkmal aus dem 15. Jahrhundert zum Beweise für eine angebliche Thatsache aus dem 9.; zu welchem, wie oben dargethan wurde, kein einziges früheres Zeugniß vorhanden ist? Gewiß beweiset dieses eben so wenig, als die Versetzung jenes Fürsten der Kirche in die Hölle des jüngsten Gerichtes von Michel Angelo, als die Himmelfahrt Christi auf einem Adler in der St. Andreaskirche zu Bordeaux, oder als die Abbildungen der Todesart Sylvester's II. (Gerbert's, eines der berühmtesten Physiker seiner Zeit), welcher auf denselben als Zauberer vom Teufel geholt und in Stücke zerrissen wird; der verschiedenen bildlichen Darstellungen Pius' VII. nicht zu gedenken, die während der Gefangenschaft dieses Papstes zu Savona und Fontainebleau durch fromme Einfalt und Geldgier verbreitet wurden.

Die Reihe der Zeugnisse aus Denkmälern schließe aber die berüchtigte Angabe des Leibstuhls — sedis stercorariae perforatae — zur Explorirung des Geschlechtes der neuerwählten Päpste, welche Maßregel durch die Päpstinn Johanna soll veranlaßt worden sein.

Ohne uns in eine weitläufigere Auseinandersetzung dieser Schmähung einzulassen, führen wir aus dem alten Ceremonial-buche der päpstlichen Inauguration *) dasjenige an, was ge-hässiger Weise zu jener Angabe gemißbraucht worden ist. Dem zufolge befanden sich ehedem im Lateran drei Sessel, auf welche, nach damaligem Pontifical-Ritus, der neuerwählte Papst gesetzt wurde. Der erste Sessel stand noch vor der Kirche und war aus gemeinem Steine roh und kunstlos gefügt. Der neue Pon-tifex ließ sich zuerst auf diesen nieder, damit anzudeuten, wie er im Geiste der Demuth, ein Mensch, Staub vom Staube, nun zur höchsten Ehrenstufe solle erhoben werden; daher, wenn er wieder aufstand, sang der Chor aus I. B. d. Kön. C. II. den Vers: „Suscitat de pulvere egenum et de *stercore* erigit pauperem, ut sedeat cum principibus et solium glo-riae teneat." — „Der Herr erhebt den Dürftigen aus dem Staube; aus Unflat richtet den Armen Er empor, daß er wie Fürsten sitzen möge und seine Herrlichkeit auf festem Grunde bestehe." — Der zweite Sessel war aus Porphyr und im Pallaste selbst. Wenn der Papst sich auf diesen setzte, nahm er eigentlich Besitz vom apostolischen Stuhle; deßhalb ihm denn auch hier die Schlüssel der Kirche und des Lateran-Pallastes übergeben wurden. Saß der Papst endlich auf dem dritten, eben so kostbaren Sessel, der nicht fern vom zweiten stand, dann gab er die Schlüssel demjenigen wieder zurück, welcher sie ihm eingehändigt hatte, um daran erinnert zu werden, wie bald der Tod ihn abfordern könne, wo dann seine Gewalthabe auf einen Andern übergehe, er selbst aber von dem Gebrauche derselben Rechenschaft ablegen müsse.

---

*) Lib. I. sect. 2.

Der gemeine, nichtswürdige Witz aber, der die Ursache angibt, aus welcher der Explorations-Stuhl nachher abgeschafft worden sei, und der, von Pannonius erfunden und von Baleus und den magdeburger Centuriatoren nachgesprochen, noch in den neuesten Schriften einiger Gegner der katholischen Kirche wiederholt worden ist *), empört das Gefühl für Schaam und Anstand zu sehr, als daß er hier angeführt werden dürfte.

So weit das Verzeichniß der Denkmäler, aus welchen die Wahrhaftigkeit der Geschichte der Päpstinn Johanna soll entnommen werden können. Wahrlich, es bedarf keines besondern Scharfsinnes, um zu erkennen, in wie fern dieses Zeugniß dazu hinreichend ist **).

*) Unter andern im „Mönchthum" von Julius Weber, welcher Schriftsteller dem Verfasser der „chronologischen Reihenfolge der Päpste" und auch uns — als den neuesten deutschen Geschichtschreibern der Päpste — die ironische Ehre erwiesen hat, sein opus posthumum: „Das Papstthum und die Päpste" — zuzueignen; wahrscheinlich, damit wir aus dieser Kloake als aus einer Quelle schöpfen mögen! Dieser leidenschaftliche Liebhaber der Chronique scandaleuse hatte nur nicht bedacht, daß das öffentliche Thatenleben ein anderes, als das Stuben- und Schlafrockleben ist, und daß es, nach der allbekannten Bemerkung jenes großen Witzlers, für einen Kammerdiener keinen großen Mann gibt.

**) Nicht einmal aber verdient unter diesen Zeugnissen der Kupferstich angeführt zu werden, der sich in dem gleich im Anfange dieses Abschnittes angegebenen Werke S. 152 befindet und von dem es kurzweg heißt, daß er (sic!) für das hohe Alter dieser Geschichte — der Päpstinn Johanna nämlich — zeuge. Auf demselben ist die Päpstinn zweifach zu sehen: einmal wie sie mit der rechten Hand den Segen gibt und in der linken ein Buch hält, das andere Mal aber, wie sie ein kleines Kind umarmet, und jedes Mal ist sie mit der dreifachen Krone geschmückt. Diesen päpstlichen Schmuck trug aber bekanntlich erst Urban V. im 14. Jahrhunderte. Doch es soll uns nicht wundern, wenn der Verfasser jener Schrift den Päpsten schon in so früher Zeit die dreifache Krone gönnt; denn in dem von Schott aus dem Englischen übersetzten „Tagebuch eines Invaliden von Mathewsen Esq." heißt es unter vielen andern erbaulichen Ausfällen gegen die katholische Kirche: der Hauptschmuck des Papstes sei, wie so Vieles im Katholizismus, schon im Heidenthume aufzufinden; wie nämlich der Papst der Großwächter sei von Himmel und Hölle, so gleiche er dem Cerberus der Alten, der auch den Eingang zu diesen Orten bewachte, und die dreifache Krone correspondire eben so mit den drei Köpfen des Höllenhundes. Hört! Hört!!!

3. Von der Perſönlichkeit der Päpſtinn Johanna.

Auch hier gibt es keinen Punkt, in welchem die Schriftſteller nicht in den verſchiedenſten Weiſen von einander abwichen.

Es iſt bekannt, mit welcher ſtrengen Gewiſſenhaftigkeit die
Kirche von je her bei der Ordination der Prieſter, was deren
Perſönlichkeit anbelangt, zu Werke gegangen iſt, wie die Be-
ſcheinigung der empfangenen h. Taufe und die Nachweiſung,
nicht unehelichen Urſprungs zu ſein, ſo ſtreng gefordert wurde,
womit dann zugleich die Erörterung über Vaterland und Abſtammung verbunden war. Die nachfolgenden Angaben zeigen
uns aber ein Individuum, das, als ein Wunder der Gelehr-
ſamkeit ſeiner Zeit angeſtaunt, auf einmal Papſt wurde, ohne daß
man über ſein Vaterland, über ſeine Abſtammung, ja, ſogar über
ſeinen wahren Namen einen beſtimmten Aufſchluß gehabt hätte.

Nach Einigen war England das Vaterland der Päpſtinn
Johanna, nach Andern iſt ſie eine geborene Mainzerinn *);
noch Andere geben Ingelheim als ihren Geburtsort an. Gegen dieſe ſagen wieder Andere, ſie ſei nicht in England geboren,
ſondern ſie habe nur Anglus, Angelus, Anglicus geheißen, und
Inlius, ein proteſtantiſcher Schriftſteller des 16. Jahrhunderts,
findet dafür einen Beweis in dem Umſtande, daß noch zu ſeiner Zeit ſowohl in Mainz, als in der Umgegend dieſer Stadt
mehre Familien den Namen Engel geführt hätten!! Andere,
wie Bibliander, ſagen, ſie ſtamme weder aus England ab,
noch auch ſei ſie dort geboren, ſondern nur erzogen worden.

Was die Benennung der fabelhaften Päpſtinn anbelangt, ſo
herrſcht auch hier unter den Schriftſtellern die größte Verſchie-
denheit; denn ſie wird unter folgenden acht Namen aufgeführt:
Johanna, Agnes, Gilberta, Gerberta, Iſabella,
Margaretha, Dorothea, und Gutha, Jutte, oder auch
Tutta **).

---

*) Moguntina; die baſeler Ausgabe des M. Polonus vom Jahre 1559
hat dagegen Margentina.

**) Es iſt auffallend, daß der Name Agnes ſich in dieſer Beziehung

Der Ort, wo sie ihre angestaunte Gelehrsamkeit erlangt ha=
ben soll, wird eben so verschieden angegeben. Bei Einigen ist
dieses Athen; doch was war um jene Zeit in Athen zu ho=
len? Daher versetzen Andere sie nach Paris. Im Kloster zu
Fulda aber habe sie sich hierauf dem mönchischen Leben ge=
widmet und mehre Bücher über die Magie geschrieben, dann
endlich in Rom während einiger Jahre öffentlich Philosophie
gelehrt und Meister und Schüler gebildet.

Beiläufig sei hier nun noch bemerkt, daß, wenn man alle
diese Angaben zusammen nimmt: in England oder in Mainz
erzogen, in Athen oder Paris, wohin sie denn doch auch wohl
nicht als ein Kind mag gekommen sein, den Studien obliegend,
in Fulda nach der Ordensregel der Mönche lebend und Bücher
schreibend, dann in Rom öffentlich lehrend, selbst wieder an=
dere Lehrer bildend und endlich, nach einer Angabe eilf, nach
einer andern sogar neunzehn Jahre lang regierend, — sie
denn doch wohl bei jener Procession über die gewöhnliche Zeit
der Mutterschaft hinaus gewesen sein möchte.

Dieselbe Verschiedenheit findet Statt in Angabe des Weges,
auf welchem sie zum Papstthume gelangt sei. So geben Einige
an *): weil sie als ein Wunder der Gelehrsamkeit alle ihre
Zeitgenossen überstrahlt habe; auffallend, daß denn doch keiner
der Zeitgenossen von diesem Wunder Meldung thut! Dann soll
sie es durch Heuchelei und verstellte Frömmigkeit dahin gebracht
haben; selbst der Teufel und Zauberei, worüber sie ja Bücher
geschrieben hatte, mußten ihr helfen; endlich gibt man sogar
vor, es sei dieses durch Gottes Fürsehung und auf eine wun=
derbare Weise geschehen.

___

als spottende Redensart im Munde des Volkes — wenigstens hin
und wieder in Deutschland — erhalten hat. Um ein pedantisch hochtra=
bendes und unbehülflich aufgeblasenes Wesen zu bezeichnen, heißt es:
Der sieht aus wie Papst Zanes.

*) Diese und die früher angeführten umständlichern Angaben rühren fast
alle nur von Schriftstellern her, welche fünf Jahrhunderte und später
nach dem Tode der angeblichen Päpstinn lebten, ohne daß diese ir=
gend eine Quelle angeben, woraus sie geschöpft hätten.

Sehr auffallend aber ist es, daß die Vertheidiger unserer Fabel nicht einmal über die Zeit einig sind, wann und wie lange Johanna auf dem päpstlichen Stuhle gesessen habe. Wenn die meisten darin übereinstimmen, es sei dieses um 853 — 855 gewesen, so lassen Andere es schon i. J. 653 nach Martin I. oder i. J. 686 nach Johann V., oder unter Carl d. Gr. im Jahre 810 geschehen, wieder Andere unter der Regierung Carl's III. um 880 — 883. Einige schieben die Begebenheit bis ums Jahr 896 in die Zeit des Kaisers Arnulph hinaus, und endlich findet man sogar 904 als das erste Regierungsjahr der Päpstinn Johanna angegeben! Eben so unregelmäßig wird die Anzahl der Regierungsjahre des Pseudo-Papstes bestimmt. Einige geben nur ein oder zwei Jahre zu, Andere 3, 4 bis 5 Jahre. Volateranus läßt sie der Kirche 11 Jahre und 8 Monate lang vorstehen, und eine im Jahre 1476 gedruckte Welt-chronik dehnt die Regierungszeit auf 19 Jahre und 2 Monate aus.

Obgleich Alle darin übereinstimmen, daß die Päpstinn sich den Namen Johannes beigelegt habe, so herrscht doch auch wieder die größte Verschiedenheit in der Angabe, der Wievielte sie denn unter den so benannten Päpsten sei! Bald heißt sie Johannes VI. oder VII., bald VIII.; Malleolus nennt sie Johannes IX., und ein Manuscript in der leipziger Bibliothek vom Jahre 1497 legt ihr gar den Namen Johannes XIV. bei!

Das heißt denn doch Babels Verwirrung zum zweiten Male geschichtlich machen: vom Jahre 653 bis zum Jahre 904, von einem Regierungsjahre bis zu neunzehn, von Johannes VI. bis zu Johannes XIV. *)!!

---

*) Im berliner Gesellschafter, herausgegeben von Prof. Gubitz, ist im Blatte vom 16. December 1820 sehr lustig zu lesen, wie ein Herr Haberfeld die Geschichte der Päpstinn Johanna als wahr versicht und meint, die griechischen Quellen hierzu seien bei Verbrennung der alexandrinischen Bibliothek zu Grunde gegangen. Die Quellen existirten also schon im Jahre 640?!! — Und warum sollten denn nur griechische Quellen über dieses Ereigniß Angaben enthalten?! — Bei dem Bestreben, das mehre Mitarbeiter jener Zeitschrift an Tag legen, alles nur Mögliche aufzuklauben, was der katholischen Kirche etwa zur Schmach gereichen

4. Die letzten Lebensschicksale der Päpstinn Johanna.

Was die verschiedenen Schriftsteller Verschiedenes über die ersten Lebensschicksale der Päpstinn Johanna vorbringen, ist gelegentlich bereits in dem Vorhergehenden angegeben; wir haben daher noch zu erfahren, was sich denn mit derselben von ihrer Erhebung auf den päpstlichen Stuhl bis zu ihrem Lebensende zugetragen haben soll.

Johanna, im Mönchsgewande, nur erst tonsurirter Clerifer ohne höhere Weihe, als Lehrer der Weltweisheit in der alten Roma, wohin ihr schon der Ruf einer übergroßen Gelehrsamkeit vorausgeeilt war, von allen Gelehrten bewundert, umgeben von unzähligen Meistern und Jüngern, wurde nach Erledigung des päpstlichen Stuhles auf einmal durch allgemeinen Ausspruch und Zuruf der Clerisei, der Senatoren und des Volkes mit dem höchsten Pontificate der katholischen Kirche bekleidet *).

Im Verlaufe ihrer Regierungszeit aber hatte Johanna (dieses bisherige Muster der Gottesfurcht und Heiligkeit), damals gewiß nicht mehr in jungen Jahren, deren Geschlecht trotz so vieler verschiedenen Lebensverhältnisse unentdeckt geblieben war, plötzlich das Unglück, von ihrem Lehrer — dem Athenienser oder dem Pariser? (und der sich auch wohl schon zum Greisenalter mochte geneigt haben) — oder von ihrem Begleiter (eine sehr unbestimmte Qualität) — oder von ihrem Stallmeister — oder von einem Cardinal geschwächt zu werden. Nicht genug: ihre sonst so außerordentliche Geschicklichkeit scheiterte zu der Zeit, wo sie derselben am meisten bedurfte, und sie, die sonst gleichsam Jeden

---

*) könnte, sollten sie doch mitunter nicht gar zu unverschämt und unbedachtsam handeln, noch auch so arge Blößen der Unwissenheit an sich gewahren lassen.

*) Jacobatius behauptet, daß ein gewisser (!) Cardinal schon lange vorher, ehe nämlich offenbar geworden, daß dieser Papst ein Weib sei, geschrieben habe: die Cardinäle würden eine solche Wahl nicht mit so schlechter Unterscheidung getroffen haben, wenn selbe nicht auf eine miraculöse Weise durch den h. Geist wäre bewirkt worden. — Ubi mens, ubi ratio?!

zu bezaubern wußte, war nicht mehr im Stande, ihren jetzigen Zustand zu verbergen, verfiel auch auf kein einziges Mittel, das endliche Ergebniß desselben nicht ruchbar werden zu lassen. Das alles hatte seine guten Ursachen. Der Teufel hatte nämlich durch Verzauberung ihren Zustand verborgen gehalten, und die wahre Zeit ihrer Geburt war ihr durch Gottes Fügung unbekannt geblieben, so daß sie denn auch ihrer Umstände wegen ganz unbekümmert war. Eines Tages aber, da sie sich im Consistorio befand, und aus einem Besessenen den Teufel austreiben wollte, spottete dieser ihrer und sagte, er wolle diesen Körper nicht eher verlassen, als bis ihm der Papst, der Vater der Väter, ein von einer Päpstinn gebornes Kind zeigen werde; alsdann werde er aber auch den Papst sammt der Päpstinn mit Leib und Seele mit sich fortführen. Johanna wurde durch diese fürchterliche Bedrohung des bösen Feindes sehr erschreckt; doch verzweifelte sie deßwegen nicht, sondern fing vielmehr an, ihre Sünden von Grund ihres Herzens zu bereuen. Trotz dieser aufrichtigen Reue aber und ihrer hohen theologischen Erleuchtung und Wissenschaft blieb sie auf dem apostolischen Stuhle sitzen, nach wie vor. Da sandte Gott ihr einen Engel, der ihr zweierlei vorlegen mußte: entweder ewig verdammt oder vor der Welt öffentlich beschimpft zu werden. Um der ewigen Verdammniß zu entgehen, wählte sie die öffentliche Beschimpfung. Bei einer Procession aus dem Vatican in die Lateran-Kirche, oder bei der großen Frohnleichnams-Procession *), oder im Audienzsaale auf dem Throne, oder während der Messe gebar Johanna, im päpstlichen Ornate, ein Knäblein, indeß der Teufel in der Luft lateinische Verse sang, und Beide, Mutter und Kind, starben auf der Stelle und wurden auch gleich eben daselbst eingescharrt, oder die Mutter starb in einem finstern Kerker, wohin sie verurtheilt wurde, oder, bei den Füßen an ein Pferd gebunden

---

*) Welche Procession bekanntlich noch einige Jahrhunderte später, als die späteste Zeitangabe der Regierung der Päpstinn Johanna, zum ersten Male in Rom gehalten wurde!

und zur Stadt hinausgeschleift, wurde sie gesteinigt; ihren Ver=
führer aber knüpfte man auf *).

Wahrlich, dieses jammervolle Lügengewebe ist so beschaffen,
daß, wenn alle diese Angaben nicht in den verschiedenen Ver=
theidigungsschriften unserer Fabel wirklich vorhanden und Je=
dermann zum Lesen zugänglich wären, man den Erzähler, der
seine Quellen nicht namhaft machte, selbst für den größten
Verleumder halten müßte.

Das Läppische und Pöbelhafte dieser Erzählung tritt aber
erst dadurch in seiner ganzen Unhaltbarkeit und Seichtheit her=
vor, daß bei der sonstigen umständlichen Ausmalung der Er=
eignisse im Leben der Päpstinn Johanna auch mit keinem Worte
irgend eines eigentlichen Regierungs=Ereignisses, einer von die=
sem sonst so hochgelehrten und so berühmten Pseudo=Papste her=
rührenden kirchlichen Verordnung die Rede ist. Wie leicht war
es nicht, hier zu erfinden! Wohl leicht; aber wie gewagt war
es, das später Erfundene dieser Art zu rechtfertigen, wenn es
sich sonst in keiner frühern Angabe mehr vorfände, wenn die
Kritik es gleich in die Reihe falscher Decretale und als dem
kirchlichen Leben durchaus fremd und unbekannt erklären müßte!

Die einzige Begebenheit, welche von den Erdichtern eigent=
lich noch hätte hinzu erfunden werden müssen, war die, daß
nach dem Tode des Pseudo=Papstes die von ihm ungültig ordi=
nirten Bischöfe und Priester, deren dieser ausgezeichnete Papst

*) Sieh: Chronik von Hartmann Schedel. — Gespräch zwischen Pius VI.
und dem Cardinal=Collegium; anonym. — Spanheim, dissert. de
Johanna papissa. — L'Enfant, histoire de la papesse Jeanne
mit Noten von M. de Vignoles. — Merkwürdige Historie von der
Päpstinn Johanna. Frankf. und Leipz. 2 Bände! mit Kupfern, un=
ter denen sich auch die Darstellung der Niederkunft während der Pro=
cession befindet. — Wagenseil, dissertat. de Joanna papissa. Die=
ser Schriftsteller hält die Päpstinn für das apokalyptische Thier aus
der geh. Offbg. des h. Johannes. — Die Centurienschreiber in der
IX. Centurie; diese halten die Päpstinn für die babylonische Hure
in derselben Offbg. des h. Johannes. — Und so weiter, und so weiter!
noch mehre Hundert Schriftsteller, von denen immer der eine dem
andern nach= und ausschreibt, ohne sich weiter um Beweise und Quellen
zu bekümmern.

doch gewiß geweiht hatte, — wie dieses von den Centuriatoren auch ausdrücklich behauptet wird, — reordinirt worden seien, eben so wie die Priester, welche von jenen Bischöfen geweiht worden waren. Welch ein Aufsehen mußte dieses Beginnen aber machen, und wie eindrucksvoll mußte die Bestürzung sein, die sich der vielen Tausende bemeisterte, denen nun während so langer Zeit die h. Sacramente nur ungültig waren gespendet worden! Und von diesem unerhörten, durch so viele Verhältnisse hindurch sich verzweigenden Ereignisse sollten alle Geschichtschreiber, Freunde und Feinde, geschwiegen haben?!

Daß die spätern Ausmaler der Päpstinn-Geschichte nicht den Muth hatten, solche Verordnungen und Begebenheiten hinzu zu dichten, zeugt eben so gut gegen sie, als wenn sie es gethan hätten und man doch in allen früheren Urkunden keine Sylbe davon vorfinden könnte.

5. Veranlassungen zu dem Mährchen von der Päpstinn Johanna.

So verschiedenartig die Geschichte von der Päpstinn Johanna erzählt wird, eben so verschiedenartig sind auch die Bestandtheile der Veranlassungen zu dieser Geschichte, und eben diese Verschiedenheit mag wohl die Quelle jener sein.

Burius, Brietius und Kolb schreiben den Ursprung dieser Sage dem weibischen, feigen Betragen des Papstes Johannes VIII. zu. Dieser, ein Römer, ließ sich durch die Drohungen des Kaisers Basilius so sehr erschrecken, daß er den Photius als Patriarchen von Constantinopel bestätigte und auf die Vorstellungen des rechtmäßigen Patriarchen Ignatius nicht hörte. Da man nun den Photius für einen Eunuchen hielt, so wurden einige Zeloten dahin laut, der Papst habe diesem Halbmanne nicht einmal widerstehen können, und nannten ihn daher spottweise ein Weib. So viel ist gewiß, daß schon am Ende des 12. Jahrhunderts ein Abt in Calabrien, Namens Joachim, auch als Geschichtschreiber seiner Zeit unter dem Namen Joachim Calabrus bekannt, sich ein beson-

beres Geschäft daraus machte, tadelhafte Päpste als Zerrbil-
der zu zeichnen und auszumalen, und unter diesen einige in
weiblicher Kleidung, in den Händen Werkzeuge weiblicher Be-
schäftigung haltend; wurde ja auch der Schwelger Sarda-
napal von seinem Volke ein Weib gescholten, nicht weniger
Commodus, der selbst in weiblicher Kleidung einherging. So
nennt beim Homer der erzürnte Agamemnon die fliehenden
Krieger griechische Weiber, und in der Aeneis heißen die
weniger Kampflustigen phrygische Weiber.

Schon oben wurde von dem Briefe geredet, in welchem P.
Leo IX. dem Patriarchen Michael von Constantinopel den
Vorwurf macht, es gehe die Rede, daß auf diesem Patriarchal-
Stuhle Verschnittene und sogar ein Weib sollten gesessen haben.
So gewiß es nun ist, daß Leo dieses den Griechen nicht vorwerfen durfte, wenn kurz vorher ein ähnliches Ereigniß in der
römischen Kirche sich zugetragen hätte, so gut ist es aber auch
denkbar, daß dieser Vorwurf späterhin bei mannigfaltig leidenschaftlichen Vorkommenheiten auf die römische Kirche konnte
übertragen worden sein.

Der baierische Annalist Aventin hält dafür, daß im 10.
Jahrhunderte Johannes IX. dazu Anlaß gegeben habe, der
nicht allein durch die berüchtigte Theodora auf den päpstlichen Stuhl erhoben, sondern auch gänzlich von derselben be-
herrscht wurde *). Dasselbe findet nach Baronius bei Johannes XI. Statt, welcher, angeblich ein Sohn Sergius' III.
und der Marozzia, durch den Einfluß seiner Mutter Papst
und eben so von ihr gelenkt wurde.

---

*) Da diese Meinung des Aventin wohl unter allen die begründetste
sein mag, so theilen wir die betreffende Stelle hier in treuer Uebersetzung mit: „Theodora (Schwiegermutter des Herzogs Albert von
Hetrurien) herrschte eigenmächtig in Rom und setzte ihren Liebhaber,
Johannes IX., zuerst den Bononiensern, dann den Ravennensern
und zuletzt den Römern vor, und erhob ihn zur höchsten Stufe des
Priesterthums; woher denn, so wie ich glaube, das Mährchen (fa-
bella) entstanden ist, das thörichter Weise die Sage verbreitet hat:
um diese Zeit sei der Hohepriester ein Weib gewesen und habe
Johannes geheißen.“ (Joan. Avent. Annal. Bojor. lib. IV. c. XX.)

Nicht weniger Anlaß zu unserer Fabel mag aber auch Johannes XII. gegeben haben, welcher in seinem achtzehnten
Lebensjahre Papst wurde, und zwar zur Schande des apostolischen Stuhles. Er hielt sich drei Beischläferinnen, unter denen
aber eine gewisse Johanna die schönste war und am meisten
über ihn vermochte, so daß er ihr die eigenmächtige Verwaltung
mehrer Städte überließ *).

Diese Verhältnisse nun, unter welchen die hier angeführten
Päpste, die den Namen Johannes führen, lebten, sind gewiß
zur Vollgenüge dazu geeignet, die schmachvolle Erdichtung von
einer Päpstinn Johanna daraus zu schöpfen und auszubilden;
und wie dieser Anlässe hier so viele verschiedene auf einander
folgen, so rührt wohl auch eben daher die Unbestimmtheit und
Verschiedenartigkeit in jener Erdichtung, was Namens- und
Jahreszahl anbelangt.

Zudem kommt die Verwirrung auch noch sehr gut zu Stat-
ten, die von Einigen in die Reihenfolge der Päpste, welche
Johannes hießen, gebracht worden ist, indem einige dieser
Päpste, nachdem sie abgesetzt oder vertrieben worden waren,
wieder nach Rom zurückkehrten und sich die höchste Gewalt
aufs Neue aneigneten, andere hingegen ganz kurz nach ihrem
Regierungs-Antritte eines gewaltsamen Todes starben und so
kaum als in diese Reihe gehörig angesehen wurden.

Da nun einmal, leider! so viel zureichendes Material zur
ersten Veranlassung und weitern Ausspinnung einer solchen
Fabel vorhanden war, so bedurfte es wahrlich kaum so vieler
Impulse, sie wirklich ins Leben treten zu lassen, als vom 11.
Jahrhunderte an ununterbrochen erfolgten. Dahin gehören die
immer leidenschaftlicher sich äußernde Trennung der griechischen Kirche von der lateinischen; der Investitur-Streit
zwischen den Päpsten und Kaisern; die Bestrebungen des Ar-

*) Henke meint, vielleicht habe ein witziger Kopf den Ursprung der
damals schon bekannten falschen Decretale durch die Erfindung des
Mährchens von der Päpstinn Johanna sinnbildlich andeuten wollen.

nolb von Brescia, sich in Rom der höchsten Gewalt zu bemeistern; der erbitterte Kampf zwischen Ghibellinen und Guelfen; die vielen Spaltungen durch Gegenpäpste; die Anstrengungen mancher päpstlichen Städte, sich unabhängig zu machen; die Erscheinung der Waldenser, Albigenser, Hussiten, und endlich die Reformation in Deutschland, Frankreich und England, deren Einfluß selbst in Italien nicht wenig geltend wurde.

Da aber aus allem Früheren erhellt, daß die ersten Spuren dieses Mährchens wohl erst im 13. oder 14. Jahrhunderte mögen aufzufinden sein, so liegt auch wohl ein Hauptgrund zur Veranlassung ihrer Erfindung und ersten Ausbildung in der Tendenz der Geschichtschreiber eben jener Zeit. Diese aber war so beschaffen, daß es nur galt, sich darin zu überbieten, wer Wundervolleres, Erstaunenswertheres vorbrächte, wo denn im Osten durch die Kreuzzüge und im Westen durch die Entdeckung einer neuen Welt diesem Hange noch gar eine neue, höchst ergiebige Fundgrube aufgedeckt wurde. Das Unglaublichste galt damals für das Wissens- und Wünschenswertheste, wo es besonders an Engel- und Teufel-Erscheinungen nicht fehlen durfte; man denke nur an die Sage vom Faust u. a. m. *)., an die wundervollen, abenteuerlichen Erzählungen aus der Naturgeschichte und in Reisebeschreibungen, und wie es sich denn auch so häufig im engern und weitern Verhältnisse als wahr erweiset, was Jean Paul irgendwo sagt, daß manche übertreibende Lüge nur um dessentwillen vorgebracht werde, damit man das Vergnügen habe, den Zuhörer in das gehörige Erstaunen versetzt zu sehen. Und wie nun so viele Schriftsteller jener Zeit bestrebt waren und sich gleichsam abmüheten, recht viel Wundervolles in heiliger Einfalt harmlos als Legende

---

*) Wie Locherer in seiner Kirchengeschichte schon zum 6. Jahrhunderte anmerkt: „(wir) wollen mehr der Unwissenheit der Zeit, als der Bosheit der Schriftsteller, das beimessen, was der Leichtgläubige beßwegen so sehr gern als Wahrheit aufnimmt, weil eben das Wunderbare der unumstößliche Beweis der Wahrheit eines Factums sein soll."

hinzuschreiben, ganz unbekümmert um alle Kritik, wenn es nur, ihrer Meinung nach, dazu beitragen konnte, die Göttlichkeit der christlichen Religion noch anschaulicher zu machen und so gleichsam noch fester zu begründen: so soll es nicht auffallen, wenn es auch hinwiederum andere Schriftsteller gab, die, von einer entgegengesetzten Leidenschaft angetrieben, eben so viel Absonderliches gegen den geistlichen Oberhirten der Bekenner dieser Religion vorbrachten, der, einmal als Schildhalter und Hort des alten, unabänderlichen Glaubensbegriffes, seine Persönlichkeit mochte nun selbst eine sittliche oder unsittliche sein, jedem geistigen Bestreben der Neuerung entgegenstand, und dann im Verlaufe der Zeiten und der anwachsenden neuen Verhältnisse eine weltliche Macht und Bedeutung sich gewonnen hatte; wo dann die Gränzbestimmung dieser beiden Gewalten nicht immer ohne Leidenschaftlichkeit von beiden Seiten, und zwar im Charakter des damaligen Zeitgeistes, erfolgte.

Und so schließen wir denn diese Abhandlung im guten Vertrauen zu dem gesunden Urtheile des Lesers, wonach eine Geschichte bessere Gewährleistung für sich haben muß, um für unbezweifelbar wahr angenommen werden zu können, als die angebliche Existenz der Päpstinn Johanna vorzuzeigen vermag, wenn nicht auch jedes beliebige Ammenmährchen der bewährtesten Geschichte zur Fürwahrannahme gleichgestellt werden soll.

Litterarische Anzeige.

Im Verlage von M. DüMont-Schauberg in Köln sind kürz-
lich erschienen und in allen guten Buchhandlungen Deutschlands, Oestreichs und der Schweiz zu haben:

**Moore, Thomas, Wanderungen eines irländischen Edel-
mannes zur Entdeckung einer Religion. Mit Noten
und Erläuterungen. Aus dem Englischen. Vierte Auflage. Mit Moore's Bildniß in Stahlstich von Schwerdt-
geburth. 400 Seiten gr. 8. In Umschlag geh. — Preis:
1 Thlr. — 1 Fl. 48 Kr. Rhein. — 1 Fl. 30 Kr.
Conv.-Münze.**

Bei Ankündigung der vierten Auflage unserer Uebersetzung dieses
ausgezeichneten, mit so außerordentlichem Beifall aufgenommenen Werkes glauben wir um so mehr aller Empfehlung überhoben zu sein, als
bereits mehre kritische Journale, namentlich das „Leipziger Repertorium
der Litteratur" und die „Berliner litterarische Zeitung", die Vorzüge
dieser Uebersetzung (welche das Original-Werk vollständig
wiedergibt) hervorgehoben haben; zudem ist diese vierte Auflage von
dem Uebersetzer mit allem Fleiße revidirt und mit manchen interessan-
ten Bemerkungen bereichert worden. — Das beigegebene Bildniß des
Verfassers, so wie die übrige Ausstattung gereichen dem Werke zur Zierde.

**Manzoni, Alexander, Bemerkungen über die katholi-
sche Moral. Aus dem Italienischen übersetzt von Joseph
von Orsbach. 186 Seiten gr. 8. 16 Ggr. — 1 Fl.
12 Kr. Rhein. — 1 Fl. Conv.-Münze.**

Alexander Manzoni, der berühmte Verfasser der „Verlobten", tritt
in dem hier angekündigten Werke als feuriger und beredter Vertheidiger
der katholischen Moral gegen die Beschuldigungen auf, welche im 127.
Capitel von Simonde de Sismondi's Histoire des républiques ita-
liennes du moyen âge gegen sie vorgebracht werden. Dem deutschen
Publicum wird durch die Uebertragung dieser Schrift, die bei allem
Scharfsinne und allem Eifer für ihren Gegenstand sich durchaus in den
Gränzen der liebevollsten Mäßigung hält, gewiß ein Gefallen geschehen
sein. Denn obgleich jene Beschuldigungen speciel beweisen wollen, „daß
das Verderbniß Italiens zum Theile von der katholischen Moral herrühre," so ist doch klar, daß deren Widerlegung tief in das Wesen
dieser Moral selbst eingehen, also ein allgemeines Interesse erregen
müsse. Und so finden wir denn in 19 Capiteln abgehandelt: I. die
Glaubens-Einheit; — II. den verschiedenen Einfluß der katholischen
Religion nach Ort und Zeit; — III. den Unterschied zwischen Moral-
philosophie und Theologie; — IV. die Kirchenbeschlüsse, die Entschei-

dungen der Kirchenväter und die Casuisten; — V. die Uebereinstim=
mung der katholischen Moral mit den natürlichen Rechtsgefühlen; —
VI. die Unterscheidung der Todsünden von den läßlichen Sünden; —
VII. den Haß unter religiösem Vorwande; — VIII. die Lehre von der
Buße: 1. wer bestimmte Bußformen vorgeschrieben habe, 2. Bedingun=
gen der Buße nach der katholischen Lehre, 3. Geist und Wirkung der
vorgeschriebenen Bußformen; — IX. den Aufschub der Bekehrung: 1.
von der Lehre, 2. von den Meinungen, 3. von dem Unterrichte in der
Religion; — X. den Unterhalt der Geistlichkeit, in so weit derselbe als
Ursache der Immoralität betrachtet wird; — XI. die Ablässe; — XII.
die Dinge, von denen die Erlangung der ewigen Seligkeit oder die
Verwerfung abhangt; — XIII. die Kirchengebote; — XIV. das Uebel=
nachreden; — XV. die Beweggründe zum Almosengeben; — XVI.
Nüchternheit, Enthaltsamkeit, Keuschheit und Jungfräulichkeit; — XVII.
Bescheidenheit und Demuth; — XVIII. die Geheimhaltung der Moral,
die Scrupel der Gläubigen und die Gewissensräthe; — XIX. die aus
dem Charakter der Italiener abgeleiteten Einwürfe gegen die katholi=
sche Moral.

Predigern und Katecheten wird dieses Werk reichen Stoff zu Aus=
arbeitungen von Vorträgen liefern, jedem Katholiken aber ein Hülfs=
mittel sein, die Religion, welche er bekennt, gegen ähnliche Angriffe in
rechter Weise vertheidigen zu können.

**Smets, Wilhelm, Andenken an die erste heilige Com=
munion-Feier in Spruchliedern. Ein Jugendgeschenk.
Zweite, verbesserte und vermehrte Auflage. 12. Mit
einem Stahlstiche. Brosch., mit Goldschnitt, 5 Ggr. —
21 Kr. Rhein. — 20 Kr. Conv.=M.**

Ohne Stahlstich auch unter dem Titel:

**Spruchlieder von Wilhelm Smets. Zweite, verb. u.
verm. Auflage. 12. Brosch. 3 Ggr. — 15 Kr. Rhein.
— 12 Kr. Conv.=M.**

Die günstige Aufnahme, deren dieses Communions= und Schulge=
schenk sowohl im In= als Auslande sich zu erfreuen hatte, machte be=
reits eine zweite Auflage desselben nothwendig, und um den häufigen
Nachfragen genügen zu können, haben wir den Verlag desselben
an uns genommen, um so dieses geschätzte Büchlein, vom Herrn Ver=
fasser verbessert und vermehrt, in würdiger Ausstattung, mit einem
Stahlstiche, das Abendmahl des Herrn vorstellend, verziert, den Herren
Geistlichen, Eltern, Lehrern und Erziehern wieder empfehlen zu kön=
nen. — Unter dem besondern Titel:

Spruchlieder,

deren das Werkchen 57 zählt, eignet sich dasselbe nicht allein zu Schul=
geschenken, sondern es hat auch unter dem größern Publicum eine sehr
günstige Aufnahme und in der geschätzten breslauer Zeitschrift für die
katholische Geistlichkeit eine ausgezeichnete Würdigung gefunden.

———————————

Druck:
Customized Business Services GmbH
im Auftrag der KNV-Gruppe
Ferdinand-Jühlke-Str. 7
99095 Erfurt